JANE HELLER

Trau niemals einem Mann

Buch

Elaine Zimmerman und ihre beiden Freundinnen Jackie und Pat
wollen sich auf einer Kreuzfahrt in die Karibik mal so richtig amüsieren. »Die drei blonden Mäuse«, wie sie sich seit ihrer Scheidung
ironisch nennen, sind angesichts der bevorstehenden Woche auf der
Princess Charming bester Laune und ahnen nicht, daß eine von ihnen die Zielscheibe eines Auftragskillers ist. Kaum hat der Dampfer
abgelegt, stürzen sich Pat und Jackie ins Vergnügen – und auf die
männlichen Gäste an Bord. Nur Elaine ist etwas angesäuert: Von
ihrer Kabine schaut sie direkt aufs Rettungsboot, und ihr Gepäck ist
gar nicht erst mitgekommen.

Aber dann begegnet Elaine dem attraktiven Sam, und auch für sie
scheint sich die Kreuzfahrt zum Guten zu wenden, denn Sam ist
charmant, intelligent – und noch zu haben! Elaine ist Feuer und
Flamme, doch eines Nachts wird sie zufällig Zeugin eines beunruhi-
genden Telefongesprächs: Ein männlicher Passagier versichert einem anderen Mann, die betreffende Exfrau sei gewiß mausetot, bevor die Kreuzfahrt zu Ende ist. Bei Elaine schrillen die Alarmglok-
ken: Schließlich könnte jede der drei Freundinnen mit dieser Morddrohung gemeint sein. Sie muß den Mörder dingfest machen, doch
eine Woche ist eine verdammt kurze Zeit ...

»Trau niemals einem Mann« ist die spannende und äußerst witzig
erzählte Geschichte einer Frau, die sich und ihre beiden Freundinnen vor einem mysteriösen Mörder zu schützen versucht. Und auch
die Liebe kommt in diesem amüsanten, wunderbar spritzigen Buch
nicht zu kurz.

Autorin

Jane Heller, 1950 in White Planes, New York, geboren, arbeitete
viele Jahre im Verlagsgeschäft, bevor sie sich dem Schreiben widmete. Sie lebt heute in Stuart, Florida.

Außerdem bei Goldmann erschienen
Die Putzteufelin. Roman (43065)
Willkommen im Club. Roman (43403)
Fahr zur Hölle, Liebling. Roman (43619)
Liebe im Preis inbegriffen. Roman (44243)

Jane Heller

Trau niemals einem Mann

Roman

Deutsch von Ariane Böckler

GOLDMANN

Die amerikanische Originalausgabe erschien 1997 unter dem Titel
»Princess Charming« bei Kensington Publishing Corp., New York

Deutsche Erstausgabe 8/97
Copyright © 1997 by Jane Heller
Published by arrangement with
Kensington Books/Kensington Publishing Corp.
Copyright © der deutschsprachigen Ausgabe 1997
by Wilhelm Goldmann Verlag, München, in der
Verlagsgruppe Bertelsmann GmbH
Umschlaggestaltung: Design Team München
Umschlagfoto: G+J/Wartenberg
Satz: Uhl & Massopust, Aalen
Druck: Elsnerdruck, Berlin
Verlagsnummer: 43763
Lektorat: Maren Kröger
Herstellung: Heidrun Nawrot
Made in Germany
ISBN 3-442-43763-6

13 15 17 19 20 18 16 14 12

TRAU NIEMALS EINEM MANN
ist die Geschichte dreier Frauen, die zusammen in
Urlaub fahren. Den Roman zu schreiben war nicht gerade
ein Urlaub für mich, aber die folgenden Frauen machten
mir die Reise wesentlich angenehmer:
meine Lektorin Ann LaFarge, Lynn Brown vom Verlagshaus
Kensington, das Werbe- und Marketingteam Laura Shatzkin
und Deborah Broide, meine literarische Agentin Ellen Levine
und meine Freundin und Mentorin Ruth Harris.
Wie immer ein besonderes Dankeschön an meinen Mann
Michael Forester, meinen Seereisegefährten

Für John Jakes, einen großen Liebhaber
von Kreuzfahrtschiffen

O Captain! my Captain! our fearful trip is done.
The ship has weathered every rack, the prize sought is won.
Walt Whitman, »O Captain, My Captain!«

Won't you let me take you on a sea cruise?
Oo wee, oo wee baby,
Frankie Ford, »Sea Cruise«

PROLOG

Um sechs Uhr morgens an einem schneelosen, eiskalten Januartag stand ein Mann an einem Münztelefon an der Ecke Einundsiebzigste Straße und Lexington Avenue in Manhattan. Er blickte zuerst nach links und dann nach rechts, und als er sicher war, daß er nicht von Passanten belauscht werden konnte, trat er einen Schritt näher an den Apparat und nahm den Hörer ab.

Er wartete auf das Freizeichen und nickte erleichtert, als er es hörte. Er wußte, wie selten man ein öffentliches Telefon fand, das funktionierte. Das war die Ironie der »High-Tech«-Neunziger. Man brauchte zwar nur die Hand auszustrecken, um Sharon Stone im Internet zu berühren, aber die eigene Mutter konnte man nicht aus einer Telefonzelle anrufen.

Der Mann holte tief Luft und wählte die Ziffern, die er sich auf einem kleinen Fetzchen Papier notiert hatte. Er preßte sein Ohr an den Hörer und wartete. Nach einem einzigen Läuten nahm jemand ab.

»Ich bin dran«, sagte ein Mann, der sich anhörte, als hätte er den Anruf erwartet, aber gefürchtet. »Was gibt's?«

»Sie werden etwas für mich erledigen«, sagte der Anrufer.

Der Mann am anderen Ende der Leitung schwieg einen Augenblick. »Was ist dieses ›etwas‹?«

Der Anrufer wölbte die Hand um die Sprechmuschel und sagte in heiserem Flüsterton: »Sie werden meine Exfrau umbringen.«

»Ihre Exfrau umbringen?« Der Mann war verblüfft, fassungslos.

»Ja, was dachten Sie denn, warum ich Sie um sechs Uhr morgens anrufe? Um Sie zu engagieren, damit Sie mir den Rasen mähen?«

»Nein, aber ich habe nicht angenommen, daß es sich gleich

um einen Mordauftrag handeln würde. Das kommt nicht in Frage.«

»Es gibt natürlich auch die andere Möglichkeit«, höhnte der Anrufer.

Der andere war sprachlos.

»Also. Hier ist der Plan«, sagte der Anrufer, als sich kein echter Widerspruch zu regen schien. »Meine Exfrau macht nächsten Monat eine Kreuzfahrt. Einen dieser Sieben-Tage-Trips in die Karibik mit ihren Freundinnen. Die drei blonden Mäuse, wie sie sich selbst nennen.« Er grinste, als er über den Spitznamen nachdachte. Sicher, alle drei Frauen hatten blondes Haar, aber als Mäuschen konnte man sie kaum bezeichnen. Die drei blonden Barrakudas wäre passender gewesen. »Das Schiff heißt *Princess Charming*«, fuhr er fort. »Es verläßt Miami um fünf Uhr nachmittags am Sonntag, dem 10. Februar, und legt dort am darauffolgenden Sonntag um sieben Uhr morgens wieder an. Ich möchte, daß Sie die Kreuzfahrt mitmachen und sie umbringen, bevor das Schiff wieder in Miami ist.«

»Sie wollen, daß ich sie auf dem Schiff umbringe?«

»Sie werden sich wahrscheinlich den anderen Passagieren gegenüber tarnen müssen«, sagte der Anrufer, die Frage ignorierend. »Erzählen Sie ihnen irgendein Märchen, warum sie die Kreuzfahrt mitmachen. Aber Sie sind ja ein guter Lügner. Ich muß es wohl wissen, oder?«

»Hören Sie, ich…«

»Die Hauptsache ist, daß Sie es tun und sich nicht dabei erwischen lassen«, unterbrach ihn der Anrufer. »Nun. Was sagen Sie dazu?«

Sagen? Was konnte der andere schon sagen?

»Sie hat es verdient, umgebracht zu werden«, sagte der Anrufer, als läse er die Gedanken des anderen Mannes. »Sie leisten der Allgemeinheit einen guten Dienst, glauben Sie's mir. Außerdem wird es ja nicht Ihre *ganze* Zeit auf der Kreuzfahrt in Anspruch nehmen, sie umzubringen. Sie sind mitten im Winter in der Karibik und werden von all Ihren Freunden beneidet. Sie können am Swimmingpool liegen, soviel essen, wie sie wollen, und sich bei den Shows, im Casino und in der Disco vergnügen. Es wird verdammt nochmal ein *Urlaub* werden.«

Weiteres Schweigen trat ein, während der andere Mann die unselige Lage bedachte, in der er sich befand. Er schwamm nicht gerade in Alternativen.

»Ich mach's«, sagte er schließlich. Er haßte Frostwetter und brauchte ein wenig Sonne. Würde er die Frau eben umbringen. Wenigstens würde er dabei braun werden.

ERSTER TAG:
Sonntag, 10. Februar

1. Kapitel

»Hatten Sie eine gute Reise, Mrs. Zimmerman?« fragte der Ticketkontrolleur von Sea Swan Cruises, als er das kleine Päckchen durchblätterte, das meine Tickets, meinen Paß und die Zollerklärung enthielt. Er konnte kaum älter als zwanzig sein. Er wirkte grün, unreif.

»Bestens, vielen Dank«, sagte ich, leicht pikiert darüber, daß er mich mit *Mrs.* Zimmerman angesprochen hatte. Nichts in meinen Papieren wies darauf hin, daß ich verheiratet war, ich trug auch keinen Ehering, und trotzdem...

Tja, er war nicht der erste, der diesen Fehler machte. Wenn Sie eine Frau in einem gewissen Alter sind, wird Ihnen nicht entgangen sein, daß Männer – vor allem, aber nicht ausschließlich, *junge* Männer – Sie automatisch mit »Mrs.« ansprechen, ob Sie verheiratet sind oder nicht. Es läßt sich genausowenig vermeiden wie Zahnfleischschwund.

»Tut mir leid, daß ich Sie aufhalte, Mrs. Zimmerman«, sagte er, weiterhin in meine Papiere vertieft.

»Lassen Sie sich Zeit. Ich hab's nicht besonders eilig.« Ich seufzte und fragte mich, was in aller Welt ich überhaupt im Abfertigungsgebäude von Sea Swan Cruises tat.

Aber natürlich wußte ich ganz genau, was ich dort tat. Ich schiffte mich für eine siebentägige Kreuzfahrt in die Karibik auf der *Princess Charming* ein, dem Kronjuwel in der Flotte der 75 000-Tonnen-»Megaschiffe« von Sea Swan, weil meine besten Freundinnen Jackie Gault und Pat Kovecky mich dazu überredet hatten. Wir drei hatten, seit wir geschieden waren, jedes Jahr zusammen eine Woche Urlaub gemacht. Wir hatten uns auf der Canyon Ranch in Kräuterpackungen wickeln lassen, waren beim Wildwasser-Rafting auf dem Colorado River gewesen, und wir hatten auf einer New-Age-Farm in den Catskills, deren

Namen ich komplett aus meinem Gedächtnis gestrichen habe, die Wölfin in uns gesucht. Wir waren Skifahren in Telluride, Sonnenbaden auf Anguilla, Einkaufen in Santa Fe und weiß der Himmel wo sonst noch gewesen. Die Formel »überall gewesen, alles gemacht«, traf es ganz gut – von einer Kreuzfahrt abgesehen. *Das* hatten wir noch nie gemacht. Bis Jackie es letzten Oktober vorschlug, als wir drei gerade dabei waren, unsere Urlaubsvorschläge zu diskutieren.

»Ja, warum denn nicht?« sagte sie, als ich nicht besonders begeistert dreinsah. »Kreuzfahrten sollen unglaublich entspannend sein.«

»Nicht, wenn man seekrank wird«, sagte ich.

»Du wirst nicht seekrank, Elaine«, widersprach Jackie. »Die Schiffe haben heutzutage Stabilisatoren. Und selbst wenn du seekrank werden solltest, würden sie dir eine Pille oder irgendwas dagegen geben. Auf Kreuzfahrten wird alles für einen getan. Man braucht keinen Finger krumm zu machen.«

In ihrem Berufsleben machte Jackie mehr als nur ihre Finger krumm: Sie wuchtete Töpfe mit Geranien, Säcke voller Dünger und Schößlinge aller Art herum. Zusammen mit ihrem Exmann Peter gehörte ihr »J&P Nursery«, ein Landschafts- und Gartencenter in Bedford, New York, einem feudalen Vorort von Manhattan, der bei aufstrebenden Führungskräften, Martha Stewarts Gefolgsleuten und Hirschen sehr beliebt war. Jackie verbrachte ihre Tage knietief im Dreck – Verzeihung, im *Erdreich* –, während sie für neureiche Enddreißiger, die Häuser von den Ausmaßen Versailles' besaßen und eine Venusfliegenfalle nicht von Weidenkätzchen unterscheiden konnten, Blumen und Büsche pflanzte. Infolge der harten, körperlich anstrengenden Arbeit, die sie verrichtete, trat sie stets für eine Form von Urlaub ein, die keinerlei Anstrengung erforderte – eine Umgebung, in der *sie* bedient wurde.

Ich wandte mich an Pat. »Was meinst du? Bist du dafür, eine Woche mit Hinz und Kunz auf einem Schiff zu verbringen?«

Sie erwog die Frage. Es dauerte eine halbe Ewigkeit. Nichts lag Pat ferner, als impulsiv zu reagieren. Sie bedachte jede Entscheidung, als wäre sie gravierend, unwiderruflich und ihre letzte, was mitunter entsetzlich frustrierend sein konnte, wenn man nur wissen wollte, in welchen Film oder welches Restaurant man gehen sollte.

»Jackie hat recht«, sagte sie schließlich und nickte, um ihrer Antwort mehr Nachdruck zu verleihen. »Auf Kreuzfahrten werden die Passagiere total veräppelt.«

Pat war sowohl die Meisterin der peinlichen Wortverwechslung als auch die langsamste Person aller Zeiten, wenn es eine Entscheidung zu fällen galt. In diesem Fall meinte sie natürlich, daß man auf Kreuzfahrten total verpäppelt wurde. Verwöhnt.

»Sie erfüllen einem jeden Wunsch«, sagte sie. »Diana und ihr Mann machen Kreuzfahrten, und sie sind sehr davon angetan.«

Diana war Pats jüngere Schwester. Ihre gesellschaftlich wesentlich aktivere jüngere Schwester. Als sie noch Babys waren, hatten die Eltern Diana als »die Lebhafte« und Pat als »die Schüchterne« bezeichnet. Doch Pats Schüchternheit war trügerisch: Sie redete nicht viel, aber sie hielt an ihren Entscheidungen fest, wenn sie sie erst einmal getroffen hatte. So hatte zum Beispiel ihr Exmann Bill Kovecky die gesamten vier College-Jahre gebraucht, um sie zu überreden, ihn zu heiraten. Doch nachdem sie einmal eingewilligt hatte, war sie für immer die Seine – die ganze mühevolle Zeit seines Medizinstudiums, seines Praktikums und seiner Niederlassung hindurch. Die Geburten ihrer fünf Kinder hindurch. Die Zeit seiner Verwandlung in Dr. William Kovecky, den Gott der Gastroenterologie, hindurch. Seiner Vorträge und Fernsehauftritte und Reisen in ferne Länder, wo er Vorlesungen über Krummdarmentzündungen hielt, hindurch. Seiner Ichbezogenheit und seines Rückzugs von der Familie hindurch. Selbst die Scheidung hindurch. Pat blieb Bill gegenüber loyal und liebte ihn immer noch innig. Sie mochte zwar »die Schüchterne« gewesen sein, doch sie hatte eine eiserne Entschlossenheit, und eine Sache, zu der sie fest entschlossen war, war Bill zurückzugewinnen. Jackie und ich zuckten mit den Achseln, wenn das Thema angesprochen wurde. Wir waren beide keine Expertinnen darin, Exehemänner zurückzugewinnen, da keine von uns ihren zurückhaben wollte. Bill hatte allerdings in den sechs Jahren, die sie jetzt schon geschieden waren, nicht wieder geheiratet, also war Pats Wunsch nicht völlig abwegig. »Ja«, sagte sie erneut. »Ich finde, eine Kreuzfahrt ist eine gute Idee. Würde jeder Arzt empfehlen.« Da Bill Arzt war, brachte sie das Wort »Arzt« gern so oft wie möglich in Gesprächen unter.

»Eine Kreuzfahrt?« ächzte ich. »Ich glaube wirklich nicht, daß ich der Typ dafür bin.« Ich hatte nichts dagegen, mich verwöhnen, verpäppeln oder bedienen zu lassen. Ich wollte nur nicht, daß das Bedienen auf einem Ozeandampfer stattfand, von dem ich nicht flüchten konnte, falls es mir dort nicht gefiel.

»Nicht der Typ dafür? Was für ein Typ?« protestierte Jackie. »Nach allem, was ich gelesen habe, gibt es keinen einheitlichen Typ, der an Kreuzfahrten teilnimmt. Man trifft dort auf einen breiten Querschnitt der Gesamtbevölkerung.«

»›Breit‹ ist genau der springende Punkt«, sagte ich. »Wenn du eine Kreuzfahrt mitmachst, sitzt du sieben Tage auf einer schwimmenden Cafeteria fest. Das Essen, das dort weggeworfen wird, könnte ein kleines Land ernähren.«

»Na gut, dann laß es mich anders ausdrücken«, sagte Jackie mit der heiseren Stimme einer ehemaligen Raucherin. »Ich habe nicht mehr gebumst, seit George Bush Präsident war. Ich würde die Durststrecke gern unterbrechen, bevor einer von George Bushs *Söhnen* Präsident wird. Und ich weiß zufällig, daß alleinstehende Männer auf Kreuzfahrten gehen. Und deshalb würde ich auch gern eine Kreuzfahrt machen. Drücke ich mich klar aus?«

»Kristallklar«, sagte ich. Jackie war so bodenständig. »Aber du hast etwas vergessen. Die alleinstehenden Männer, die auf Kreuzfahrten gehen, tragen Schmuck.«

»Da haben wir wieder deine üblichen Vorurteile«, meinte sie.

»Und schwarze Socken zu braunen Sandalen«, sagte ich.

»Elaine«, seufzte sie und rollte mit den Augen.

»Und sie sehen aus wie Rodney Dangerfield«, fügte ich zu allem Überfluß noch hinzu.

»Phantastisch. Ich würde auch gern dabei lachen, wenn ich

zum ersten Mal seit Jahren wieder vögel. Wahrscheinlich habe ich schon vergessen, wie man es macht«, sagte Jackie. »Ich glaube, wir würden uns auf einer Kreuzfahrt bestens amüsieren, ganz ehrlich.«

»Diana sagt, daß man auf einem Schiff eine Menge unternehmen kann«, warf Pat ein und begann dann mit einer Aufzählung der Aktivitäten, die auf Kreuzfahrten angeboten wurden. »Du würdest dich bestimmt nicht langweilen, Elaine. Da bin ich mir sicher.«

Die Debatte zog sich fast noch eine ganze Stunde hin. Jackie und Pat beharrten darauf, daß wir einen Riesenspaß haben würden, und ich argwöhnte, was alles schiefgehen könnte, sowie wir keinen festen Boden mehr unter den Füßen hatten. Ich war ein kreativer, einfallsreicher Kopf, was mir in meinem Beruf als leitende Angestellte einer Public-Relations-Agentur sehr zupaß kam, aber in meinem Gefühlsleben schlimme Verwüstungen anrichtete. Mein kreatives, einfallsreiches Denken nahm nämlich allzuoft jene Form an, die mein Exehemann Eric als meine »Angst vorm schwarzen Mann« nannte: Nicht enden wollende Katastrophenhandlungen. Was Eric allerdings nicht erkannt hatte, war, daß ich mit meiner Angst vorm schwarzen Mann ganz richtig lag, weil *er* sich schließlich als einer entpuppte. Doch davon später mehr.

Am Ende wurde ich überstimmt. Ich war zu dem Schluß gekommen, daß ich meine lieben Freundinnen nur dazu bewegen konnte, nicht mehr über eine Kreuzfahrt zu reden – sie liefen schon Gefahr, wie ein Werbespot zu klingen –, indem ich einwilligte, mitzufahren.

»Es wird garantiert toll, wir werden am Pool liegen, nichts wird unsere gute Laune trüben, und gutaussehende junge Lustmolche werden uns Piña Coladas servieren«, sagte Jackie.

»So komme ich wahrscheinlich endlich dazu, alle angefangenen Bücher zu Ende zu lesen«, lenkte ich ein. »Und ich könnte jeden Morgen auf dem Promenadendeck joggen – natürlich nur, wenn die Reling hoch und massiv genug ist, damit ich nicht über Bord gehe.«

»O Elaine. Sieh's endlich ein«, stöhnte Jackie. »Dir wird auf der Kreuzfahrt absolut nichts zustoßen. Es wird dir gefallen. Mal was ganz anderes.«

»Ja, etwas anderes«, stimmte Pat zu.

Wie anders ahnten sie gar nicht.

Und so stand ich also an diesem Sonntagnachmittag im Februar in Miami am Ticketschalter im Abfertigungsgebäude von Sea Swan Cruises. Die *Princess Charming* sollte erst um fünf Uhr ablegen, aber dank des Nonstopflugs mit Delta von LaGuardia und der Fahrt mit dem Zubringerbus vom Miami International Airport standen wir bereits um halb eins am Schalter von Sea Swan.

»Mein Gott. Seht euch das an«, hatte ich hervorgestoßen, als wir ausgestiegen waren und das Schiff zum ersten Mal sahen. Im Prospekt hatte gestanden, daß es vierzehn Stockwerke hoch und fast drei Fußballplätze lang sei, aber nichts hatte mich auf diesen Anblick vorbereitet – wie ein Ritz Carlton mit Motor lag es auf dem Wasser. Es sah spektakulär aus, und seine weiße Fassade und die gläsernen Bullaugen glitzerten in der Nachmittagssonne.

»Es ist majestätisch«, flüsterte Pat und sah beinahe ehrfürchtig zu dem Schiff auf. »Und noch dazu auf dem neuesten Standard.«

Nachdem wir noch weitere Minuten damit verbracht hatten, die *Princess Charming* anzustaunen, waren wir ins Abfertigungsgebäude gegangen, durch dieselbe Art von Röntgengerät spaziert, wie man es von Flughäfen kennt, hatten unseren Platz in der Schlange eingenommen und warteten. Und warteten. Normalerweise bin ich gern früh dran. Wenn man früh dran ist, kann es einem nicht passieren, daß man den Anschluß verpaßt. Doch nun, nachdem ich endlich zum Schalter vorgerückt war und *immer noch* wartete, während der Angestellte jedes Komma meiner Zollerklärung untersuchte, wurde ich langsam nervös, mißgelaunt und ärgerlich. Ich konnte nichts anderes tun als die zweieinhalbtausend Leute anstarren, mit denen ich nun eine Woche lang festsitzen würde, ihre Gesichter mustern, während sie in der Schlange standen, und mich fragen, mit wem von ihnen –

falls überhaupt – ich mich im Verlauf der Reise anfreunden würde. Da standen Menschen in allen Formen, Größen und Farben, Menschen jeden Alters und aller Glaubensrichtungen und Neigungen, deren einziger gemeinsamer Nenner war, daß die überwiegende Mehrheit von ihnen Trainingsanzüge aus Polyester trug. Ich fragte mich, wofür sie trainierten, aber dann fielen mir die berühmten Mitternachtsbuffets des Schiffs wieder ein, und ich nahm an, daß sie sich dafür warmliefen.

Ich sah auf die Uhr, während der Ticketkontrolleur immer noch meine Papiere studierte. Ich brannte darauf, abzulegen, auszulaufen und die ganze Sache hinter mich zu bringen. Im Grunde meines Herzens dachte ich bereits an den Urlaub, den wir nächstes Jahr machen würden und dessen Ziel *ich* vorschlagen würde. Eine Theaterreise nach London vielleicht. Oder eine Woche auf Key West. Oder eine Trekkingtour durch Costa Rica. Genau, das war es. Costa Rica. Heutzutage fuhren alle nach Costa Rica. Es war ein Land, von dem es hieß, es sei so… so… *echt.*

Ich schloß die Augen und sah mich selbst im Patio eines rustikalen und doch schrecklich noblen costaricanischen Hotels, wo ich mich unter kultivierte Ausländer mischte, mit ihnen geistreiche kleine Anekdoten austauschte und erkundete…

»Der Nächste bitte!« rief der Ticketkontrolleur und beendete damit abrupt meine Träumerei. Er reichte mir meine Papiere zurück und winkte Jackie an den Schalter, die die nächste in der Schlange war.

»Guten Tag, Mrs. Gault«, begrüßte er sie, nachdem er einen Blick in ihren Paß geworfen hatte.

»Ich heiße Jackie«, sagte sie. Ich hörte ihrem Tonfall nicht an, ob sie ihn wegen der Kleinigkeit mit der »Mrs.« zurechtwies oder ob sie ihn anmachen wollte.

Nach einer halben Ewigkeit wurde auch sie abgefertigt, und Pat kam an die Reihe. Während dieses weiteren Stillstands beobachtete ich meine Freundinnen und dachte darüber nach, wie unlogisch unsere Freundschaft war und was für ein merkwürdiges Kleeblatt wir abgaben.

Wir hatten uns am Tag unserer Scheidungen, einem verregneten Vormittag im März 1991, in einem sterilen Gerichtsgebäude in Manhattan kennengelernt. Ich weiß nicht mehr, wer den Anfang machte, aber ich kann mich noch daran erinnern, daß Pat schluchzte, woraufhin Jackie und ich irgendwann anfingen, sie zu trösten, und daß wir uns, nachdem wir festgestellt hatten, daß wir alle dort waren, um unseren Ehemann loszuwerden, auf der Stelle miteinander verbunden fühlten. Wir saßen gemeinsam in allen drei Anhörungen, sprachen uns gegenseitig Mut zu und ignorierten unsere Anwälte, die zweihundertfünfzig Dollar die Stunde dafür bekamen, daß sie überhaupt im Gerichtsgebäude auftauchten, also konnte es ihnen ja egal sein. Als die Scheidungen rechtskräftig waren, hatten wir einander intime Details aus unseren Ehen anvertraut und miteinander geweint, uns umarmt und uns geschworen, für immer Freundinnen zu bleiben.

»Die drei blonden Mäuse« hatte ich uns an jenem Tag getauft, und der Name war hängengeblieben.

Wir hatten tatsächlich alle drei blondes Haar: Meines war schulterlang, föngetrocknet und von Strähnchen durchzogen; Jackies war ganz kurz, praktisch und rotblond; Pats wild, gekräuselt und weizenblond. Und wir waren ungefähr gleich alt – ein Jahr diesseits oder jenseits der Fünfundvierzig.

Aber es gab mehr Unterschiede als Gemeinsamkeiten zwischen uns, angefangen bei unserem Körperbau. Ich war ungewöhnlich groß und dünn, Pat untersetzt und stämmig und Jackie irgendwo dazwischen. Infolgedessen konnten wir nie im Gleichschritt nebeneinander hergehen, sondern stießen uns ständig an und murmelten »Entschuldigung«. Dazu kamen unsere unterschiedlichen Einstellungen Männern gegenüber. Jackie lechzte nach ihnen, Pat verglich jeden mit ihrem göttergleichen Exgatten, und ich fragte mich, wie ich mich je hatte dazu verleiten lassen können, einen von ihnen zu heiraten. Und dann gab es schließlich noch die Unterschiede in unseren Persönlichkeiten und unserem Lebensweg.

Ich zum Beispiel war die prototypische, neurotische New Yorker Karrierefrau. Genauer gesagt war ich leitende Kundenbetreuerin bei Pearson & Strulley, einer internationalen Public-Relations-Agentur, und abgesehen von meinem jährlichen Urlaub mit Jackie und Pat und den regelmäßigen Besuchen bei meiner Mutter in New Rochelle war meine Arbeit mein Leben. Ich ging völlig darin auf, das Image meiner Kunden aufzupolieren, zu denen eine Kette von Cappuccino-Bars, ein Hersteller von Designer-Sonnenbrillen und eine abgetakelte Schauspielerin mit einem unseligen Hang zu strafbaren Handlungen gehörten. Ich lebte in einer antiseptisch sauberen Zweizimmerwohnung an der Upper East Side, die durch drei Sicherheitsschlösser, zwei Riegel und eine Eingangshalle mit einem Bataillon von Portiers gesichert war. Ich lief jeden Tag vier Meilen, ließ höchst selten cholesterinhaltige Lebensmittel meine Lippen passieren, ging nur mit mindestens Schutzfaktor 15 versehen in die Sonne und hatte kürzlich meine Kalziumzufuhr verdreifacht, da ich fürchtete, sonst in späteren Jahren einen Witwenbuckel zu bekommen. Ich war ein sehr vorsichtiger Mensch – eine Kontrollfanatikerin hatte mich mein Exmann immer genannt –, und der Bereich meines Lebens, in dem ich am vorsichtigsten war, war die amouröse Seite. Ich mied sie wie Mayonnaise. Anders ausgedrückt war ich, wenn ich nicht im Büro Überstunden machte, abends immer zu Hause, stocherte in einer Mahlzeit von Healthy Choice herum und sah mir anschließend eine dieser austauschbaren Magazinsendungen wie »Dateline« an. *Date*line. Wer wollte schon ein Date, eine Verabredung? Ich nicht, o nein. Nicht nachdem sich die beiden wichtigsten Männer in meinem Leben als verlogene, betrügerische Mistkerle entpuppt hatten. Ich war zwölf, als ich von der Mieze erfuhr, die mein Vater Fred Zimmerman versteckt hielt. Wie sich herausstellen sollte, hatte Fred eine ganze Menge Miezen, und eine von ihnen, eine Rothaarige mit großen Augen und großen Brüsten, war so unterhaltsam, daß er ihretwegen meine Mutter und mich verließ. Es versteht sich von selbst, daß ich seinen verräterischen Arsch seitdem nicht mehr gesehen habe. Meine Mutter richtete sich in ihrem Leben ein, indem sie nicht einmal sieben Monate nach Freds Verschwinden Mr. Schecter heiratete, unseren Nachbarn.

Mir flößte das allerdings nicht nur eine entsetzliche Angst vor dem Verlassenwerden ein, sondern auch einen massiven Komplex in bezug auf Männer. Ich schwor mir, daß ich nie auf einen Mann hereinfallen, nie jemandem den ganzen Liebe-und-Romantik-Schwachsinn abkaufen, ja nicht einmal schmalzige Romane lesen oder bei gefühlvollen Balladen mitsingen würde. Mit sechsunddreißig brach ich zwei dieser Schwüre. In einem Augenblick äußerster Schwäche zog ich nicht nur los und kaufte eine Kassette von Michael Bolton, sondern ich beschloß auch noch, Eric Zucker zu heiraten, der achtunddreißig war und wie ich den Sprung noch nie gewagt hatte. Ich war nicht in Eric verliebt, aber er erschien mir alles in allem gesehen wie ein vernünftiges Gegengift gegen meine Einsamkeit und ein ganz ordentlicher Fang. Seiner Familie gehörten mehrere Bestattungsunternehmen, was bedeutete, daß er in einer Branche arbeitete, die nie aus der Mode käme und mich von der unangenehmen Aufgabe befreien würde, mich jemals nach einem Bestattungsunternehmen umzusehen, falls dafür Bedarf bestand.

Eric sah auf braune Weise gut aus – braunes Haar, braune Augen, braune Anzüge –, und er war noch pedantischer als ich. Er sortierte sogar die Medikamente in seinem Arzneischränkchen nach dem Alphabet! Außerdem hatte er dieselben Initialen wie ich – E.Z. –, und so blieb es uns erspart, in neue, mit Monogramm versehene Wäschegarnituren investieren zu müssen. Das beste war, daß Eric ebensowenig an rührseligen Gefühlen und überhitztem Sex interessiert war wie ich – zumindest dachte ich das. Wir waren gerade sechs Monate verheiratet, als er eine Affäre mit jemandem mit dem unglaublichen Namen Lola anfing, der Visagistin, die in den Instituten der Familie bei den einbalsamierten Leichen Lippenstift, Lidschatten und Rouge auftrug. Ich hätte Eric am liebsten umgebracht, aber ich bin nicht gewalttätig. Mein Anwalt wollte, daß ich Eric hemmungslos schröpfe, aber ich bin nicht gierig. Meine Mutter wollte, daß ich in der Presse Erics Ruf ruiniere, aber ich bin nicht dumm. »Du arbeitest doch bei einer Public-Relations-Agentur«, sagte sie. »Du weißt, wie man Gerüchte über andere Leute verbreitet.

Schröpf ihn nicht nur, sondern verbreite in sämtlichen Klatsch-spalten seine schmutzige Wäsche.« Ich erklärte meiner Mutter, daß Eric nicht einmal ansatzweise berühmt war und die Klatsch-spalten deshalb kaum Interesse an einem Artikel über ihn oder Lola haben würden. Nein, ich beschloß, es Eric Zucker auf *meine* Art heimzuzahlen. Der gefürchtetste Konkurrent seiner Firma war eine andere Kette in der Gegend, die sich Copley's Funeral Homes nannte. Also bemühte ich mich mit Feuereifer darum, Copley's als Kunden zu gewinnen, und nachdem ich zwei Monate lang gebaggert hatte, konnte ich sie davon über-zeugen, Pearson & Strulley ihren Werbeetat anzuvertrauen. Ich schaffte es, für Copley's Funeral Homes ein so positives Me-dienecho zu erzielen, daß die Firma Zucker's Funeral Homes so-wohl Aufmerksamkeit als auch Kunden verlor. Viele Kunden. Sie verloren so viele Kunden, daß sie der armen Lola kündigen mußten. »Du hast mich und meine Familie ruiniert, du Mist-stück!« hatte Eric bei seinem jüngsten Beschimpfungsanruf ge-tobt. »Das ist die Strafe dafür, daß du mit Lola Körpersäfte aus-getauscht hast«, sagte ich zuckersüß und hoffte, daß Eric wenigstens ein *bißchen* Reue empfand über das, was er mir an-getan hatte.

Während ich wie vor den Kopf gestoßen war, als ich von Erics Betrug erfuhr, reagierte Jackie bemerkenswert gelassen auf Pe-ters Eröffnung, daß er sich von ihr trennen wollte. Nach der Scheidung herrschte ein ganz nüchterner Geschäftston zwi-schen ihnen. Sie erschien Tag für Tag im Gartencenter, arbeitete weiterhin Seite an Seite mit Peter, als wäre nichts geschehen, und zuckte nicht einmal zusammen, wenn seine neue Frau Trish, die die erste Klasse in der Grundschule unterrichtete, um die Ecke bog und hereinkam, um putzige kleine Blumensträußchen für ihre Tischdekoration zu holen. Aber Jackie war eben hart im Nehmen. Sie und Peter hatten die Firma gleich nach ihrer Hei-rat gegründet, und sie würde weder selbst gehen noch ihn aus-zahlen, nur weil ihm plötzlich aufgefallen war, daß er sich zu einer Frau mit Nagellack auf den Fingernägeln stärker hinge-zogen fühlte als zu einer mit Erde darunter. Früher hatte Peter der Wildfang in Jackie gefallen, ihr kurzer, koboldhafter Haarschnitt, ihr athletischer Körper, die gewagte Ausdrucksweise und die heisere Whiskeystimme. Doch im Lauf der Jahre wandelte sich sein Geschmack, und so verkündete er eines Tages, daß sie ihm sexuell einfach nicht genügend bot. Ich persönlich war der Meinung, daß die Zurückweisung als Frau, die sie von Peter erfahren hatte, der Grund für Jackies ständiges Gequassel über Sex war – und der Grund, warum sie flirtete, die Hüften schwenkte und davon redete, daß sie mit jemandem ins Bett wolle. Es war alles nur Gerede, wie sie selbst zugab, aber es war auch ihre Art, der Welt zu zeigen, daß sie sexy *war*, egal was Peter fand. Wir haben alle unsere Macken, also wie käme ich dazu, sie zu verurteilen? *Sie* machte Männer an, um ihre Verletztheit zu lindern; *ich* ging ihnen aus dem Weg, um meine zu heilen. Jackie war Jackie, und ich war noch nie einer Frau wie ihr begegnet. Sie konnte Billard spielen, gläserweise Tequila kippen wie ein Kerl und natürlich jedermanns Hinterhof in ein Paradies verwandeln. Ironischerweise war der jüngste Keil zwischen ihr und Peter genau das, was sie einst vereint hatte: das Gartencenter. Peter hatte ihr kürzlich eröffnet, daß er die Firma erweitern und nicht mehr nur Bäume, Büsche und ihre Dienste als Landschaftsgärtner verkaufen wollte, sondern ebenso Gemüse, landwirtschaftliche Erzeugnisse und Milchprodukte. »Du möchtest also J&P's zu einem A&P's machen, ja?« hatte Jackie sarkastisch gefragt. Sie war Expertin für Rhododendron, nicht für Ziegenkäse. Es gab jede Menge Läden, in denen die Bedforder Yuppies ihre Baby-Auberginen kaufen konnten. Und außerdem lief J&P's hervorragend als Gartencenter. Warum sollte man den Erfolg aufs Spiel setzen? Trotzdem wurde Peter nicht müde, Jackie vorzuhalten, daß sie ihn beruflich einschränkte, indem sie sich seinen Plänen widersetzte. Er bat sie, sich von ihm auszahlen zu lassen, und sie sagte ihm, er solle sich ins Knie ficken.

Momentan sprachen sie nicht miteinander, außer wenn es unbedingt erforderlich war.

Abgerundet wurde unser kleines Trio durch Pat, die rundeste von uns. Als aufopfernde Vollzeitmutter lebte sie mit ihren fünf

Kindern und dem alternden Cockerspaniel in einem weitläufigen weißen Haus im Kolonialstil in Weston, Connecticut – einem heimeligen, freundlichen Zuhause, wo ich im Sommer gelegentlich die Wochenenden verbrachte. Natürlich fuhr ich hin, um Pat zu besuchen und um der Schwüle der Stadt im August zu entkommen, aber eine wichtige Attraktion des Kovecky-Haushalts war für mich Lucy, die jüngste von Pats Kindern und das einzige Mädchen. Sie war neun Jahre alt und hatte sowohl Pats Rundlichkeit als auch ihre zurückhaltende Art geerbt, und ich, die ich in bezug auf Kinder nicht im geringsten rührselig oder sentimental bin, war verrückt nach ihr, liebte sie abgöttisch und fühlte eine starke Seelenverwandtschaft mit ihr. Schließlich wußte ich, was es bedeutete, wenn Daddy einen verließ. Oh, die anderen Kinder waren auch nett. Für männliche Wesen. Für mich grenzte es an ein Wunder, wie die Kovecky-Kinder es in einer Zeit, in der Kinder ihre Eltern umbringen oder zumindest bewaffnet zur Schule gehen, schafften, brave Kinder zu sein, die nicht zugleich Trottel waren. Und das, obwohl sie Scheidungsopfer waren. Vielleicht lag es daran, daß Pat nie ein böses Wort über ihren Vater fallenließ und sie nie gegen Bill aufhetzte. Und es war ja auch nicht so, daß die Kinder mittellos dasäßen. Bill mochte sich zwar in einen Star-Gastroenterologen verwandelt haben, der mehr Zeit damit verbrachte, Fremden den Unterleib abzutasten als Pat beim Abwasch zu helfen, aber er war keiner von diesen nichtsnutzigen Vätern. Ganz und gar nicht. Pat erhielt großzügige Unterhaltszahlungen von ihm, und selbst wenn er jedem, der es hören wollte, etwas vorjammerte, versäumte er nie eine Überweisung, obwohl das hieß, daß er seinen eigenen Lebensstil einschränken mußte. Warum es zwischen Pat und ihm nicht mehr geklappt hatte, lag daran, daß er irgendwann zwischen seinem ersten Auftritt in »Good Morning, America« und der Geburt seines dritten Kindes beschlossen hatte, nicht mehr nur ein simpler Arzt zu sein, sondern ein Heiler, ein Wissenschaftler, ein Retter des kollektiven Verdauungstrakts der ganzen Welt. Das andere Problem lag darin, daß Pat zu schüchtern und zu zurückhaltend war und zuviel Angst davor hatte, ihn zu beleidigen, um ihm zu sagen, daß er sich wie ein Arschloch aufführte. Selbst ihre Kleider zielten darauf ab, niemanden zu beleidigen oder Aufmerksamkeit zu erregen. Sie trug Kleider mit Rüschen und Spitzen, in denen sie aussah wie ein englisches Milchmädchen in einem dieser Merchant-Ivory-Filme. Sie war derart schüchtern und zurückhaltend, daß sie unter einem Schimpfwort so etwas wie »hoppla« verstand. Sie hatte keinerlei Selbstvertrauen – bis vor kurzem. Als Teil ihres Feldzugs, Bill zurückzugewinnen, hatte sie eine Therapie angefangen, und nach und nach verleibte sie ihrem Wortschatz Wörter wie »Macht«, »Bedürfnisse« und »ich« ein. Sie konnte manchmal ein wenig bigott sein, und ich mußte oft lachen, wenn ich sie mir mit diesem gehässigen Radiomoderator, Howard Stern, in einen Raum gesperrt vorstellte, aber ich liebte sie. Jeder liebte sie. Außer Bill vermutlich. Obwohl er sie, wie Pat erzählt hatte, erst vor einer Woche angerufen und gesagt hatte, daß er sich mit ihr treffen wolle, wenn sie von der Kreuzfahrt wieder zurück sei. Jackie und ich beteten darum, daß er sie treffen wollte, weil er wieder zur Besinnung gekommen war und erkannt hatte, was für eine anständige, liebevolle Person sie war, und nicht, um ihr mitzuteilen, daß er die Unterhaltszahlungen für sie und die Kinder einschränken wollte.

Und nun waren wir also hier, Busenfreundinnen trotz aller Unterschiede. Freundschaften unter drei Frauen sind nicht unproblematisch, da es meist darauf hinausläuft, daß zwei hinter dem Rücken der dritten über sie reden und die dritte sich unweigerlich ausgeschlossen fühlt. Aber Jackie, Pat und ich waren ein Team, ein Trio, die drei blonden Mäuse. Nichts konnte uns trennen.

Aber natürlich waren wir auch noch nie sieben Tage lang zusammen auf einem Schiff eingepfercht gewesen.

»Alles klar?« fragte ich, als der Ticketkontrolleur von Sea Swan Pat ihre Papiere zurückgegeben hatte.

»Alles klar«, nickte sie.

»Dann kann die Show losgehen«, erklärte Jackie.

»Sind wir uns ganz sicher, daß wir das tun wollen?« fragte ich, da mir die Kreuzfahrt immer noch nicht geheuer war. Ich hätte wirklich ein Hotel auf Costa Rica vorgezogen.

»Wir sind uns sicher«, sagte Jackie, nahm mich bei den Schultern und drehte mich buchstäblich in Richtung des Schildes am anderen Ende des Abfertigungsgebäudes, auf dem stand: ZUM SCHIFF.

Wir gingen schon auf das Schild zu, als ich plötzlich beschloß, ein letztes Mal meinen Anrufbeantworter abzuhören. Ja, es war Sonntag, aber Public-Relations-Katastrophen konnten ebenso an Sonntagen passieren und taten das auch. Es war durchaus möglich, daß einer meiner Kunden mich brauchte oder daß Pearson & Strulley mich brauchten, und ich war verpflichtet, einen entsprechenden Anruf zu beachten.

Wir blieben an einer Reihe Telefonzellen stehen. Ich rief bei mir zu Hause an. Es waren keine Nachrichten auf dem Band, aber ich versuchte, es nicht persönlich zu nehmen.

Als ich aus der Telefonzelle trat, um mich wieder zu meinen Freundinnen zu gesellen, beendete der Mann neben mir ebenfalls sein Telefonat und sprach uns an.

»Hallo! Legen die Damen auch heute mit der *Princess Charming* ab?« fragte er mit lauter Stimme, die durch die Akustik in der Abfertigungshalle noch lauter dröhnte.

»Ja, und Sie?« fragte Jackie.

»Na klar«, meinte er und stellte sich als Henry Prichard aus Altoona, Pennsylvania, vor. Er war Ende Dreißig oder Anfang Vierzig, schätzte ich, aber wenn Männer heutzutage ins mittlere Alter kommen, ist es kaum mehr möglich, ihr Alter richtig zu raten. So viele von ihnen unterziehen sich heute kosmetischen Behandlungen: Gesichtsliftings, Kollageninjektionen, chemische Peelings, was auch immer. Außerdem lassen sie sich nicht mehr mit Glatzen erwischen, seit es Haarverpflanzungen, Hairweaving und Baseballkappen gibt, die eine Vielzahl von Sünden bedecken. Dieser Mann trug eine Baseballkappe der Pittsburgh Pirates, dazu braune Shorts, ein Jeanshemd und Slipper. Er hatte eine massige, stämmige Figur und rote Hamsterbacken. Aus der Baseballkappe, der Golftasche und der Taucherausrüstung schloß ich, daß er ein athletischer Typ war. Jackie mochte athletische Typen. »Ich habe die Kreuzfahrt in einem firmeninternen Wettbewerb gewonnen. Die besten Zahlen im ganzen Bezirk«, fügte er hinzu, unleugbar stolz auf seine Leistung.

»Sie sind Vertreter?« fragte Jackie, während sie ihren Blick über ihn schweifen ließ, um ihn als potentiellen Sexualpartner einzuschätzen. Mein Gott, das wird eine lange Kreuzfahrt werden, dachte ich und fürchtete schon, daß Jackie auf dieser Reise tatsächlich mit einem Mann schlafen könnte und sie, wenn ihre Durststrecke erst einmal vorüber war, nichts mehr hätte, worauf sie sich freuen konnte.

»Mhm. Ich bin bei Peterson Chevrolet«, sagte Henry.

»War Ihr Preis eine Reise für zwei?« fragte Jackie, gleich aufs Ganze gehend.

»Oh, natürlich. Ich hätte meine Frau mitnehmen können. Wenn ich eine Frau *hätte*.« Henry schnaubte angesichts der Vorstellung. »Aber welche Frau möchte sich schon mit einem Sportler einlassen? Mit einem unentwegten Pirates-Fan wie mir, häh?«

Ich sah Jackie an und rechnete schon damit, daß sie die Hand hob, da sie als gebürtige Pittsburgherin selbst ein großer Pirates-Fan war. Sie liebte Sport, insbesondere Baseball, und wußte Sachen wie die durchschnittliche Trefferquote einzelner Spieler, die Prozentzahlen der gelungenen Läufe oder welche Spieler Tabak kauten und welche Sonnenblumenkerne bevorzugten. Doch sie beherrschte sich und sagte statt dessen: »Dann müssen Sie ja sehr traurig gewesen sein, als die Pirates Bond und Bonilla verkauft haben. Ich jedenfalls war es.«

Henry Prichard machte große Augen und sah Jackie mit beinahe strahlender Hochachtung an.

»Allerdings war ich traurig«, sagte er. »Aber ich freue mich schon auf die nächste Saison. Es kommen eine Menge junger Leute aus den unteren Ligen dazu, und ich sehe die Zukunft ziemlich optimistisch.«

»Ich auch«, sagte Jackie, und ich sah ihr an, daß sie damit nicht nur das Schicksal der Pirates meinte. »Übrigens, ich heiße Jackie Gault«, sagte sie und schüttelte ihm die Hand. Dann, beinahe so, als erinnerte sie sich erst jetzt wieder an uns, nannte sie ihm Pats und meinen Namen und erklärte, daß es unsere erste Kreuzfahrt war.

»Meine auch«, sagte er. »In welchem Stockwerk sind die Damen denn untergebracht? Ich meine, auf welchem Deck?«

»Deck 8«, platzte Jackie heraus, bevor ich sie daran hindern konnte. Henry Prichard wirkte harmlos, aber man durchschaut die Leute ja nicht auf Anhieb, und schon gar nicht Männer, von denen viele ausgesprochen harmlos wirken, bis sie in Handschellen in den Sechs-Uhr-Nachrichten erscheinen.

»Ach, das ist aber schade«, meinte er. »Ich bin auf Deck 7.«

»Tja, vielleicht laufen wir uns ja beim Essen mal über den Weg«, sagte Jackie hoffnungsvoll. »In welcher Gruppe sind Sie denn?«

Henry sah auf sein Ticket und antwortete: »In der, die um halb sieben zu Tisch geht. Und Sie?«

»Wir haben auch halb sieben«, seufzte ich. Ich war zutiefst enttäuscht gewesen, als die Tickets mit der Post gekommen waren und ich sah, daß man uns das unsägliche Early Bird Special zugeteilt hatte und nicht das kultiviertere Dinner um halb neun, wie es die Frau in dem Reisebüro zu arrangieren versprochen hatte. Nun saßen wir garantiert mit Achtzigjährigen oder krakeelenden Kindern an einem Tisch.

Wir plauderten noch ein paar Minuten mit Henry – ich mußte zugeben, daß er ein sympathischer Knabe war, und mir war sonnenklar, warum er die meisten Chevrolets in seinem Bezirk verkauft hatte, doch irgendwann beendete er das Gespräch.

»Mann, ich komme echt ins Quasseln, wenn ich einmal anfange, aber ich muß unbedingt noch einen Anruf erledigen«, sagte er in der rührend verlegen-treuherzigen Provinzmanier, die Menschen aus Manhattan einfach nicht an sich haben. »Gehen Sie doch schon mal los, wir sehen uns ja später noch.«

»Genau«, sagte Jackie. »Wir halten an Bord nach Ihnen Ausschau.«

»Oh, ich finde *Sie*«, lächelte er. »Keine Sorge.«

Während Henry und Jackie sich noch einmal recht provokativ von Kopf bis Fuß musterten, warf ich Pat, die geziert auf ihre Schuhe sah, einen verstohlenen Blick zu.

Henry ging wieder in die Telefonzelle, während wir drei in entgegengesetzter Richtung abzogen.

»Er sieht überhaupt nicht wie Rodney Dangerfield aus«, sagte Jackie und versetzte mir mit dem Ellbogen einen Stoß in die Rippen.

»Herzlichen Glückwunsch«, sagte ich. »Ich hoffe, ihr zwei werdet sehr glücklich zusammen.«

»Eigentlich sieht er einem Cousin von Bill sehr ähnlich«, sagte Pat in vollem Ernst.

»Zum Teufel mit Bill«, verkündete Jackie. »Zum Teufel mit all unseren Exmännern. Wenn wir erst einmal auf dem Schiff sind, können sie uns nichts mehr anhaben.«

Sie warf noch einen letzten Blick auf Henry, der mit der Person am anderen Ende der Leitung ins Gespräch vertieft war. Dann hakte sie sich bei Pat und mir unter.

»Auf zur Kreuzfahrt«, sagte sie und gemeinsam schritten wir auf die Gangway zu.

2

»Lächeln, meine Damen«, sagte der Fotograf, als wir am Eingang der *Princess Charming* standen und darauf warteten, endlich an Bord zu gehen. Calypsoklänge drangen zu uns nach draußen. Steel Drums. Maracás. All day, all night, Mary Ann. Wenn Sie je auf einer Karibik-Kreuzfahrt waren, wissen Sie, wovon ich spreche.

»Na los doch, lächeln, meine Damen«, schmeichelte der Fotograf erneut. Ich nahm an, daß er Australier war, weil er alles so gedehnt aussprach.

»Nein danke«, sagte ich und wedelte ihn beiseite. Ich wußte noch, was uns die Frau vom Reisebüro über die Schiffsfotografen erzählt hatte: daß sie wie Kakerlaken in einer New Yorker

Küche seien. Sowie man sich umdreht, sind sie da und fangen einen fotogenen Moment der Kreuzfahrt nach dem anderen ein, ob man nun will oder nicht.

»Es kostet nur sechs Dollar, und Sie brauchen nicht zu bezahlen, bevor Sie gesehen haben, wie es geworden ist«, schwatzte er weiter. »Wir entwickeln die Bilder sofort und stellen sie jeden Abend vor dem großen Speisesaal aus.«

»Ach, komm schon, Elaine. Es ist doch sein Job. Laß ihn ein Bild von uns machen«, sagte Jackie, packte mich und Pat um die Taille und zog uns zu einer fotogerechten Dreiergruppe zusammen.

Pat flüsterte mir zu: »Ich habe gehofft, daß es auf dem Schiff einen Fotografen gibt. Ich habe meine Kamera vergessen, und ich möchte den Kindern so gern Bilder mitbringen.«

Die Kinder. Mein Herz machte einen Satz, wie immer, wenn ich an die kleine Lucy Kovecky dachte. An ihre wachen braunen Augen, ihr lockiges blondes Haar und ihren unsicheren, ergreifenden Gesichtsausdruck. Daran, ob sie glücklich waren, die Woche mit ihrem Vater zu verbringen, während ihre Mutter verreist war, oder ob es sie zu sehr schmerzte, ihn überhaupt zu sehen. Es tat mir weh, wenn ich mir ausmalte, wie hin und her gerissen sie sein mußte. Oder projizierte ich das nur auf sie? Stellte ich mir vor, wie *ich* mich gefühlt hätte, wenn meine Mutter mich eine Woche lang in der Obhut meines ehebrecherischen, unzuverlässigen Vaters gelassen hätte, damit sie mit ihren Freundinnen in die Karibik entschwinden konnte? Doch dann rief ich mir rasch ins Gedächtnis, daß Bill Kovecky kein Fred Zimmerman war. Bill mochte zwar seine Karriere als Mediziner vor die Familie gestellt haben. Aber er war kein Frauenheld, sondern nur einer von vielen Ärzten, deren Ego man einen Dämpfer aufsetzen müßte.

»Wir haben es uns anders überlegt, also machen Sie ein Bild«, sagte ich zu dem Fotografen. »Machen Sie gleich zwei.« Vielleicht würde ich eines speziell für Lucy kaufen, überlegte ich. Von ihrer Tante Elaine.

Wir sagten »Cheese«, der Fotograf machte die Aufnahmen,

und wir schafften es schließlich aufs Schiff, nur um von einer Flut von Kellnern mit Tabletts voller Gratis-»Willkommensdrinks« – ein schaumiges, gelbes Gebräu, das mit rosaroten Schirmchen und Maraschinokirschen verziert war – beinahe überrollt zu werden.

»Wie wär's mit einem schönen, kühlen Miami Whammy?« offerierte einer der Kellner.

»Was ist da drin?« fragte ich, stets auf der Hut vor Eigelb, süßer Sahne und anderen todbringenden Bestandteilen.

»Was spielt das schon für eine Rolle? Sie kosten doch nichts«, meinte Jackie, schnappte sich einen und kippte ihn runter.

»Der *Drink* ist kostenlos. Das *Glas* nicht«, erklärte der Kellner. »Das ist unser spezielles Souvenirglas. Nur fünf Dollar.«

Fünf Dollar? Das Glas war ganz normale Hotelbarware, außer daß das geschmacklose Logo der *Princess Charming* aufgedruckt war: ein roter Stöckelschuh auf einer goldenen Krone.

»Drink gefällig, Pat?« fragte Jackie, bevor der Kellner verschwand. Sie sah mir an, daß ich ablehnen würde.

Pat wartete ihre üblichen zehn Sekunden ab, bevor sie ihre Entscheidung traf.

»Ja«, sagte sie, und der Kellner reichte ihr einen Miami Whammy. Sie dankte ihm und sagte anerkennend: »Das Glas ist ein wunderbares Souvenir für die Kinder.« Pats Grundsatz auf unseren Reisen war, daß alles, was nicht festgenagelt war, sich als Souvenir für die Kinder eignete: Fotos, Gläser, Cocktailservietten, Drinkquirls aus Plastik, Notizblöcke, Speisekarten und vor allem diese Schoko-Minz-Täfelchen, die die besseren Hotels einem abends aufs Kopfkissen legen. Ich habe mich schon oft gefragt, was die Kinder eigentlich mit dem ganzen Kram anfingen.

Sie wollte gerade den ersten Schluck ihres Miami Whammy nehmen, als ein Mann, der im Eilschritt an uns vorbeimarschierte, sie rammte, was dazu führte, daß sie fast ihren ganzen Drink über sich kippte.

»Hoppla«, stieß sie verlegen hervor, als wäre es irgendwie ihre Schuld. Sie holte ein Papiertaschentuch aus ihrer Handtasche und begann an dem Fleck auf ihrer Bluse herumzureiben, als der

Mann, der das Malheur verursacht hatte, bemerkte, was passiert war, und zurückgelaufen kam, um sich wortreich zu entschuldigen.

»Bitte verzeihen Sie mir«, sagte er zu Pat und wäre beinahe vor ihr auf die Knie gefallen. »Ich bin manchmal so ungeschickt. Es tut mir unendlich leid.«

»Ach, das ist nicht so schlimm«, meinte Pat und errötete leicht. »Es war sicher nicht Ihre Absicht.«

»*Überhaupt* nicht. Ganz bestimmt nicht«, versicherte er eifrig. Er sprach so schnell, daß ich Herzklopfen bekam, und rieb sich dabei die Hände, genau wie Uriah Heep in *David Copperfield*. »Normalerweise laufe ich nicht herum und werfe Frauen oder deren Drinks um. Ich bin nur noch nie auf einer Kreuzfahrt gewesen, und daher habe ich es wörtlich genommen, als es hieß, daß man um ein Uhr an Bord sein soll, und wollte nicht zu spät kommen. Ich versichere Ihnen, daß ich Sie nicht mit Absicht angerempelt habe oder Sie verletzen wollte. Bitte glauben Sie mir.«

Was für ein Sermon, dachte ich. Der Mann war ja geradezu außer Atem vor Bedauern. Und wie schrecklich er schwitzen mußte in seinem dunklen, dreiteiligen Anzug. Er war wie ein Bankangestellter gekleidet, nicht wie ein Passagier auf einem Vergnügungsdampfer.

Er war klein und drahtig, hatte schmale Lippen und einen schmalen Schnurrbart. Sein Haar war schwarz wie Schuhcreme und stumpf geschnitten, außerdem hatte er Ponyfransen. Irgendwo in den Vierzigern, schätzte ich. Vielleicht auch schon Anfang Fünfzig.

»Ich heiße Albert Mullins«, sagte er, während Pat immer noch an ihrem üppigen, mit Miami Whammy getränkten Busen herumtupfte. »Lassen Sie mich doch helfen…«

Völlig gedankenlos streckte er die Hand aus und hätte sie beinahe auf Pats Brust gelegt, als er merkte, daß er damit etwas wirklich gesellschaftlich Unmögliches getan hätte. Er lief rot an, was wiederum Pat erröten ließ.

»Ich lasse die Bluse reinigen«, sagte sie und faßte sich langsam wieder. »Zerbrechen Sie sich bitte darüber nicht den Kopf. »Sie holte tief Luft und nannte ihm erst ihren eigenen Namen, dann den Jackies und meinen.

Er nickte. »Ist mir ein Vergnügen, die Damen kennenzulernen, obwohl es mir lieber gewesen wäre, wenn es nicht gerade auf meine tölpelhafteste Art hätte sein müssen.«

Dann blickte Albert an seiner eigenen Kleidung hinab und bemerkte ganz unvermittelt: »Ich bin viel zu förmlich angezogen, nicht wahr?«

»Ist uns gar nicht aufgefallen«, sagte Jackie mit einem Anflug von Sarkasmus.

»Mir kam die *Princess Charming* von den Prospekten her so elegant vor«, erklärte er, »daß ich das Gefühl hatte, ich sollte meinen Sonntagsstaat tragen.«

»Sie sehen großartig aus, mein Bester. Einfach großartig«, sagte Jackie und rollte mit den Augen, als er sich umwandte. Offenbar weckte er in ihr nicht so viel Leidenschaft wie Henry Prichard. Er war zu pingelig für sie, zu abgehoben und zu leichtgewichtig. Sie zog massige, muskulöse Typen vor – Männer, die sich an Größe, Kraft und Autorität mit einem Schaufelbagger messen konnten.

»Wo kommen Sie denn her?« fragte ich Albert.

»Manhattan«, antwortete er. »Ich habe allerdings ein Wochenendhaus in Connecticut.«

»In Connecticut?« meldete sich Pat. »Wo denn da?«

»Ridgefield«, antwortete er.

»Na so was!« zwitscherte sie. »Ich bin aus Weston! Nur zwanzig Minuten von Ihnen entfernt!«

So zu reden war kühn für Pat. Geradezu schamlos.

»Und was machen Sie, Albert?« fragte ich weiter. Mein Interesse an dem Mann war strikt karriereorientiert. Vielleicht arbeitete er ja in einer Branche, die Bedarf an Public Relations hatte.

»Ich schreibe Bücher«, sagte er.

»Tatsächlich«, sagte ich mit wachsendem Respekt vor Albert. »Romane?«

»Nein«, sagte er. »Naturführer. Für Vogelbeobachter.«

Vogelbeobachter. Ich bezweifelte, daß ich ihn damit in einem

»Barbara Walter Special« unterbringen könnte, aber es gab ja noch andere Fernsehsender. Diese Sonntagmorgenshow auf CBS brachte doch immer solches Naturzeugs. »Bei welchem Verlag?« fragte ich.

»Ich habe leider keinen«, antwortete er. »Ich schreibe für mich selbst. Ich liebe Vögel, und so führe ich kleine Bücher über die Arten, die mir in Connecticut und anderswo unterkommen.«

Der Knabe war also ein Exzentriker. Außerdem war er vermutlich vermögend, wenn er Wohnungen in Manhattan und Ridgefield besaß und es sich trotzdem leisten konnte, diese Kreuzfahrt zu machen.

»Ich habe die Reise auf der *Princess Charming* in der Hoffnung gebucht, unterwegs zahlreiche Tropenvögel zu sehen«, fuhr Albert fort.

»Was für eine reizende Idee«, sagte Pat, die ihre Bluse mittlerweile aufgegeben hatte und nun den Rest ihres Miami Whammy schlürfte. »Meine Kinder und ihr Vater gehen im Sommer oft Vögel beobachten. Das heißt, wenn er neben seiner Arztpraxis die Zeit dazu findet.«

»Ihr Mann ist Arzt?« fragte Albert.

»Mein Exmann. Ja, er ist Gastroenterologe.«

»Exmann. Aha.« Albert lief erneut puterrot an, als hätte er soeben eine ungemein persönliche Information erhalten. Doch Pats Enthüllung mußte ihn befreit haben, da er umgehend erklärte: »Ich habe meinerseits zwar nie eine Scheidung durchstehen müssen, aber eine Annullierung.« Er hielt inne, um sich zu sammeln. »Seitdem reise ich allein.«

»Passen Sie auf, Al. Wir haben sieben volle Tage, um unsere Kriegsgeschichten auszutauschen, stimmt's?« sagte Jackie und versetzte Albert einen Klaps auf den Rücken, der als Verabschiedung gedacht war, aber eher wie ein Karateschlag ankam. Sie war eindeutig, wenn sie an einem Mann interessiert war, und genauso, wenn sie es nicht war.

Albert verstand sofort. Es war an der Zeit, zum Ende zu kommen.

»Ja, selbstverständlich«, sagte er. »Ich würde vorschlagen, daß

37

wir uns jetzt auf den Weg machen, damit wir uns in unseren Kabinen einrichten können.«

Ich brannte darauf, mich in meiner Kabine einzurichten. Ich hatte aufgrund der zahlreichen Memos, die ich in letzter Minute vor den Ferien und mitten in der Nacht per E-Mail an meine Assistentin bei Pearson & Strulley geschickt hatte, nicht viel Schlaf bekommen, und so langsam ging mir die Puste aus.

»Und noch einmal, Mrs. Kovecky – darf ich Sie ›Pat‹ nennen?« unterbrach Albert sich selbst.

»Ja, natürlich«, sagte sie nach ein oder zwei Sekunden, also für ihre Begriffe eine Spontanentscheidung.

»Gut. Pat, würden Sie dann bitte meine Entschuldigung wegen des verschütteten Drinks annehmen?« fragte Albert. »Ein weiteres Mal?«

O Gott, ihr beiden. Es reicht, dachte ich und hatte angesichts der ganzen Entschuldigerei, Zimperlichkeit und diesem Darf-ich-Sie-beim-Vornamen-nennen das Gefühl, in einem Roman von Jane Austen gelandet zu sein. Ich nahm an, daß unser Gespräch mit Albert beendet war, als er plötzlich zu Pat sagte: »Wissen Sie, es ist nicht mehr als recht und billig, daß ich die Reinigung der Bluse bezahle. Es ist eine so hübsche Bluse. Sie steht Ihnen ausnehmend gut.«

Pat lief erneut rot an und senkte den Blick zu Boden. »Danke für das Kompliment, aber ich stelle mein Licht lieber unter die Schaufel.« Sie hielt inne. »Unter den Scheffel, meine ich. Mein Licht nämlich.« Sie kicherte.

»Nun, wie ich schon gesagt habe, sowie ich in meiner Kabine angekommen bin, rufe ich an und lasse die Bluse in die Reinigung bringen«, versprach Albert. »Was haben Sie noch gesagt, war Ihre Kabinennummer?«

»Sie hat es gar nicht gesagt«, warf ich rasch ein.

»Ich habe Kabine 8022«, sagte Pat trotz meines Zwinkerns und Räusperns und meiner anderweitigen Versuche, ihren Blick aufzufangen. Mir gefiel die Vorstellung nicht, daß meine Freundinnen unsere Kabinennummern oder auch nur die Nummer unseres Decks Männern gaben, über die sie kaum etwas wußten.

In Manhattan gab man einem Mann seine Adresse nur, wenn er ein Handwerker von der Kabelfernsehfirma war.

»Wunderbar«, sagte Albert. »Ich kümmere mich um alles. Sofort.«

Wir verabschiedeten uns von Albert Mullins und betraten das eindrucksvolle vierstöckige Atrium, eine aufsehenerregende Konstruktion aus Chrom und Glas, die an eine Hotelhalle erinnerte. Ein Mitglied der Crew hieß uns an Bord willkommen, warf einen Blick auf unsere Tickets und wies uns den Weg zum Aufzug. Wir fuhren sechs Stockwerke nach oben und stiegen auf Deck 8 aus, wo uns ein dunkelhäutiger Mann in einer gestärkten, goldverzierten Uniform erwartete.

»Willkommen auf der M/S *Princess Charming*«, sagte er in singendem jamaikanischen Tonfall. »Ich bin Kingsley, Ihr Kabinensteward, und werde mich diese Woche um sie kümmern. Was auch immer Sie wünschen – kein Problem.«

Wir lächelten und nickten und legten unser Schicksal in Kingsleys Hände, während er uns zu unseren Kabinen begleitete, vor deren Türen unser Gepäck stand. Oder vielmehr *ein Teil* unseres Gepäcks.

»Mein Koffer ist nicht da«, sagte ich entsetzt. Bislang war mir auf all meinen Reisen noch nie mein Gepäck abhanden gekommen. Ich wußte, daß diese Glückssträhne irgendwann ein Ende haben mußte, aber mußte das unbedingt jetzt sein? In nur wenigen Stunden befände ich mich mitten auf dem Atlantik, wo es nicht an jeder Ecke einen Bloomingdale's gab.

Kingsley teilte meinen Schmerz, schüttelte den Kopf und machte »tsk, tsk«.

»Ich bin mit Ihrem Luft-/Seereise-Pauschalangebot nach Miami gekommen, also nehme ich an, daß mein Koffer bei der Fluggesellschaft abhanden gekommen ist«, sagte ich.

Kingsley nickte matt, als hätte er das alles schon einmal erlebt. »Kein Problem. Wir finden ihn und lassen ihn nach San Juan fliegen. Sie bekommen ihn wieder, wenn wir dort anlegen.«

»Aber Puerto Rico ist erst unser zweiter Anlegehafen. Wir kommen nicht vor Mittwoch dort an«, machte ich ihm klar.

»Heute ist Sonntag. Was soll ich denn die nächsten drei Tage anziehen?«

Jackie und Pat sahen mich hilflos an. Sie wußten, daß es keinen Sinn hatte, wenn sie mir ihre Kleider anboten. Ich war geradezu eine Riesin im Vergleich zu ihnen. Eine Riesin und eine Bohnenstange. Darüber hinaus war mein Kleidergeschmack wesentlich eleganter als ihrer. Nein, ich war zu groß, zu dünn und sah zu sehr wie Nancy Kissinger aus, um mir von meinen Freundinnen etwas auszuleihen.

»Was Sie anziehen sollen? Das ist kein Problem«, meinte Kingsley. Alles, was ein Problem *war*, war in seinen Augen »kein Problem«. »Auf Deck 2 ist eine Boutique. Gleich neben dem Atrium, wo Sie hereingekommen sind. Dort gibt es sehr schöne Kleider für die Damen.«

Kingsley fügte hinzu, daß ich beim Zahlmeister anrufen sollte, der mir sicherlich einen Zuschuß geben würde. Dann gab er jeder von uns ihren Schlüssel und führte uns in unsere Kabinen.

Als er die Tür zu meiner öffnete, stand ich da, betrachtete Kabine Nr. 8024 und fragte mich, wie es der Frau vom Reisebüro gelungen war, uns dazu zu verleiten, für Zimmer von den Ausmaßen einer Telefonzelle Geld zu bezahlen. Oh, natürlich war Kabine 8024 nach außen gelegen. Wenn man schon eine Kreuzfahrt macht, darf man sich doch wirklich die Aussicht aufs Meer gönnen, hatten wir alle gefunden. Das Problem war nur, daß es keine Aussicht gab. Keine nennenswerte jedenfalls.

Ich trottete hinüber zu dem mickrigen Bullauge, einem erbärmlichen kleinen, runden Fensterchen, das nicht größer war als das in der Tür meines Wäschetrockners, und betastete das Glas. Dann drehte ich mich um und nahm das antiquierte, in Mauve und Türkis gehaltene Dekor der Kabine in Augenschein, das wenig originelle Blumenarrangement auf der Kommode, die kleine weiße Karte neben den Blumen mit der reizenden, aber unpersönlichen Mitteilung, deren einziger Zweck es war, einem ein Trinkgeld zu entlocken – *Ich wünsche Ihnen eine angenehme Kreuzfahrt und stehe Ihnen stets zu Diensten. [Unterzeichnet] Kingsley, Ihr Kabinensteward* – und stieß einen tiefen Seufzer aus. Das einzige, was ich mir wirklich von dieser Kabine, dieser Kreuzfahrt gewünscht hatte, war der beruhigende Meeresblick. Meer? Was für ein Meer? Nicht genug damit, daß mein Bullauge kaum größer als ein Knopfloch war, war auch noch genau davor ein Rettungsboot angebracht, das jeglichen Meeresblick, den ich womöglich hätte haben können, versperrte.

»Ich möchte Ihnen ja keine Umstände machen, Kingsley, aber ich hätte gern eine andere Kabine«, erklärte ich ihm, als er meinen Eiskübel auffüllte.

»Ihre Freundinnen scheinen aber mit ihren zufrieden zu sein«, sagte er ein wenig abwehrend.

»Meine Freundinnen haben vermutlich auch nicht vor, soviel Zeit in der Kabine zu verbringen wie ich«, entgegnete ich. »Außerdem müssen sie auch nicht auf ein Rettungsboot hinausblicken, das Bilder von der *Titanic* heraufbeschwört.«

Die Kabinen von Jackie und Pat hatten dieselben kümmerlichen Bullaugen wie meine, aber sie konnten wenigstens hinausschauen.

»Hören Sie, Kingsley«, sagte ich. »Es ist nicht gegen Sie gerichtet. Die Kabine ist picobello, einwandfrei. Es ist nur so, daß ich mit einer Aussicht gerechnet hatte, und im Reisebüro hat man mir versprochen, daß…«

»Sie können ja beim Zahlmeister anrufen«, nickte er, als wäre auch das während seiner Laufbahn als Kabinensteward schon einmal vorgekommen. Er wies auf das mauvefarbene Telefon, das an der Wand neben der Kommode hing und zu dem ein schiffsinternes Telefonverzeichnis gehörte. In den Anweisungen für Anrufe vom Schiff aufs Festland wurde man auch über den Preis aufgeklärt. Zehn Dollar die Minute.

Unter Kingsleys Augen wählte ich die Nummer des Zahlmeisters, und eine Frau mit einem schneidigen britischen Akzent meldete sich. Ich berichtete ihr von meinem fehlenden Gepäck, und sie versprach mir, daß ich es bekäme, sowie wir in Puerto Rico anlegten. Von einem Kleiderzuschuß sagte sie nichts. Als ich mich über meine Kabine beschwerte, erklärte sie mir, daß die anderen Außenkabinen des Schiffs alle belegt seien.

»Ich könnte Sie natürlich in eine der kleineren Innenkabinen herabstufen«, bot sie an.

Tolle Aussicht.

»Dann bleibe ich wohl lieber, wo ich bin«, sagte ich.

Kingsley strahlte, ging zu dem beanstandeten Bullauge und zog die Vorhänge vor. »Kein Problem mehr, ja?«

»Kein Problem«, sagte ich und gab ihm das bereits erwähnte Trinkgeld, als er zur Tür hinausging.

Endlich allein, ließ ich mich auf die Couch sinken, die mir Kingsley die nächsten sieben Nächte als Bett herrichten würde, und versuchte, nicht zu schmollen, versuchte, angesichts der kleinen Widrigkeiten des Lebens nicht als Versagerin dazustehen. Ich sehne mich danach, jemand zu sein, der mit allen Problemen fertig wurde, das Leben immer von der heiteren Seite nahm und fröhliche Bemerkungen machte wie: »Na gut. Hauptsache, ich bin gesund.« Aber es fiel mir schwer, das Glas als halbvoll zu sehen. Sehr schwer. Ich neigte dazu, mich auf die negative Seite zu konzentrieren, neigte dazu, die Gefahr, das Böse, das im Hintergrund lauerte, zu sehen. Der Begriff »angenehme Überraschung« war in meinen Augen ein Widerspruch in sich. Der Tag, an dem mein Vater unser Haus verließ, war der Tag, an dem mir dämmerte, daß Katastrophen einen nicht nur treffen *konnten*, wenn man nicht aufpaßte, sondern daß sie einen *unweigerlich* trafen, wenn man nicht aufpaßte. Ich war von einem vertrauensvollen Kind, das an den Weihnachtsmann und den Zahnzwerg und an Eltern glaubte, die sich bis in alle Ewigkeit lieben würden, zu einer Frau herangewachsen, die an sehr wenig glaubte; einer Frau, die das Leben als etwas Beängstigendes empfand; einer Frau, die nicht zwischen geringfügigen Unannehmlichkeiten und echten Unglücksfällen unterscheiden konnte. Nachdem Eric sich als ein ebenso verlogener Mistkerl wie mein Vater entpuppt hatte, die Geschichte sich also wiederholte, kam ich zu dem Schluß, daß es das beste wäre, mit Unglücksfällen zu rechnen und sich darauf einzustellen. So wird man nie unvorbereitet getroffen, nie enttäuscht. Aber leider funktioniert die Strategie nicht, dachte ich, als ich auf den Ozean lauschte, der gegen unser gewaltiges, vor Anker liegendes Schiff schwappte. Man kann Unglücksfälle genausowenig abwehren, wie man die Flut aufhalten kann. Theoretisch begriff ich das Konzept. Nur in der praktischen Umsetzung war ich nicht besonders gut.

Da ich außer dem Inhalt meiner kleinen Tasche nichts auszupacken hatte, sah ich mich in der Kabine um. Auf meiner Kommode lag der Veranstaltungskalender für die kommende Woche. Ich streifte die Schuhe ab und legte mich aufs Bett, um ihn durchzulesen.

Die Filme hatte ich bereits alle gesehen. Bingo, Bridge und Basketball spielte ich nicht – Vorträge über das Falten von Servietten, das Erkennen von Parfüms, über Formationstanz und das Herumwirbeln von Stäben interessierten mich nicht sonderlich. Weitere Veranstaltungen waren unter anderem der internationale Biersaufwettbewerb, der Schlechte-Haar-Tag-Wettbewerb und der Bauchwackelwettbewerb für Männer.

Ich versuchte, nicht in Panik zu geraten, ich versuchte es wirklich, aber ich hatte das Gefühl, als sei ich in die Dreharbeiten zu einer entsetzlich geistlosen Spielshow geraten. Ich meine, warum sollte man beim Bauchwackelwettbewerb für Männer die Grenze ziehen? Wie wäre es mit einem Kotzwettbewerb für seekranke Passagiere? Was um alles in der Welt sollte ich sieben Tage lang *tun*?

Beruhige dich, sagte ich mir. Du hast eine Menge Bücher mitgebracht, also wirst du dir einen schönen, ruhigen Liegestuhl suchen und lesen. Und du wirst jeden Morgen joggen und viel Zeit mit deinen Freundinnen verbringen.

Ich seufzte erleichtert auf, bis mir einfiel, daß meine Bücher, mein Jogginganzug und meine Turnschuhe in meinem Koffer steckten, der vermutlich gerade auf dem Weg nach Alaska war.

Gott sei Dank habe ich Jackie und Pat, die mir Gesellschaft leisten, dachte ich, denn ich wußte ja, wie gut wir uns immer in unseren Ferien amüsiert hatten, selbst in denen, auf die ich mich nicht so besonders gefreut hatte.

Jackies Art, Dinge direkt anzugehen, war für mich eine Anregung, die mich stets sanft in die Realität zurückstupste, wenn mein neurotisches Wesen wieder einmal die Oberhand gewann. Und Pats kichernde Naivität sowie ihre gesunden Wertvorstellungen waren eine frische Brise. Niemand von meinen Kollegen bei Pearson & Strulley verfügte über kichernde Naivität *oder* gesunde Wertvorstellungen. Was brachte *ich* eigentlich ein, wenn wir drei zusammen waren? Ich wußte es nicht, aber Jackie und Pat verreisten immer wieder mit mir, also muß ich wohl *irgend* etwas beigetragen haben.

Ich schaltete den Fernseher ein, der an der Wand gegenüber meinem Bett montiert war. Es gab zwei Kanäle: CNN und den *Princess-Charming*-Kanal. CNN kennen Sie. Auf *Princess-Charming* lief ein billig gemachtes Vierundzwanzig-Stunden-Programm im Stil informierender Werbung, in dem die Annehmlichkeiten des Schiffs gepriesen wurden. Als ich zum ersten Mal einschaltete, brachten sie gerade ein Interview mit Captain Svein Solberg, einem kräftigen blonden Mann norwegischer Abstammung.

»Die *Princess Charming* ist zweifellos das schönste Schiff auf den Weltmeeren«, sagte Captain Solberg, ohne auch nur ansatzweise zu lächeln. »Sie hat vier Hauptmotoren, die auf Gummisockeln montiert sind, um minimale Vibration zu gewährleisten. Außerdem hat sie sechs Zusatzmotoren. Wenn sie mit der Höchstgeschwindigkeit von ungefähr einundzwanzig Knoten fährt, verbraucht sie in vierundzwanzig Stunden etwa achtzig Tonnen Treibstoff. Die vier Hauptmotoren sind in Frankreich gebaut worden, während die sechs Hilfsmotoren…«

Ich weiß ja, daß Skandinavier mitunter ein wenig zur Trockenheit neigen, aber dieser Knabe verlieh dem Wort »blutleer« neue Bedeutung. Sein Vortrag war dermaßen hölzern, daß er die Puppe eines Bauchredners hätte sein können, die für den *echten* Captain Solberg eingesprungen war.

»Ich werde unsere Position und den Wetterbericht zweimal täglich durchgeben«, fuhr er fort. »Und zwar über die Lautsprecheranlage. Von der Brücke aus. Das erste Mal um zwölf Uhr mittags. Und dann noch einmal um neun Uhr abends. Die Passagiere sind herzlich eingeladen zuzuhören.«

Wenn du über die Lautsprecheranlage kommst, Freundchen, werden wir gar keine andere Wahl haben, dachte ich mir.

Apropos Lautsprecheranlage: Just in diesem Moment ertönte eine Stimme, die uns daran erinnerte, daß wir um vier Uhr die Schiffssirene hören – sieben kurze Töne, gefolgt von einem langen – und gebeten würden, uns dann zu unseren »Sammelstationen« zu begeben, was immer das auch sein mochte.

Ich studierte in der Hoffnung auf eine Erklärung das Blatt mit den Veranstaltungen.

»Wir bitten alle Passagiere, die Schwimmweste aus ihrem Schrank zu holen, sie anzulegen und zum vorgeschriebenen Appell an die ihnen zugeordnete Sammelstation zu kommen«, stand da. Ich schloß daraus, daß es sich um eine Art Sicherheitsübung handelte.

Ich stand auf, nahm meine Schwimmweste aus dem Schrank, zog sie an und betrachtete mich darin in dem großen Spiegel, der innen an der Kabinentür angebracht war. Es war das klassische orangefarbene Teil, aber mit einem ausgeklügelten Aufblasmechanismus.

Plötzlich fiel mir das Rettungsboot wieder ein, das vor meinem Bullauge hing, und ich fragte mich, ob jemals ein Passagier der *Princess Charming* auf einer Kreuzfahrt ertrunken war.

Nein, davon hätte ich gelesen, ich als medienbesessene Public-Relations-Spezialistin. Wäre ein Passagier tatsächlich jemals anders als natürlich zu Tode gekommen, hätte ich in mindestens einer der sechs Zeitungen, die jeden Morgen um sechs vor meiner Wohnungstür lagen, davon gelesen.

Ich versuchte, meine Paranoia wegzulachen, genau wie Jackie es getan hätte. »Elaine, komm wieder auf den Boden«, hätte sie sicherlich mit einem ungeduldigen, aber liebevollen Seufzer gesagt und dabei die Augen gerollt. »Niemand verliert auf einem dieser Kähne sein Leben, außer vielleicht am Black-Jack-Tisch. Haha.«

Jackie und Pat erschienen, kurz nachdem die Sirene über das Lautsprechersystem ertönt war, in ihren Schwimmwesten vor meiner Kabine. Von Kingsley erfuhren wir, daß unsere Sammelstation der Crown Room auf Deck 5 war, eine von neun – sage und schreibe neun – Cocktailbars auf dem Schiff. (Ich sage Ihnen eines: Wenn Amüsement für Sie heißt, sich zu betrinken und betrunken zu bleiben, ist die *Princess Charming* ideal für Sie! Alkoholische Getränke werden rund um die Uhr ausgeschenkt. Und zwischen den Drinks können Sie sich auf einem der täglich auf dem Schiff stattfindenden Treffen der Anonymen Alkoholiker entspannen!)

Die Übung an sich dauerte zehn Minuten. Etwa zweihundert Passagiere saßen im Crown Room, während ein Mitglied der Crew uns erklärte, was in einem Notfall zu tun war. Kein Mensch paßte auf, genau wie im Flugzeug. Alle waren viel zu sehr damit beschäftigt, Kellner herbeizuwinken, die mit Tabletts voller Daiquiris bewaffnet waren.

»Oh, sieh mal. Da ist Henry Prichard«, sagte Jackie und stupste mich an. »Der Autovertreter aus Altoona, weißt du noch?«

»Klar weiß ich das noch.« Henry stand an der Tür des Crown Room und sprach angeregt mit drei älteren Paaren, denen er vermutlich Chevrolets neue, frisch vom Fließband gelaufene Modelle schmackhaft zu machen versuchte. Er sah genauso dämlich aus wie wir anderen in unseren orangefarbenen Schwimmwesten.

Jackie wollte gerade aufstehen, um Henry einzuladen, sich an unseren Tisch zu setzen, als ein anderer Mann den freien Platz beanspruchte.

»Sitzt hier schon jemand, oder ist heute mein Glückstag?«

Ich roch den Mann, bevor ich ihn sah – er hatte wohl in diesem scheußlichen Eau de Cologne gebadet. Er war genau das, was ich vor Augen gehabt hatte, als Jackie vorgeschlagen hatte, eine Kreuzfahrt zu machen – ein Mann, der alt genug war, um mein Vater zu sein und die entsprechenden Zähne hatte. Sie wissen schon, welche Art Zähne ich meine: die, die so klicken – diese unglaublich weißen, geraden Zähne, die nachts in einem Glas liegen.

»Also? Wie sieht's aus? Kann ich mich zu euch Hübschen setzen?« sagte er, obwohl er es sich bereits bequem gemacht hatte.

Sein Blick schoß von mir zu Pat und weiter zu Jackie, als wartete er darauf, daß eine von uns sich überglücklich zeigen würde, ihn zu sehen. Doch wir fragten uns nur, warum er der einzige im ganzen Crown Room war, der keine Schwimmweste anhatte.

»Wozu brauche ich eine Schwimmweste? Ich schwimme wie ein Fisch«, prahlte er, als Jackie ihm die Frage stellte. Nachdem ich einen Schwaden seines Atems abgekriegt hatte, ahnte ich, daß er auch wie einer trank. »Und außerdem hat sich das Orange nicht mit meiner Kluft vertragen.«

Nein, aber es hätte sich gewiß mit seinem Haar »vertragen«, dessen Farbton ich Schockorange nennen würde und das mit genug Haarspray in Form gehalten wurde, um ein kleines Tier bewegungsunfähig zu machen. Was die »Kluft« anging, so bestand diese aus weißen Slippern, weißen Hosen und einem blaßblauen Seidenhemd, das bis zum Nabel aufgeknöpft war und ein Dickicht aus grauen Haaren und einem halben Dutzend Goldketten mit mehreren Amuletten freigab. Ich war mir sicher, daß er nicht wußte, was für ein Bild er abgab. Da mir ungemein wichtig war, wie meine Mitmenschen mich wahrnahmen, und ich in einer Branche arbeitete, in der Image alles war, beneidete ich ihn bis zu einem gewissen Grad.

»Lenny Lubin«, stellte er sich vor. »Von Lubin's Lube Jobs.«

Er erzählte uns, daß er in der Automobilbranche sei, und schärfte uns ein, unbedingt bei ihm haltzumachen, wenn wir je in Massapequa, Long Island, seien und einen Ölwechsel nötig hätten.

»Sind die Damen allein?« fragte er anzüglich.

»Nein, wir sind zusammen«, sagte ich ganz sachlich. Was haben die Männer bloß immer?

Lenny Lubin kicherte, und zwar genauso wie mein Exmann immer gekichert hatte, wenn ich vorschlug, *Thelma and Louise* auszuleihen.

»Ich habe gemeint ohne Ehemänner oder Lebensgefährten«, sagte Lenny. »Drei Hübsche wie ihr?«

Jackie lachte. »Sie wollen wissen, ob eine von uns zu haben ist, stimmt's, Lenny?«

Er drohte ihr mit einem arthritischen Finger. »Sie sind der kleine Drachen in diesem Grüppchen, häh?« Er lächelte und zeigte uns seinen Kaugummi.

»Genau. Ich bin der kleine Drachen«, schnaubte Jackie.

»Und Sie?« fragte Pat und machte zum ersten Mal in diesem Gespräch den Mund auf. »Machen Sie die Kreuzfahrt allein?«

»So allein wie ein Mann nur sein kann«, sagte er und ließ den Kopf hängen, ein erbärmlicher Versuch, unser Mitgefühl zu wecken. »Meine Frau hat mich vor etwa zwei Monaten vor die Tür gesetzt.«

»Tatsächlich?« sagte ich und empfand sofort schwesterliche Gefühle für die klug gewordene Mrs. Lubin.

»Allerdings«, sagte Lenny. »Ich habe einen Fehler gemacht, einen winzig kleinen Fehler, und wissen Sie, was sie tut? Sie schmeißt mich raus, als wäre ich Müll.«

»Was war denn der winzig kleine Fehler?« fragte ich in dem sicheren Wissen, daß sich im Urlaub oft Wildfremde dazu gedrängt fühlen, einem ihre ganze Lebensgeschichte anzuvertrauen, vor allem die schmutzigeren Kapitel.

»Wollen Sie es wissen? Wollen Sie es wirklich wissen?« fragte Lenny und sah jeder einzelnen von uns in die Augen. Es war eine rhetorische Frage. Wir wußten alle, daß er es uns erzählen würde, egal, was wir sagten.

Ich sah im gleichen Momemt meine Freundinnen an und seufzte. Da saßen wir nun im Crown Room der *Princess Charming*, in unsere Schwimmwesten gequetscht, müde, hungrig und schwitzend. Ich hatte wirklich keine Lust, dazusitzen und mir das Rührstück irgendeines versoffenen alten Angebers anzuhören und nahm an, daß es Jackie und Pat genauso ging.

»Ja, wir würden wirklich gern von dem winzig kleinen Fehler hören, der Ihre Frau veranlaßt hat, Sie zum Gehen aufzufordern«, sagte Pat zu meinem Erstaunen. Vielleicht machte ihre Therapie sie wirklich kühner, und sie legte nicht nur ihre eigene Schüchternheit ab, sondern konnte auch andere aus der Reserve locken. Dummerweise hatte ihr Therapeut ihr nicht gesagt, daß man manche Leute lieber nicht aus der Reserve locken sollte.

»Mein einziger winzig kleiner Fehler war, daß ich mit der Schwester meiner Frau geschlafen habe«, gestand Lenny und sah nicht im geringsten reumütig aus.

»Das nennen Sie einen *winzig kleinen* Fehler?« fragte ich.

»Sie sollten die Schwester mal sehen«, sagte er. »Die ist keine einsfünfzig.«

Lenny lachte so heftig, daß er zu keuchen begann, doch als keine von uns sich ein Lächeln abrang, sagte er: »He, das war ein Witz! Ein Gag! Ein Spaß! Was ist denn los mit euch Hübschen? Habt ihr eure Lachmuskeln zu Hause gelassen oder was?«

»Oder was«, sagte ich.

»Tja, dann ist es aber höchste Zeit zum Auftauen. Wie wär's mit ein paar Drinks, häh?« Lenny schnippte mit den Fingern, die ebenso schmuckbehängt waren wie sein Hals, seine Handgelenke und seine Brust, und als der Kellner nicht alles liegen- und stehenließ und herübergeeilt kam, versuchte Lenny es mit Pfeifen. Ich wäre beinahe gestorben.

Endlich schaffte es der Kellner an unseren Tisch, und noch bevor wir ablehnen konnten, hatte Lenny bereits eine Runde Daiquiris bestellt.

»Gemütlich hier, was?« sagte er und kippte seinen Drink in einem Zug, was ihm zu einem gelblichen, rundum unappetitlichen Milchbart verhalf. »Also, ich habe euch Hübschen meinen Namen gesagt. Wie wär's, wenn ihr mir eure verraten würdet?«

Jackie stellte uns vor. Dann spielte Lenny ein kleines Spielchen. Er zeigte auf eine von uns und versuchte sich daran zu erinnern, welcher Name zu welchem Gesicht gehörte, bis er es schließlich beim vierten oder fünften Versuch schaffte. Schließlich erklärte er uns – diesmal unaufgefordert –, daß er und seine Frau zwar getrennt seien, es aber *er* gewesen sei, der *sie* hinausgeworfen hatte. »Sie ging mir auf die Nerven«, sagte er. »Einmal eine Nörglerin, immer eine Nörglerin, wißt ihr?«

Er fuhr mit der Hand über sein orangefarbenes Haar, das eine Konsistenz wie Zuckerwatte hatte. Dabei klirrten die Goldkettchen an seinem Handgelenk wie ein Windglockenspiel.

»Sie hat ununterbrochen gekeift und gegeifert«, keifte und

geiferte er, während wir versuchten, interessiert auszusehen. »Ich verdiente nicht genug, nicht für sie. Also habe ich mir eines Tages gesagt: ›Jetzt reicht's.‹ Ich bin in die nächste Kneipe gegangen, habe zwei Drinks zur Brust genommen und ihr gesagt, sie soll ihr Zeug zusammenpacken und verschwinden, wenn ihr der Inhalt meiner Brieftasche nicht paßt.«

Zwei Drinks, dachte ich. Vermutlich waren es eher zwei Dutzend gewesen, und so, wie es aussah, hatte der arme Lenny seitdem nicht mehr aufgehört.

»Also – wie wär's mit noch einer Runde?« fragte er nach einem Blick auf das leere Glas in seiner Hand. Es entging ihm völlig, daß wir unsere Drinks kaum angerührt hatten.

»Geht nicht«, sagte Jackie und erhob sich. »Dieses Baby hier wird sich bald in Bewegung setzen. Wir wollen uns die Abfahrt von oben auf Deck 8 ansehen.«

Gott segne dich, Jackie, sagte ich im stillen, bis mir klar wurde, was als nächstes kam.

»Warum auf Deck 8?« wollte Lenny wissen.

»Unsere Kabinen sind auf Deck 8«, sagten Jackie und Pat unisono. Ich würde mal ein Wörtchen mit ihnen reden müssen, das schwor ich mir. Es hätte nur noch gefehlt, daß sie Hinz und Kunz unsere Kabinenschlüssel in die Hand drückten.

»Deck 8, häh? Jammerschade«, grinste Lenny lüstern. »Ich bin auf Deck 9, dem Commodore-Deck. In einer *Suite*.« Auf Deck 9 waren die richtig großen, teuren Kabinen. Entweder Lenny Lubins Frau befand sich im Irrtum über seine mageren Finanzen, oder er war nicht ganz offen zu ihr – oder zu uns.

Pat und ich erhoben uns ebenfalls, und Pat steckte eine Cocktailserviette vom Crown Room in ihre Handtasche. Für die Kinder.

»Wie wär's mit später, ihr Hübschen?« fragte Lenny, und sein Mund verzog sich schon beim bloßen Gedanken daran, allein gelassen zu werden, zu einem aufgesetzten Schmollen. »Nach dem Abendessen? Wir vier könnten uns in der Disco ein paar Schlummerdrinks genehmigen, häh? Ich bin ein toller Tänzer. Ich kann einen Wahnsinnshustle hinlegen.«

Ich haßte Discos, aber sogar *ich* wußte, daß Hustle zur Zeit ungefähr so angesagt war wie Männer, die Frauen »ihr Hübschen« nannten.

»Habt ihr nicht gehört, was ich gesagt habe?« fragte er, als wir unsere Sachen zusammensammelten und Anstalten machten, in unseren Schwimmwesten davonzuwatscheln. »Ich habe gesagt, ihr müßtet mich mal Hustle tanzen sehen.«

»Das haben wir schon«, sagte ich, und wir verabschiedeten uns von Lenny.

3

Ich spürte, wie das Schiff sich bewegte.

Ich stand in einer der vier Umkleidekabinen von »Perky Princess«, der Damenboutique, von der Kingsley mir erzählt hatte, während die *Princess Charming* ablegte und ihre Reise in die Karibik begann.

Ich sah auf die Uhr. Genau fünf. Wir waren ganz pünktlich.

Während das Schiff leise vorwärtstuckerte, sagte ich dem Festland ein stilles Auf Wiedersehen und betete, daß die Reise sich besser entwickeln möge, als ich fürchtete.

»Wie geht's uns denn da drinnen?« rief mir die Verkäuferin von der anderen Seite des Vorhangs zu.

»Uns geht's wunderbar«, log ich. Ich hatte soeben das elfte Kleid anprobiert. Genau wie die zehn anderen davor paßte es mir nicht.

»Melden Sie sich, wenn Sie eine andere Größe brauchen«, sagte sie und verschwand.

Eine andere Größe, dachte ich, als ich mein Spiegelbild anstarrte. Ich brauche kein Kleid in einer anderen Größe. Ich brauche einen *Körper* in einer anderen Größe.

Ich seufzte, während ich mich betrachtete. Ich war fast einsachtzig groß und wog vierundfünfzig Kilo. Zu groß für die zierlichen Größen und zu dünn für die fraulichen. Das grauenhafte

Teil, das ich im Moment anhatte, paßte mir um Brustkorb und Schultern, war aber so kurz, daß es mir kaum über den Schritt reichte.

Ich dachte an meine Jugend zurück, an die Jahre, in denen ich die Jungs überragte und daher von der Gruppe, die »in« war, ausgeschlossen blieb und nie auf ihre Knutschpartys eingeladen wurde. Ich war schlaksig und linkisch und haßte mich selbst, obwohl meine Mutter mir immer wieder versicherte, daß groß schön sei. Als ich älter wurde, fand ich mich mit meinem Körper ab. Gewissermaßen. Ich sagte mir, ich sei eben gertenschlank wie ein Model. Nicht wie Cindy Crawford oder Claudia Schiffer, sondern wie diese unscheinbaren Frauentypen, die man in den avantgardistischeren Modezeitschriften sieht und bei denen man sich fragte, wie *die* je dazu gekommen sind, Models zu werden. Im Lauf der Zeit entdeckte ich, daß ich zwar nicht schön war, aber doch eine gewisse Attraktivität besaß und daß ich, wenn ich genug Geld ausgab und in den richtigen Läden einkaufte, nicht nur Kleider finden konnte, die mir paßten, sondern Kleider, die mir schmeichelten.

Perky Princess war allerdings kein solcher Laden. Das Angebot war lächerlich protzig – grelle Farben, glänzende Stoffe, jede Menge Abendkleider mit Spaghettiträgern; Kleider für Frauen, die sich sechsmal am Tag umziehen, auf Luxusdampfern herumstolzieren und Leute zu beeindrucken suchen, die sie nie wiedersehen werden.

Aber in der Not frißt der Teufel Fliegen, heißt es. Ich konnte nicht die nächsten drei Tage in dem Rock und der Bluse verbringen, die ich seit heute morgen um sechs Uhr anhatte. Nein, ich muße bei Perky Princess etwas kaufen. Schließlich kam ich mit drei gottserbärmlichen Kleidern heraus, die viel zu kurz waren und in denen ich aussah wie eine Mischung aus einer Hure und einer Frau mittleren Alters, die sich nicht mit der Tatsache abfinden will, daß sie kein junges Ding mehr ist. Das beste war, daß es in der Boutique eine kleine Sportabteilung gab, die ein Paar Turnschuhe in meiner Größe hatte.

Ich kaufte die Schuhe, ein Paar Shorts und zwei *Princess-*

Charming-T-Shirts, flüchtete mit meinen Habseligkeiten aus dem Geschäft, eilte zum Lift und drückte »aufwärts«. Der Aufzug kam fast sofort. Ich stieg ein, blickte in Richtung Tür und drückte auf den Knopf mit der Aufschrift »Deck 8« – all das, ohne zu bemerken, daß außer mir noch jemand im Aufzug war. Erst als die Türe immer wieder auf und zu ging, machte sich die andere Person bemerkbar.

»Drücken Sie doch mal auf den TÜR-ZU-Knopf.«

Ich zuckte zusammen, als ich die Stimme hörte. Ich war dermaßen in Gedanken versunken gewesen (Was würden die anderen Leute auf dem Schiff von mir in meinen Perky-Princess-Einkäufen halten?), daß ich nicht einmal auf die Idee gekommen war, noch jemand anderes könnte zu Deck 8 hochfahren. Nicht auf einem Schiff mit zweitausendfünfhundert Passagieren.

Die Stimme gehörte einem jungen Mann, der an der verspiegelten Rückwand des Aufzugs lehnte. Er hatte sandfarbenes Haar und einen Pferdeschwanz, war Anfang bis Mitte Zwanzig und trug Jeans, Reeboks und ein schreiend buntes Hawaiihemd.

Ich nickte und folgte seinem Vorschlag, indem ich den TÜR-ZU-Knopf drückte. Nach einem angespannten Moment begann der Aufzug sich schließlich nach oben zu bewegen.

»Einkaufen gewesen?« sagte mein Gefährte und betrachtete mich.

»Ja, die Fluggesellschaft hat mein Gepäck verschlampt«, erklärte ich.

»Horror«, kommentierte er. »Der totale Horror. Wahrscheinlich haben Sie diese Kreuzfahrt gebucht, um mal voll abzuhängen, die Birne freizukriegen und den ganzen Sums, und dann verschlampen die Ihr Gepäck, und Sie sind am Arsch, was?«

»Genau so ist es«, sagte ich und spürte, daß ich mich in Gesellschaft eines coolen Typen befand. Eines echt lässigen, coolen Typen. Ich drückte erneut auf den »Deck 8«-Knopf, nur falls ich es zuvor vergessen haben sollte.

»He, das ist ja cool«, sagte der Mann.

»Was?« fragte ich.

»Daß wir im selben Stockwerk wohnen, auf Deck 8. Es ist

doch cool, wenn du total zufällig jemanden triffst, und dann stellt sich raus, daß die Lebensräume sich überschneiden.«

Ich lächelte über die angebliche »Coolness«, während wir weiterhin nach oben fuhren.

»Ich bin Skip Jamison«, sagte er unaufgefordert. »Aus New York. Und zwar aus New York *City*.«

»Elaine Zimmerman«, sagte ich. »Und Sie haben ganz recht: Unsere Lebensräume überschneiden sich tatsächlich. Ich bin auch aus New York. Und zwar aus New York *City*.«

»Dachte ich mir schon. Ihre Aura ist unheimlich manhattanmäßig«, sagte er. »Unheimlich ›Faß-mich-nicht-an‹.«

»Danke«, sagte ich, da ich nicht wußte, was ich sonst sagen sollte. »Sind Sie schon ein alter Kreuzfahrt-Hase?« Irgend etwas an Skip ließ mich vermuten, daß das der Fall sein könnte. Vielleicht war es das Hemd.

»Nein, ich bin absolut jungfräulich. Normalerweise schnappe ich mir einen Airbus, wenn ich auf die Inseln düse, aber diesmal mußte ich echt ’n paar Gänge runterschalten. Also hab’ ich mir gesagt: ›Pfeif aufs Fliegen. Mach ’ne Kreuzfahrt.‹ Manchmal brauchst du einfach den totalen Durchhänger, bevor du in der Karibik Geschäfte machst. Dort läuft’s nett und locker, nett und streßfrei, und wenn man das nicht gewohnt ist, kann es einen voll abturnen.«

»Sie haben geschäftlich in der Karibik zu tun?«

Er nickte.

»Womit denn?« Vermutlich Drogenhandel.

»Ich bin Art Director bei V,Y&D. Einer meiner Kunden ist Crubanno Rum, und wenn der Kunde gut drauf ist, dann bin *ich* auch gut drauf. Und deshalb bin ich jetzt hier, um Locations für eine Fotostrecke auszusuchen.«

Ich war baff. Dieser Typ, dieses Kind, bekleidete eine verantwortungsvolle Position bei Vance, Yellen and Drier, der großen Werbeagentur? Er war tatsächlich Art Director und arbeitete mit dem Werbeetat von Crubanno Rum?

»Erstaunlich, daß V,Y&D Ihnen eine siebentägige Kreuzfahrt in die Karibik zahlt, um Locations auszusuchen«, sagte ich, wobei ich wußte, daß Pearson & Strulley mir nie die Kreuzfahrt bezahlt, geschweige denn mir eine geruhsame Woche gegönnt hätte, um zu einem Geschäftstermin zu reisen.

»Ich nehme noch ein paar Urlaubstage dazu«, sagte Skip. »Außerdem hab' ich erklärt, daß ich eine kreative Auszeit brauche. Um die Batterien wieder aufzuladen. Und Sie? Ihre erste Kreuzfahrt oder was?«

»Meine erste Kreuzfahrt«, sagte ich. »Ich bin mit zwei Freundinnen unterwegs.«

»Unheimlich cool«, bemerkte er.

»Unheimlich«, erwiderte ich, froh, daß Skip neben den Fotos nicht auch noch für Anzeigentexte zuständig war.

»Vielleicht treffen wir uns ja alle mal gemeinsam«, schlug er vor. »Stehen Sie und Ihre Freundinnen auf Musik?«

O nein. Nicht noch ein Disco-King. Ich war über Lenny Lubin noch nicht hinweg. »Kommt darauf an, was für Musik«, sagte ich vorsichtig.

»New Age. Yanni, John Tesh, Andreas Vollenweider. Relaxte Klänge sind einfach mein Ding. Tun meinem Kopf gut.«

»Ich bin Beatles-Fan«, sagte ich, während ich mich daran erinnerte, wie sehr ich als Teenager Paul McCartney verehrt hatte, vermutlich das letzte Mal, daß ich überhaupt einen Mann verehrt hatte.

»He, das ist ja cool«, sagte Skip. »Ich habe nichts gegen alte Bands. Wenn Sie und ihre Freundinnen mal in diese Bar gehen, wo die ganzen Musikboxen stehen, bimmeln Sie mich doch an. Ich habe Kabine 8067.«

Skip erwartete garantiert, daß ich ihm meine Kabinennummer nannte, doch das tat ich nicht. Statt dessen wünschte ich ihm eine angenehme Reise. Nachdem wir den Aufzug auf Deck 8 verlassen hatten, sagten wir beide: »Nett, Sie kennengelernt zu haben«, und dann ging er seiner Wege und ich meiner. Ich wartete, bis er in seiner Kabine verschwunden war, bevor ich an meiner stehenblieb und die Tür aufschloß. Sollten meine Freundinnen ruhig fremde Männer offen dazu auffordern, ihnen körperlich zu nahe zu treten. *Ich* würde es nicht tun.

Apropos meine Freundinnen: Pat und Jackie bogen sich geradezu vor Lachen, als ich um zwanzig nach sechs in meiner Perky-Princess-Kreation, einem schweren, goldfarbenen, langärmligen Kleid mit Troddeln, aus meiner Kabine kam.

»Hört mal«, beschwichtigte ich sie, »wenn Scarlett O'Hara in aller Öffentlichkeit die Wohnzimmerportieren tragen konnte, kann ich das hier auch tragen.«

Wir fuhren zum Palace Dining Room hinunter, einem riesigen Raum, der das exakte Gegenteil von »intim« war. Er war rundum in Staubrosé gehalten, einem Farbton, der sich in den achtziger Jahren kurzzeitiger Beliebtheit erfreut hatte. Der Teppich, die gepolsterten Stühle, die Tischdecken, die Servietten, alles war in demselben trüben Rosaton gehalten, außer dem gewaltigen Kristallüster, der von der Mitte der Decke herabhing, und der ebenso gewaltigen Eisskulptur, die mitten auf dem Tisch mit den Nachspeisen stand. (Geformt war sie wie das Logo des Schiffs, die Krone und der Schuh.) Der Raum hatte nichts an sich, was auch nur im entferntesten nautisch gewesen wäre, und wenn das Schiff nicht gerade vibrierte und schlingerte, mußte ich mir ins Gedächtnis rufen, daß ich mich tatsächlich auf einem befand.

Wir zeigten dem Oberkellner die kleinen Passagierkarten, die wir als Identitätsnachweis bekommen hatten, und er teilte uns mit, daß wir für die Dauer unserer Kreuzfahrt an Tisch 186 sitzen würden.

Tisch 186 war, wie sich herausstellte, ein Tisch für zehn Personen.

»Guter Gott«, sagte ich, als wir dem Oberkellner an Dutzenden von Tischen vorbei zu unserem folgten. »Ich werde jeden Abend das Gefühl haben, auf einer Bar Mizwa zu sein.«

Wir waren nicht die ersten an Tisch 186. Dort saßen bereits ein älteres Ehepaar aus Akron, Ohio, das, wie wir bald erfahren sollten, seinen fünfundsechzigsten Hochzeitstag feierte; ein weltfremdes Pärchen Anfang Zwanzig aus Fayetteville, North Carolina, das sich die *Princess Charming* für seine Hochzeitsreise ausgesucht hatte; und ein Paar mittleren Alters aus Short Hills, New Jersey, das einfach mal raus *mußte*, während sein

550-Quadratmeter-Haus renoviert wurde. Die zehnte Person fehlte noch.

Nach ein oder zwei Sekunden peinlichen Schweigens machten wir gegen den Uhrzeigersinn die Vorstellungsrunde, nannten allerdings nur unsere Vornamen, wie in einer Psychogruppe.

»Ich heiße Jackie«, sagte Jackie, und ich hörte ihr die Enttäuschung darüber an, daß man uns ausschließlich mit Paaren zusammengesetzt hatte.

»Und ich heiße Pat«, sagte Pat mit einem nur angedeuteten Winken.

»Elaine«, sagte ich mit der Begeisterung einer Gefängnisinsassin.

Wir starrten alle auf den freien Platz neben mir und machten dann weiter.

»Brianna«, sagte die junge, frischgebackene Ehefrau, die aussah, als wäre sie auf ihrer Schulabschlußfeier. Ihr langes braunes Haar war im Nacken zu einem Knoten zusammengefaßt, und am rechten Handgelenk trug sie ein Ansteckbukett. Nachdem sie uns ihren Namen genannt hatte, sah sie hingebungsvoll ihren frisch angetrauten Ehemann an und wartete darauf, daß er seinen Namen nannte.

»Rick«, grunzte er und drückte dann ihren Arm, wobei er fast das Blumenbukett zerquetscht hätte. Er war ein Schlägertyp, dieser Rick. Bürstenhaarschnitt, dicker Hals, breiter Brustkorb. Zweifellos Footballspieler. Oder vielleicht Mitglied bei einer dieser Milizen.

»Dorothy. Ich bin sechsundachtzig«, sagte die lebhafte, weißhaarige kleine Frau, die rechts von Rick saß. Ich vermutete, daß sie ihr Alter angegeben hatte, damit wir alle erwiderten: »Was, Sie sind sechsundachtzig? Unglaublich!« Doch niemand tat es. Sie sah aus wie mindestens sechsundachtzig.

Sie wandte sich nach rechts, zu ihrem Mann, einem gebeugten verschrumpelten Wesen mit einem großen Feuermal auf dem kahlen Schädel, das an Gorbatschow erinnerte, und weckte ihn.

»Was ist denn?« brüllte er. Er war sehr gereizt und sollte das auch die nächsten sieben Tage bleiben.

»Sie warten darauf, daß du deinen Namen sagst, Schatz«, sagte sie sanft, aber laut in sein linkes Ohr.

»Meinen was?« fragte er und hielt sich die Hand hinters Ohr.

»Deinen Namen«, wiederholte sie ohne das geringste Anzeichen von Ungeduld. Sie zwinkerte uns zu und flüsterte: »Er hört nicht mehr so gut. Er ist neunundachtzig.«

»Mein Name ist Lloyd«, brüllte er und schlief wieder ein.

»Gayle«, sagte die Frau rechts von Lloyd. »Mit Ypsilon und ›e‹, nicht mit ›i‹.« Sie war äußerst zierlich, was den riesigen Brillantring an ihrer rechten Hand um so mehr hervorstechen ließ, und sie trug ein ausgesprochen schickes schwarzes Cocktailkleid. Zu ihren Accessoires zählten ein brillantbesetztes Tennisarmband sowie Ohrstecker mit Brillanten. Zu allem Überfluß hatte sie neben ihren ganzen Brillanten auch noch rote Haare und erinnerte mich daher an die Rothaarige, derentwegen mein Vater mich verlassen und für die er zweifellos Brillanten gekauft hatte, anstatt seine Familie zu unterstützen. Dies nahm mich nicht gerade für Gayle ein.

»Kenneth«, sagte Gayles Ehemann und brachte damit unser kleines Spielchen zum Abschluß. Er war mittelgroß, mittelschwer und hatte mittelmäßige Tischmanieren. Nachdem er sich vorgestellt hatte, warf er uns ein paar seiner Visitenkarten hin. Er war anscheinend Börsenmakler oder vielmehr, wie es auf den Visitenkarten hieß, »Anlageberater«. Egal, was er war, er verdiente auf jeden Fall gut, wenn er sich die ganzen Steinchen leisten konnte, die Gayle zur Schau trug, oder den Armani-Anzug, in dem er steckte.

»Wo ist denn unser geheimnisvoller Tischgenosse?« fragte Dorothy und wies auf den leeren Stuhl. Sie richtete die Frage an mich, als dächte sie, ich wüßte, wer die fehlende Person sei.

Ich erklärte, daß ich mit Jackie und Pat reiste und sonst niemanden auf dem Schiff kannte. (Ich fand nicht, daß meine kurzen Wortwechsel mit Henry Prichard, Albert Mullins, Lenny Lubin und Skip Jamison zählten.) Ich fügte hinzu, daß die Person, die mit uns am Tisch sitzen sollte, vielleicht darum gebeten hatte, in die Halb-neun-Uhr-Schicht umplaziert zu werden, etwas, woran ich auch schon gedacht hatte, bevor ich beschloß, die Finger davon zu lassen. Man muß sich im Leben genau überlegen, wofür man sich ins Zeug legt. Mir war jetzt wichtiger, daß sich die Mitarbeiter im Büro des Zahlmeisters um mein verlorengegangenes Gepäck kümmerten.

Ich wollte meine Handtasche gerade auf den freien Stuhl stellen, als ein außergewöhnlich gutaussehender Mann erschien und sich auf ihm niederließ.

»Verzeihen Sie bitte meine Verspätung«, sagte er und hob entschuldigend eine Hand.

Unsere Blicke begegneten sich, und so hoffnungslos klischeehaft es auch klingt, ein Stromstoß durchzuckte mich – ein Stoß, der buchstäblich einen Kurzschluß in meinem Gehirn auslöste. Das Gefühl war aufregend, beängstigend und vollkommen absurd.

Was um alles in der Welt ist das? fragte ich mich, während ich verzweifelt versuchte, die Kontrolle wiederzugewinnen. Es konnte nicht Liebe auf den ersten Blick sein, weil ich nicht an Liebe auf den ersten Blick glaubte. Und es konnte auch nicht Lüsternheit auf den ersten Blick sein, da ich die am wenigsten lüsterne Person auf dem ganzen Planeten war. Überdies ließen mich gutaussehende Männer kalt, abgesehen von meinen jugendlichen Träumereien von Paul McCartney. Erinnern Sie sich noch an den Text aus dem alten Rocksong: *If you want to be happy for the rest of your life, never make a pretty woman your wife?* Nun, ich nahm ihn ernst – in umgekehrter Form: Wenn sie einen Ehemann wollen, der Sie nicht betrügt, dann heiraten Sie keinen, der aussieht wir John F. Kennedy junior! Nicht daß mein Exmann Eric eine solche Schönheit gewesen wäre; trotzdem hat er sich als übler Lump entpuppt. Wie auch immer, Aberglauben hin oder her, ich war der festen Überzeugung, daß man, wenn man sich einen Mann aussuchte, den Frauen unwiderstehlich fanden, zwangsläufig mit einigem Kummer rechnen mußte.

Nein, dieser Knabe sieht viel zu gut aus, um mich zu interessieren, dachte ich, wie er in seinem leicht abgetragenen, aber frisch gewaschenen Ralph-Lauren-Hemd, der khakifarbenen

Hose und den braunen Slippern dasaß und das Bild eines Erstsemesters aus begütertem Hause abgab. Er hatte volle dunkle, wellige Haare, die hier und da eine graue Strähne aufwiesen, himmelblaue Augen, die hinter einer Hornbrille hervorstrahlten, eine gerade Nase, ein eckiges Kinn, phantastische Zähne, volle Lippen – na, Sie wissen schon. Was seinen Körper anging, so war er mager und drahtig, aber doch breitschultrig und stark. Außerdem war er sehr groß: ungefähr einsfünfundneunzig. Eine Mischung aus Michael Crichton und Clark Kent. Vielleicht ist es *das*, was Gefühle bei mir auslöst, dachte ich. Ich identifiziere mich einfach mit der *Größe* dieses Mannes.

Irgendwie kam er mir bekannt vor; ich hatte den Eindruck, daß wir uns schon einmal begegnet waren. Als er seinen Stuhl näher an den Tisch heranzog und sich die Serviette auf den Schoß legte, ging ich alle möglichen Gelegenheiten durch, wo wir uns kennengelernt haben könnten, aber ich konnte mich nicht erinnern.

Alle neun Augenpaare hefteten sich auf ihn, als er sich räusperte und seinen Namen nannte.

»Ich heiße Sam Peck«, sagte er und löste damit eine weitere Vorstellungsrunde aus, diesmal mit Familiennamen.

»Jackie Gault«, sagte Jackie und bemühte sich, nicht vor Lüsternheit zu sabbern. Sam Peck war zwar nicht der bullige Typ, der ihr am besten gefiel, aber er war auch nicht gerade ein jämmerliches Würstchen, erst recht nicht, wenn man einen solchen Bärenhunger hatte wie Jackie.

»Pat Kovecky«, sagte Pat, die in Sams ungefähre Richtung sah, es aber nicht schaffte, ihn wirklich anzuschauen.

»Elaine Zimmerman«, sagte ich mit einem leichten Zittern in der Stimme, das meinen inneren Gefühlsaufruhr verriet. Allein die Tatsache, daß ich gegenüber einem Mann etwas anderes als Gleichgültigkeit empfand, war schon ein Wunder.

»Brianna Brown. Ich meine [kicher] Brianna *De Fabrizio*«, sagte die Jungvermählte, die kurzzeitig vergessen hatte, daß sie eine solche war.

»Rick DeFabrizio«, sagte der Bräutigam und funkelte sie an,

weil sie sich nicht dazu bekannt hatte, daß sie jetzt *sein* Eigentum war. Dann knabberte er in einer versöhnlichen Geste an ihrem Ohr.

»Dorothy Thayer«, sagte die Sechsundachtzigjährige.

Schweigen.

»Wach auf, Schatz. Sie wollen deinen Namen noch einmal wissen«, erklärte sie ihrem Mann.

»Sie wollen was noch einmal wissen?«

»Deinen Namen.«

»Lloyd!«

»Deinen Familiennamen auch, Schatz.«

»Lloyd Thayer!«

»Gayle Cone. Und zwar C-o-n-e, nicht C-o-h-e-n.« Gayles Miene war diesmal todernst, als wäre es von immenser Wichtigkeit, daß man sie nicht irrtümlich für eine Jüdin hielt.

»Kenneth Cone«, sagte ihr Mann mit einem kleinen Kichern. »Cone. Wie der Baseballspieler.«

»Sie meinen *David* Cone«, sagte Jackie.

»Genau den.« Kenneth kicherte noch einmal. »Allerdings weder verwandt noch verschwägert.« Es klang bedauernd, als wünschte er, er wäre auch ein berühmter, glänzender Star. Ironischerweise hatte er sogar etwas Glänzendes an sich: glänzendes, glatt zurückgekämmtes Haar; glänzende, manikürte Fingernägel; glänzendes, druckfrisches Geld. Ja, beide Cones umgab die typische Neureichenaura der achtziger Jahre. Sie wirkten wie die Leute, die in der Reagan-Ära das große Geld gescheffelt und den Schwarzen Montag überlebt hatten und nun ohne irgendwelche Schuldgefühle konsumierten, was das Zeug hielt.

»Guten Abend allerseits. Ich heiße Ismet und bin während der Kreuzfahrt Ihr Kellner.«

Toll, noch ein Name, den man sich merken mußte.

Ismet verkündete, daß er in der Türkei geboren und aufgewachsen war, seit siebzehn Jahren für Sea Swan Cruises arbeitete und eine zweiunddreißigköpfige Familie ernährte. Und dann nannte er uns die Spezialitäten.

»Jeder Abend im Palace Dining Room steht unter einem anderen Motto«, erklärte er. »Heute ist französischer Abend. Darf ich Ihnen das Coq au Vin empfehlen?«

»WAS HAT ER GESAGT, DOROTHY?« fragte Lloyd.

Dorothy wiederholte es ihrem Mann Wort für Wort.

»Was zum Teufel ist Cockoweng?« wollte Rick wissen, der Jungvermählte aus Fayetteville.

Seine frisch Angetraute, Brianna, gab ihm einen Kuß auf die Wange und sagte sehr diplomatisch: »Ich glaube, es ist Hühnchen, Zuckerschneck. In Weinsauce.«

»Warum hat es dann Ishmael, oder wie er heißt, nicht einfach gesagt?« grollte Rick, als hätte Ismet ihn absichtlich vor den Frauen bloßgestellt. Im Gegensatz zu Lloyd, der einfach nicht ganz auf der Höhe war, schien Rick einer dieser mißmutigen Amerikaner zu sein, die ihre eigenen Unzulänglichkeiten an Ausländern auslassen.

Während wir alle die Speisekarten durchlasen, die uns Ismet gereicht hatte, gesellte sich der Weinkellner zu unserem fröhlichen Trupp.

»Hallo, hallo allerseits. Ich bin Manfred, Ihr Weinkellner«, sagte er, preßte die Hände nach Art eines Bittstellers gegeneinander und verbeugte sich tief. Er war absolut prächtig anzusehen in seinem roten Jackett und den silbernen Utensilien zum Öffnen der Weinflaschen. »Wem darf ich heute abend eine Flasche Wein bringen?«

Brianna und Rick sagten, sie blieben bei ihrer Limonade. Gayle berichtete, daß sie und Kenneth sich bereits in ihrer Kabine eine Flasche Dom Perignon gegönnt hätten und daher »in alkoholischer Hinsicht« gesättigt seien. Jackie wollte ihren gewohnten Dewars mit Wasser. Pat fand, ein Miami Whammy und eine Piña Colada seien wirklich genug für einen Tag. Und Dorothy erklärte, daß sie und Lloyd das Trinken im selben Jahr aufgegeben hätten, in dem sie beschlossen hatten, nicht mehr später als um halb sieben zu Abend zu essen. Damit blieben noch Sam Peck und ich übrig. Wir hoben – gleichzeitig – die Hand. Manfred kam mit der Weinkarte herübergeeilt und legte sie zwischen uns auf den Tisch, da er uns offenbar für ein Pärchen hielt.

»Das sieht man aber gern: ein Paar, das einen guten Tropfen zu schätzen weiß«, strahlte er, und Unterwürfigkeit troff ihm aus jeder Pore. »Und noch dazu ein so schönes Paar.«

Sam wandte sich zur Seite, um mich anzusehen, und spähte über seine Brillengläser hinweg, offenkundig, um die Frau zu mustern, mit der er soeben irrtümlicherweise vereint worden war. Ich fragte mich, welchen Frauentyp er bevorzugte und wie ich mich in meinem goldenen Kleid mit den Troddeln daneben machte.

»Wir... ähm... gehören nicht zusammen«, erklärte ich Manfred, als Sam ihn nicht sofort korrigierte. Ich wollte nicht, daß dieser Adonis das Gefühl hatte, ich wäre ihm von einem schleimigen, kupplerischen Schiffskellner aufgehalst worden.

»Nein, aber es spricht doch nichts dagegen, wenn wir gemeinsam in die Weinkarte schauen, oder?« sagte Sam lässig, als wäre er ein sehr gelangweilter Weltenbummler, der sich oft gezwungen sah, mit albernen Weibchen Konversation zu machen. Er sprach gleichmäßig und ohne jeglichen Akzent, so daß ich keinerlei Anhaltspunkt dafür hatte, woher er stammte. Das einzige, was ich mit Sicherheit wußte, war, daß er großartige Wangenknochen hatte.

»Nein... gar nichts. Ich kann einen Blick darauf werfen... das heißt, außer wenn sie sie zuerst lesen wollen, und dann...« Ich kam richtig ins Stottern. Ich war so verwirrt, so nervös, daß ich mich benahm wie ein Teenager – und das nur, weil dieser Mann, dieser Sam Peck, so dicht neben mir saß, mit mir sprach und mir vorschlug, gemeinsam in die dämliche Weinkarte zu schauen.

Plötzlich wurde mir mit schockierender Deutlichkeit klar, daß ich nicht die leiseste Ahnung hatte, wie ich mit einem Mann, der mich interessierte, reden oder wie ich mich ihm gegenüber benehmen sollte. »Sei ganz du selbst«, hört man in diesem Zusammenhang immer wieder. »Sei ganz du selbst, dann liebt er dich, weil du du bist.« Ich war mir da nicht so sicher. In Filmen benehmen sich Frauen in meiner Situation stets auf eine von zwei Arten: Sie benahmen sich entweder so verlegen und dämlich wie ich, oder sie waren die personifizierte Coolness, Gleichgültigkeit und Klugschwätzerei. Wo war denn *meine* klugschwätzerische Seite, wenn ich sie brauchte, dachte ich, als ich mich dazu zwang, auf die »Faß mich nicht an«-Variante umzuschalten, die Skip Jamison angesprochen hatte.

»Bestellen Sie doch einfach eine Flasche für uns beide«, sagte Sam fast ungeduldig, als würde er die Aufgabe auf einem endlos langen Flug einer Stewardeß übertragen. Doch dann fügte er hinzu: »Sind Sie heute abend in der Stimmung für Weißwein? Oder neigen Sie mehr zu Rot?«

Und wie ich zu Rot neige. Ich konnte mich nicht mehr erinnern, wann ich das letzte Mal rot geworden war, doch da saß ich nun, lief knallrot an und schwitzte wie eine Herzpatientin. Jackie und Pat sahen mich an, als könnten sie nicht fassen, was sich vor ihren Augen abspielte.

»Wie wär's mit einem Merlot?« platzte ich heraus, noch bevor ich auch nur einen Blick in die Weinkarte geworfen hatte. Ich neigte tatsächlich zu Rot. Ich hatte in der Minute angefangen, Rotwein zu trinken, als diese Studie veröffentlicht wurde, in der es hieß, daß ein oder zwei Gläser am Tag vor Herzinfarkt schützten.

»Gute Wahl«, sagte Sam mit einem nur angedeuteten Lächeln. Ich hatte das Gefühl, daß er mich auslachte, mich und meine Unsicherheit. Vermutlich war er es gewöhnt, daß Fauen in seiner Gegenwart zu Mus zerliefen.

Schließlich brachte Manfred unseren Wein und Ismet Jackies Scotch, und anschließend nannten wir dem Kellner unsere Essenswünsche – für alle sechs Gänge. Ich versuchte mich aufs Essen zu konzentrieren, doch ich konnte nur an Sam denken, an seine Nähe, den dezenten Zitrusduft seines Eau de Colognes und an die Tatsache, daß unsere Arme sich jedesmal berührten, wenn wir in den Brotkorb griffen, weil er Linkshänder und ich Rechtshänderin war.

Natürlich waren an unserem Tisch noch andere Entwicklungen im Gange. Zwischen mehreren Besuchen vom Schiffsfotografen versuchten wir alle, mit den Wildfremden zu plaudern, mit denen wir gezwungenermaßen an einem Tisch saßen. An einem Zehnertisch ist es schwierig, jeden am gleichen Gespräch zu beteiligen, und so teilten wir uns in kleine Gruppen auf – abgesehen von Brianna und Rick, die unter sich blieben, einander fütterten, sich immer wieder küßten und der Allgemeinheit in aller Deutlichkeit zu verstehen gaben, daß sie im Grunde am liebsten in ihrer Kabine wären, um es miteinander zu treiben.

Irgendwann, nachdem die Hauptgerichte serviert worden waren, erzählten Gayle und Kenneth Jackie und Pat von den Badezimmerfliesen, die ihr Innenarchitekt für ihr frisch renoviertes großes Badezimmer bestellt hatte (auf einer Kreuzfahrt vermeidet man lieber Themen wie die Gesundheitsreform, das Haushaltsdefizit und das Urteil im Simpson-Prozeß, und zwar aus Angst vor einer Meinungsverschiedenheit mit den Leuten, mit denen man die nächsten sieben Abende an einem Tisch sitzen muß). Dorothy und Lloyd konzentrierten sich auf ihre Forelle Müllerin, was bedeutete, daß Sam und ich zwangsläufig miteinander reden mußten.

Ich brach das Eis. »Wie ist Ihr Pfeffersteak?«

Er antwortete nicht gleich. Mann, der ist vielleicht reserviert, arrogant und von sich selbst eingenommen, dachte ich. Doch dann wurde mir klar, daß ich ihn mitten in einem Bissen erwischt hatte. Als er fertig gekaut hatte, trank er von seinem Wein, schluckte hinunter und sagte: »Sagen wir einfach, daß ich bei Burger King schon besseres Rindfleisch bekommen habe.«

»So gut?«

Er nickte. »Und Ihr Kalbsschnitzel Cordon Bleu?«

Ich aß selten Kalbsschnitzel, erst recht nicht mit Schinken und Käse gefülltes Kalbsschnitzel, aber ich hatte mir ebensowenig Zeit fürs Studium der Speisekarte wie für das der Weinkarte genommen. Es war nicht wichtig, was ich an diesem Abend aß oder trank; es war nur wichtig, daß ich nichts davon auf mich oder Sam kippte.

»Wie ist denn Ihr Schnitzel?« wiederholte er, als wäre ich schwer von Begriff.

»Mein Schnitzel.« Ich hielt inne und zermarterte mir das Hirn nach einer denkwürdigen Bemerkung, etwas, das Mr. Eisberg aufhorchen lassen würde. »Es hat die Konsistenz eines Winterreifens, den ich einmal besessen habe.«

Das *ließ* ihn aufhorchen. Zum zweiten Mal beäugte mich Sam über seine Brillengläser hinweg, aber diesmal lächelte er dabei.

»So«, fragte ich ihn, nun mutiger geworden, »und womit verdienen Sie Ihr Geld?« Die alte, verläßliche Frage.

»Ich bin Versicherungsvertreter«, sagte er und wandte sich wieder seinem Essen zu.

»Tatsächlich?«

»Das scheint Sie zu erstaunen. Was hatten Sie denn gedacht, was ich bin – Trapezkünstler?«

»Nein. Ich bin nur noch nie einem Versicherungsvertreter begegnet, der nicht versucht hat, mir eine Versicherung zu verkaufen. Ich sitze schon eine geschlagene halbe Stunde neben Ihnen, und Sie haben noch kein einziges Mal die Begriffe ›Laufzeit‹, ›Jahresprämie‹ oder ›Nichtraucherrabatt‹ benutzt.«

Er sah von seinem Essen auf und lachte los. »Sie haben sich also jedes meiner Worte gemerkt, oder?«

»Jedes zweite.«

Er lachte wieder. Mein Herz machte einen Satz. »Erzählen Sie mir etwas von sich«, sagte er. »Was machen Sie denn in… wo immer Sie leben?«

»Ich arbeite in einer Public-Relations-Agentur. In New York.«

»Ah, Sie sind Image-Beraterin.« Sein Tonfall klang spöttisch. »Für wen arbeiten Sie?«

»Pearson & Strulley. Ich bin leitende Kundenbetreuerin.«

»Sie sind auf Kunden aus der Modebranche spezialisiert, stimmt's?«

»Nein, wie kommen Sie darauf?«

»Wegen Ihrem Kleid.« Er betrachtete das goldene, troddelbehängte Teil. »Es ist so… irgendwie… der letzte Schrei.« In seiner Stimme lag genug Sarkasmus, um mein gummiartiges Kalbsschnitzel zu zerschneiden.

»Die Fluggesellschaft hat mein Gepäck verschlampt«, erklärte ich. »Dieses Kleid war noch das Beste, was Perky Princess zu bieten hatte. Das und die beiden, die ich die nächsten zwei Abende tragen werde.«

»Ich kann es kaum erwarten.« Er trank einen Schluck Wein. Ich tat es ihm nach. Es war mein *drittes* Glas – ein Glas mehr als meine übliche Dosis. Ich wußte, daß ich es später bereuen würde, nämlich gegen drei Uhr morgens, wenn das Sodbrennen einsetzte, aber man bekam ja ständig gepredigt, daß man mit den Projektionen aufhören und im Moment leben sollte. Und was ich im Moment wollte, war ein drittes Glas Wein.

Während ich Sam dabei zusah, wie er mit seinem Steak kämpfte, fragte ich mich, weshalb ein Mann wie er alleine auf Kreuzfahrt ging. Er war mehr als vorzeigbar, und er hatte einen einträglichen, wenn auch uninteressanten Beruf. Wo war also die Freundin? Die Ehefrau? Der beste Freund aus dem Büro?

»Sie haben gesagt, Sie arbeiten in der Public-Relations-Branche«, sinnierte er und nickte mir zu. Ganz offensichtlich taute er auf. »Und Sie haben diese Woche Urlaub, stimmt's?«

»Ja. Pat und Jackie und ich haben beschlossen, gemeinsam eine Kreuzfahrt zu machen. Wir sind schon seit Jahren befreundet.«

»Das ist schön. Ich reise so viel, daß ich den Kontakt zu vielen meiner Freunde verloren habe.«

»Ich wußte nicht, daß Versicherungsvertreter so viel reisen. Machen Sie diese Kreuzfahrt beruflich oder zum Vergnügen?«

»Nur zum Vergnügen. Ich bin zur Abwechslung mal Tourist. Wie Sie und Ihre Freundinnen.«

»Warum eine Kreuzfahrt?«

»Ganz einfach. Schiffe haben keine Flügel.«

»Wie bitte?«

»Ich habe eine massive Abneigung gegen Flugzeuge und bin schon seit Jahren nicht mehr geflogen. Mein letzter Flug ging mit einer Klapperkiste von einer Kleinstadt im Mittelwesten zur nächsten. In einem grauenhaften Schneesturm habe ich mir gesagt, ›Jetzt reicht's! Nie wieder.‹ Wenn ich geschäftlich unterwegs bin, fahre ich mit dem Auto oder nehme den Zug. Aber im Februar ist es droben im Norden kalt. Ich brauche ein bißchen

Sonne und Sand und karibische Atmosphäre. Deshalb die Kreuzfahrt.«

»Ganz allein?« Es rutschte mir so heraus.

»Ja, aber ich habe schon vor Jahren aufgehört, meine Mutter um Erlaubnis zu fragen, ob ich allein verreisen darf.«

»Sie wissen schon, was ich gemeint habe.«

»Entschuldigung. Ja, ich reise allein. Ich habe zur Zeit keine feste Beziehung. Also habe ich mir gesagt, warum soll ich nicht allein in See stechen?« Sam hatte also momentan keine feste Beziehung. Ich bemühte mich, angesichts dieser Enthüllung unbeeindruckt dreinzusehen. »Offen gestanden macht es mir Spaß, allein zu reisen«, fuhr er fort. »Man kann machen, was man will und wann man es will, und braucht sich nicht den Kopf darüber zu zerbrechen, ob man womöglich den anderen vernachlässigt. Wissen Sie, was ich meine, Arlene?«

»Elaine.«

»Tut mir leid.«

»Das macht doch nichts, *Stan*.« Ich konnte es nicht lassen.

»Sam.«

»Tut mir leid.«

»Und wie.« Er lächelte erneut. Also, ich will kein allzu großes Aufhebens von seinem Lächeln machen, weil er auch sagenhaft aussah, wenn er nicht lächelte. Doch in den wenigen Momenten, in denen er lächelte, war es geradezu unmöglich, nicht dahinzuschmelzen. Ich fragte mich immer wieder: Was macht dieser Typ auf *meiner* Kreuzfahrt? An *meinem* Tisch? Ich glaubte nicht besonders intensiv an das Glück, aber aus irgendeinem Grund fühlte ich mich, als hätte ich sechs Richtige im Lotto, ohne überhaupt gespielt zu haben.

Ein kurzes Schweigen trat ein, während wir unser Fleisch zerkauten. Oder es versuchten.

»Erzählen Sie mir von Ihrer Arbeit«, forderte ich ihn auf.

»Von *meiner* Arbeit? Kommen Sie, die Versicherungsbranche ist nicht annähernd so glamourös wie Public Relations.« Er nahm mich schon wieder auf den Arm, aber ich hatte nichts dagegen. Zumindest besaß ich seine Aufmerksamkeit.

»Sie verachten die Public-Relations-Branche, stimmt's?«

»Nein, ich weiß nur nicht viel über sie. Klären Sie mich auf.«

»Was möchten Sie denn wissen?«

»Erzählen Sie mir etwas über Ihre Kunden.«

»Ist das ein Witz, oder interessiert Sie das wirklich?«

»Es interessiert mich wirklich.«

Ich wollte ihm glauben. Und so erzählte ich ihm von Dina Witherspoon, der früheren Schauspielerin/Sexbiene, die nun, da sie die Kühnheit besaß, sechzig zu werden, für Arthritistabletten Werbung machte; von The Aromatic Bean, der Kette von Cappuccino-Bars, deren neunundzwanzigjähriger Besitzer nur Kamillentee trank; von Mini-Shades, der Firma, die Sonnenbrillen für Kleinkinder und Haustiere herstellte. Sam erwies sich als phantastischer Zuhörer. Er lachte, wenn ich Witze machte, wurde ernst, wenn ich ernst wurde, und stellte kluge Fragen über die Medien anstelle des gewohnten: »Ist Katie Couric in Wirklichkeit genauso nett wie im Fernsehen?« Ich begann lockerer zu werden und mich gut zu unterhalten, und ich nahm an, daß es Sam genauso ging. Doch dann kam Ismet mit dem Dessertwagen vorbei, fragte, ob jemand von uns etwas wollte, und zerstörte den Zauber.

Alle fingen an, von Mousse au chocolat und Crème brûlée zu reden und davon, wieviel man auf Kreuzfahrten zunahm, was Gayle zu der Mitteilung veranlaßte, daß sie und Kenneth einen privaten Fitneßtrainer hatten, der eine Nebenrolle im nächsten Film mit Jean-Claude Van Damme spielen würde.

Die restlichen Minuten am Tisch rasten verschwommen an mir vorbei, da Ismet uns zur Eile antrieb, damit er für die Essensgäste um halb neun decken konnte. Als wir den Speisesaal verließen, bemerkte Sam, daß er einen kurzen Blick auf die Show werfen – dem Veranstaltungskalender zufolge bestand das Unterhaltungsangebot an diesem Abend aus einem Komiker, einer Opernsängerin und einem Mann, der barfuß über glühende Kohlen ging – und dann ins Bett gehen wolle. Die Vorstellung, wie Sam ins Bett ging, veranlaßte mich dazu, ihn zu fragen: »Auf welchem Deck sind Sie denn, Sam?«

Ich mußte über mich selbst lachen. Ausgerechnet ich, die ich nicht einmal dem Schiffspfarrer verraten würde, auf welchem Deck ich war.

»Alles in Ordnung?« fragte Sam. Meine Frage war nicht direkt ein Superwitz gewesen.

»Ja«, antwortete ich immer noch lachend. »Alles bestens.«

Er sah mich komisch an und sagte dann: »Auf Deck 7.«

»Ein Stockwerk unter mir. Ich bin auf Deck 8«, verriet ich ihm. Mit Vergnügen.

»Tja«, sagte er und reagierte nicht auf meine Enthüllung. »Dann sehen wir uns wohl morgen wieder. Bis dann.« Und ging davon.

Ich stand ein paar Sekunden lang da und sah ihm nach. Er war eine hochgewachsene, imponierende Erscheinung, wie er da durch den Flur schritt, vorbei an einem Häufchen Passagiere auf dem Weg in den Speisesaal. Nachdem er vollständig aus meiner Sichtweite verschwunden war, packte Jackie mich am Arm und fragte mich, ob ich betrunken sei.

»Wie kommst du denn darauf?« sagte ich.

»Weil du mit diesem Mann geflirtet hast«, sagte sie. »Ich kenne dich seit sechs Jahren und habe dich noch nie mit einem Mann flirten sehen.«

»Ich habe geflirtet?« fragte ich. »Ich dachte, ich sei nur freundlich gewesen.«

»Okay. Warst du eben freundlich. Ich kenne dich seit sechs Jahren und habe noch nie gesehen, wie du zu einem Mann freundlich warst.«

»Das ist nicht wahr«, sagte ich abwehrend. Ich wandte mich an Pat. »Oder doch?«

Sie nickte.

»Oh, schaut mal«, sagte Jackie und zeigte auf die Wand gegenüber. Die Bilder, die der Schiffsfotograf aufgenommen hatte, waren dort ausgestellt. »Suchen wir mal nach unserem.«

Wir gingen Hunderte von Fotos an der Wand durch, bis ich endlich das von Jackie, Pat und mir entdeckte. Ich nahm es aus dem Schaukasten, während meine Freundinnen nach weiteren

Abzügen suchten, die zu machen wir den Fotografen gebeten hatten.

Ich trat aus der Menschenmenge heraus und studierte das Foto. Da standen wir alle drei, Arm in Arm auf der Gangway, kurz bevor wir die Schwelle zur *Princess Charming* überschritten. Ich sah nicht besonders klar, da ich meine neue Brille oben in der Kabine gelassen hatte, um die Aufmerksamkeit nicht auf mein fortgeschrittenes Alter zu lenken, doch ich konnte sehen, daß das Foto ziemlich gelungen war. (Zum Beispiel blinzelte keine von uns oder verzog den Mund.) Außerdem konnte ich erkennen, daß wir nicht die einzigen auf dem Bild waren. Im Hintergrund war deutlich Sam zu erkennen.

4

Wir waren uns alle drei einig, daß wir zu müde waren, um uns die Show anzusehen. Es war noch früh – zwanzig nach acht oder so –, aber es war ein langer Tag gewesen, und wir wollten nichts überstürzen. Schließlich war es der erste Abend unserer Kreuzfahrt. Sechs weitere standen uns noch bevor.

Und so landeten wir schließlich in Pats Kabine.

Offensichtlich war Kingsley dort tätig gewesen, da das Bett hergerichtet war und zwei Schoko-Minz-Täfelchen auf dem Kissen lagen. Pat steckte die Minztäfelchen liebevoll in die Tüte, die sie für Souvenirs vorgesehen hatte. Außerdem fiel uns auf, daß ihre verschmutzte Bluse in die Reinigung gebracht worden war, genau wie Albert Mullins es versprochen hatte. Er hatte sie kaum zehn Minuten, nachdem sie ausgepackt hatte, in ihrer Kabine angerufen, sie gebeten, die Bluse vor die Tür zu hängen, und versichert, um alles weitere werde er sich kümmern.

»Offensichtlich ist Albert ein Mann, der zu seinen Worten steht«, sagte Jackie. »Außerdem glaube ich, daß er scharf auf dich ist, Pat.«

Pat kicherte. »Du glaubst doch immer, jeder sei scharf auf

jeden. Du glaubst ja sogar, daß Elaine an dem Mann an unserem Tisch interessiert ist. Ausgerechnet *Elaine*.«

Ich konnte nicht gut beleidigt sein. Genau wie Jackie hatte Pat noch nie erlebt, daß ich mich für einen Mann interessierte.

»Du hast sie doch gesehen. Sie ist eindeutig scharf auf ihn«, beharrte Jackie.

»Warum redet ihr beiden über mich, als ob ich gar nicht da wäre?« sagte ich von dem Stuhl in der Ecke aus. Pat und Jackie saßen nebeneinander auf dem Bett.

»Und? Bist du etwa nicht scharf auf Sam?« wollte Jackie wissen.

»Natürlich nicht. Er war ein angenehmer Tischgenosse, weiter nichts.«

Sonst teilte ich immer alles mit meinen Freundinnen. Aber aus irgendeinem Grund konnte ich ihnen nicht gestehen, wie heftig ich mich in Sam verknallt hatte. Pat und Jackie zu erzählen, was ich empfand, jagte mir regelrecht Angst ein. Was, wenn sie sich über mich lustig machten? Was, wenn sie mir meine Gefühle ausreden wollten? Was, wenn Jackie Sam für sich haben wollte? Was wenn? Was wenn? Was wenn? Aber das schlimmste »was wenn« von allen war: Was, wenn ich mich mit Sam einließ, eine romantische Affäre auf hoher See hatte, alles genauso erlebte wie in dem Film *Die große Liebe meines Lebens* und er sich dann als Schwein entpuppte?

Ich beschloß, die Aufmerksamkeit von mir abzulenken, indem ich meine Freundinnen aufforderte, über die Männer in *ihrem* Leben zu sprechen. Aber da es keine Männer in ihrem Leben *gab*, redeten sie schließlich über ihre Exmänner.

»Peter hat sich wirklich unheimlich in die Sache mit dem Geschäft hineingesteigert«, sagte Jackie. »Er redet nur noch davon, daß er erweitern will. Er redet über seine ›Vision‹. Vision, so ein Stuß. Er will mich nur raushaben, damit er alles allein dirigieren kann und vor seiner neuen Schnuckiputzi-Frau als großer Maxe dasteht.« Jackie rollte mit den Augen. Trish, Peters zweite Frau, war die klassische höhere Tochter. Ohne ihre Perlen, ihre samtenen Haarbänder und ihre untadeligen Manieren ging sie nirgendwohin. Sie war immer zuckersüß zu Jackie, wenn sie sich über den Weg liefen, und Jackie, die nicht viel auf Etikette gab, zeigte ihr stets den Stinkefinger. Natürlich hinter ihrem Rücken.

»Wenigstens hast du eine Vorstellung von Peters *Bedürfnissen*«, bemerkte Pat und probierte mal wieder ihr neues Lieblingswort aus. »Du weißt doch, wie es heißt, Jackie: gewarnt sein heißt bewaffnet sein.«

»Gewappnet, Pat«, sagte ich.

»Genau. Was ich meine, ist, daß Bill noch heute, nach so vielen Jahren, nicht mit mir kommuniziert und mir nicht sagt, was er will. Und natürlich hat er mir während unserer ganzen Ehe nie erläutert, was meine Fehler waren, so daß ich keine Möglichkeit hatte, herauszufinden, was oder wie ich mich ändern sollte.«

»Wie kommst du darauf, daß *du* es warst, die Fehler hatte?« fragte ich und wünschte, Pat würde mehr an sich denken, wir alle würden mehr an uns selbst denken. Frauen wird ständig vorgeworfen, auf den Männern herumzuhacken, aber auf wem wir am allermeisten herumhacken, sind wir selbst.

»Du hast recht, Elaine«, sagte Pat. »Es lag nicht daran, daß *ich* Fehler hatte oder *Bill* Fehler hatte. Es lag daran, daß Bill mit seiner Arbeit als Arzt ausgelastet war und ich mit meiner Arbeit als Mutter ausgelastet war und es keine gemeinsame Ebene gab.«

»Aber die Kinder, für die du als Mutter gearbeitet hast, waren auch *seine* Kinder«, machte ich ihr klar. »Wieviel gemeinsame Ebenen brauchen Männer eigentlich?«

Pat schüttelte den Kopf. »Ich war nicht aufmerksam genug ihm gegenüber«, sagte sie. »Das war ich einfach nicht.«

»Warum denn? Weil du ihn nicht jeden Abend in einem aufreizenden Negligé von Victoria's Secret empfangen hast?« sagte Jackie angeekelt. Sie trug zu Hause nur Jeans und T-Shirt.

»Nein, weil ich nicht genug Interesse an seiner Karriere gezeigt habe«, meinte Pat. »Ich war zu beschäftigt mit den Fahrdiensten für die Kinder.«

Jackie und ich waren außerstande, uns mit den Konflikten von Vollzeitmüttern zu identifizieren, aber wir waren uns vollkommen einig darüber, daß man eben nur eine begrenzte Menge Energie hat. Wie sollte eine Frau es schaffen, das eine Kind zur Turnstunde und das andere zum Klavierunterricht zu fahren und sich dann noch fasziniert zeigen, weil der Gatte bei irgendeiner Achtzigjährigen Gallensteine diagnostizierte? Ich konnte mit Pat mitfühlen. Mit Bill auch.

»In den sechziger Jahren haben Peter und ich auch davon gesprochen, Kinder zu bekommen«, sinnierte Jackie. »Aber wir waren ja selbst noch Kinder. ›Blumenkinder‹. Mein Gott, wer hätte das gedacht, daß wir schließlich einen erfolgreichen Betrieb auf blöden Blumen aufbauen würden?«

»Wer hätte das gedacht«, echoten Pat und ich unisono wie ein griechischer Chor.

»Das Gartencenter wurde zu unserem Kind«, sagte Jackie. »Das Problem ist nur, daß es mit dem gemeinsamen Sorgerecht nicht funktioniert. Zumindest nicht in Peters Augen.«

»Vielleicht solltest du versuchen herauszufinden, was wirklich hinter Peters Bestrebungen steckt, was er wirklich denkt und fühlt«, schlug Pat vor.

»Ich will euch mal was über Männer sagen«, sagte Jackie, als wäre sie eine Autorität. »Wenn du sie fragst, was sie wirklich denken und fühlen, bekommen sie diesen glasigen Blick, als hätten sie keinen Schimmer, wovon du redest, als wäre es irgendeine Hormongeschichte, die du gerade durchmachst. In Wirklichkeit sind Männer eben nicht so tiefgründig.«

»Meinst du nicht?« fragte Pat.

»Nein. Wir Frauen vergeuden ständig unsere Zeit damit, einem Kerl in den Kopf zu kriechen, um sein ›Innenleben‹ zu begreifen. Tja, und wißt ihr was? Er hat keines.«

»Wenn du Männer für so seicht hältst, Jackie, warum redest du dann die ganze Zeit davon, mit ihnen ins Bett zu gehen?« wollte ich wissen.

»Ich rede nicht die ganze Zeit davon, mit ihnen ins Bett zu gehen«, widersprach Jackie. »Manchmal rede ich davon, mich in sie zu verlieben, davon, das noch mal zu erleben, was mich mit Peter verbunden hat. Noch einmal.«

»Aber Peter hat dich verlassen«, beharrte ich. »Was ist so wundervoll daran, sich in einen Mann zu verlieben, der einen dann doch verläßt?«

»Nicht alle Männer verlassen ihre Frauen, Elaine«, warf Pat ein. »Du darfst nicht immer das Schlimmste annehmen.«

»Ich weiß«, räumte ich ein. »Aber ich habe Eric nicht einmal geliebt, und es war trotzdem wie ein Schlag ins Gesicht, als er mit dieser Billig-Elizabeth-Arden geschlafen hat. Ich darf gar nicht daran denken, wie weh es getan hätte, wenn ich ihn geliebt *hätte*. Ich müßte verrückt sein, wenn ich mich verlieben würde. Jede Frau wäre das.«

Ich versuchte, mir meine Vernarrtheit in Sam Peck selbst auszureden. Aber in Wirklichkeit war ich bereits verloren – und das nach nur einem einzigen Essen mit ihm. Ich befand mich in jenem bescheuerten Stadium einer Beziehung, wo man ständig nur den Namen des Mannes aussprechen, ihn beiläufig im Gespräch fallenlassen oder benutzen will, um ein Argument zu veranschaulichen, und ihn sich auf so viele verschiedene Arten wie möglich von der Zunge perlen lassen möchte. *Sam Peck. Sammy Peck. Samuel Pecorino. Sam und sein Päckchen.* Trotzdem widerstand ich der Versuchung, seinen Namen gegenüber Jackie und Pat auszusprechen. Es war noch zu früh.

»Es ist nicht verrückt, sich verlieben zu wollen«, sagte Jackie und verteidigte ihren Standpunkt. »Wenn du einmal die Liebe erlebt hast, dann willst du sie wiederhaben. Das ist ganz natürlich. Wenn ich auf meine Ehe zurückblicke, kann ich mich daran erinnern, daß die ersten Jahre mit Peter wirklich phantastisch waren. Und so sage ich mir: ›Jackie, du kannst wenigstens wirklich phantastische erste Jahre mit einem anderen Mann erleben.‹«

»Und was passiert danach?« fragte ich. »Warum soll man die ersten Jahre mit jemandem mitmachen, das ganze Liebeswerben, die Verfolgung, die Jagd oder wie auch immer du das nennen möchtest, wenn die guten Zeiten doch nicht von Dauer sind? Warum die ganze Energie vergeuden?«

»Weil du am Anfang nicht weißt, daß die guten Zeiten nicht von Dauer sind«, sagte Pat. »Es ist ja nicht garantiert, daß Beziehungen scheitern.«

»Fünfzig Prozent schon«, meinte ich.

»Und fünfzig Prozent nicht«, sagte Pat. »Bill und ich mögen ja geschieden sein, und womöglich ärgert er sich darüber, daß er soviel Unterhalt für eine Exfrau und fünf Kinder zahlen muß, aber ich finde trotzdem nicht, daß unsere Ehe ein Fehlschlag war. Das finde ich wirklich nicht.«

»Das liegt daran, daß ihr *phantastische erste Jahre* hattet«, sagte Jackie nachdrücklich. »Ich sage dir, wenn du das einmal erlebt hast, willst du es wieder erleben.«

»Und wie paßt das mit deiner Erklärung darüber zusammen, daß Männer kein Innenleben haben?« wandte ich ein.

»Damit habe ich die späteren Jahre gemeint, nicht den Anfang«, sagte Jackie, als verstünde sich das von selbst. »Du fängst doch erst an, nach dem Innenleben eines Mannes zu suchen, wenn die guten Zeiten vorbei sind. Erst wenn er anfängt, sich nach dem Essen vor den Fernseher zu pflanzen und nur noch ein Grunzen zustande bringt, wenn du ihn etwas fragst, kommt die Frage nach dem ›Innenleben‹ ins Spiel, weil du um jeden Preis begreifen willst, warum er nicht mehr so ist wie in der ersten Zeit.«

Ich lachte wehmütig. Es schien alles so hoffnungslos zu sein.

»Du möchtest dich also nach all diesem Kummer trotzdem wieder verlieben«, sagte ich kopfschüttelnd zu Jackie.

»Sicher. Oder wenigstens einen langfristigen Sexpartner finden«, sagte sie und brachte uns wieder zum Ausgangspunkt zurück.

»Paß auf, was du dir wünschst«, warnte ich sie. »Es hat etwas für sich, wenn du mitten in der Nacht aufwachst, ins Badezimmer spazierst und den Toilettensitz nicht hochgeklappt vorfindest.«

»Es hat auch etwas für sich, wenn du mitten in der Nacht aufwachst, dich im Bett umdrehst und die Arme eines Mannes um dich geschlungen sind«, entgegnete sie.

»Nicht, wenn der Grund, aus dem du mitten in der Nacht aufwachst, der ist, daß der Mann, dessen Arme sich um dich schlingen, schnarcht«, widersprach ich.

»Elaine, du bist unmöglich«, sagte Pat.

»Ich bin nicht unmöglich«, sagte ich. »Ich bin nur unfähig, die wahre Liebe zu finden.«

Sie lächelte voller Zuneigung. »Du bist zweifellos dazu fähig, jemanden zu lieben. Du hast ihn nur noch nicht gefunden.«

»Wer sagt denn, daß ich ihn jemals finde?«

»Und wer sagt, daß du ihn nicht findest?« fragte sie.

Ich dachte über diese Frage nach, stand von meinem Stuhl auf und reckte mich.

»Ich weiß nicht, was ihr beiden tun wollt, aber mir ist danach, einen Spaziergang auf dem Promenadendeck zu machen«, sagte ich, da ich eine Zeitlang allein mit meinen Gedanken über Sam sein mußte. »Ein bißchen frische Luft wird mir guttun.«

»Ich habe Lust, mich ins Bett zu legen und fernzusehen«, sagte Pat.

»Und mir ist danach, Henry Prichard anzurufen«, sagte Jackie keck, »und zu fragen, ob er Lust hat, mit mir etwas trinken zu gehen.«

»Ich dachte, du bist müde«, sagte ich.

»Ich dachte, *du* bist müde«, entgegnete sie.

Sie ging zu Pats Telefon, nahm den Hörer ab und bat, mit Henry Prichards Kabine verbunden zu werden. »Er hat gesagt, er sei auch in der Gruppe, die um halb sieben zu Abend ißt, also könnte er jetzt wieder in seinem Zimmer sein«, flüsterte sie uns zu und wölbte die Hand über die Sprechmuschel. Nach ein oder zwei Sekunden meldete sich Henry. Jackie fragte ihn umstandslos, ob er Lust hätte, im Crown Room mit ihr einen Drink zu nehmen. Offenbar willigte er nach kurzem Hin und Her ein, denn als sie aufgelegt hatte, drehte sie sich zu uns um und schwenkte die Faust wie ein Baseballspieler, der soeben einen Homerun geschafft hatte.

»Er hat gesagt, er war gerade im Casino, als ihm einfiel, daß er seine Pillen noch nicht genommen hatte«, sagte sie. »Genau in dem Moment, als sein Telefon klingelte, hat er sich überlegt, ob er wieder ins Casino oder ins Bett gehen soll.«

»Pillen?« sagte ich, und meine Phantasie konzentrierte sich

sofort auf die Krankheiten, unter denen Henry Prichard leiden könnte. Ansteckende Krankheiten.

»Ja, Elaine«, seufzte Jackie. »Antibiotika. Er sagte, er hätte noch mit einer abklingenden Nebenhöhlenentzündung zu kämpfen. Ich hatte auch eine, aber ich habe natürlich nichts dagegen unternommen.«

»Vermutlich pflegt Henry sich besser als du dich«, sagte ich. »Wie dem auch sei, bist du sicher, daß du dich allein mit ihm treffen willst?«

»Allein? Auf diesem Schiff sind mehr als zweitausend Leute!« lachte sie.

»Jackie ist schon ein großes Mädchen, Elaine«, sagte Pat.

»Also, ich bin weg«, sagte Jackie und machte die Kabinentür auf.

»Viel Spaß«, rief Pat ihr nach.

»Laß dir von ihm kein Auto andrehen«, fügte ich hinzu.

Bevor ich zu meinem Abendspaziergang aufs Promenadendeck hinunterfuhr, ging ich kurz in meiner Kabine vorbei, um den Blazer zu holen, den ich im Flugzeug getragen hatte. Ich warf ihn mir über die Schultern und marschierte zum Aufzug. Als ich dort angelangte, stand Skip Jamison, der Wunderknabe der Werbebranche, davor und zog das Gummiband an seinem blonden Pferdeschwanz zurecht. Doch er war nicht allein: Auch eine große Gruppe Japaner wartete auf den Aufzug.

»He, wir müssen aufhören, uns so zu treffen«, sagte Skip zwischen einzelnen Bissen auf seinem Kaugummi. »Das muß Karma oder so was sein.«

»Hi, Skip. Wohin sind Sie unterwegs?« fragte ich und hoffte, es wäre nicht das Promenadendeck.

»In die Bibliothek«, antwortete er. »Sie haben eine auf Deck 3. Ich dachte, ich ziehe mir mal ein bißchen Deepak Chopra rein, falls sie so was da haben. Ich fahre ziemlich auf die Geist/Körper-Geschichte ab. Und Sie?«

»Unbedingt«, sagte ich. »Ich war schon immer der Meinung, daß Geist und Körper Hand in Hand gehen.« Plötzlich dachte ich daran, wie Jackie einen abendlichen Drink mit Henry Prichard nahm, und fragte mich, ob ihr Geist Hand in Hand mit seinem Körper ging.

Als hätte er meine Gedanken gelesen, fragte mich Skip, wo meine Freundinnen seien.

»Die eine ist in ihrer Kabine und sieht fern. Und die andere ist mit einem neuen Bekannten etwas trinken gegangen.«

Skip berührte meinen Arm. »Und Sie?«

»Ich?«

»Ja, wohin wollen sie?«

Der Aufzug kam. Wir stiegen ein. Die Japaner drückten »Deck 5«, wo das Casino lag. Skip drückte »Deck 3« für die Bibliothek.

»Elaine, Babe. Welches Deck soll ich für Sie anklicken?« fragte Skip, der neben der Tafel mit den Knöpfen stand.

»Oh. Entschuldigung.« Babe. »Würden Sie bitte ›Deck 6‹ drücken?«

Er tat, worum ich ihn gebeten hatte. »Sie möchten wohl einen Spaziergang auf dem Promenadendeck machen, stimmt's?« spekulierte er. »Die Sterne auschecken?«

»Ja«, sagte ich zögernd, da ich das Gefühl hatte, daß Skip sich das mit der Bibliothek anders überlegen könnte und mir womöglich ein bißchen beim Sternegucken Gesellschaft leisten wollte.

Ich hatte recht. »Das ist eine coole Idee«, sagte er. »Was dagegen, wenn ich mitkomme?«

»Normalerweise nicht«, sagte ich. »Aber ich treffe mich dort mit jemandem. Mit einem Mann, der beim Essen neben mir am Tisch saß.« Tja, es war keine komplette Lüge. Sam würde bei mir sein. Jedenfalls im Geiste.

»He, das ist ja cool«, meinte Skip und sah trotz seines munteren Tonfalls niedergeschlagen aus. »Vielleicht erwisch ich Sie ja später noch.«

Der Aufzug hielt auf Deck 6.

»Genießen Sie's«, sagte Skip, als ich ausstieg. »Gehen Sie mit dem Abend so um, als wäre es Ihr letzter.«

Das ist vielleicht eine seltsame Bemerkung, dachte ich. Doch dann vermutete ich, daß einer der Eckpfeiler von Deepak Chopras Werk wahrscheinlich das alte Carpe-diem-Motto war.

»Danke, Skip«, sagte ich, als sich die Aufzugtüren schlossen. »Sie auch.«

Als ich in die Nacht hinausschritt, auf den Kunstrasen des Promenadendecks, verblüffte mich als erstes der harte Kontrast zwischen der Luft im Schiff, die mehrfach umgewälzt und abgestanden war, und der Luft im Freien, die wohlriechend und frisch war. Wenn man auch nur wenige Stunden in einem Schiff mit seinen Boutiquen und Restaurants und dem Rundum-Service verbringt, vergißt man leicht, daß es ein Draußen überhaupt *gibt*. Aber es war nicht zu übersehen, was für eine schmerzlich schöne Nacht es war – klar, schwül und sinnlich.

Eine Reihe Liegestühle und eine Laufbahn zogen sich um das gesamte Deck. Es war etwa Viertel vor acht, und es lagen weitaus mehr Menschen auf den Liegestühlen, als auf der Bahn liefen.

Ich ging auf das Heck des Schiffes zu und hoffte, eine abgelegene Ecke zu finden, wo ich unter den Sternen stehen konnte, die in voller Schönheit am Himmel prangten. Nach einigen Minuten fand ich eine völlig verlassene Ecke, blieb stehen und warf einen Blick auf die vollkommene Mondsichel über mir. Ich holte tief Atem, beugte mich über die Reling und sah in das wirbelnde Wasser hinab. Eine leichte, salzige Brise spielte mit meinen Haarspitzen, während ich zusah, wie der Ozean in dem Sog brodelte, den die Motoren der *Princess Charming* auslösten. Ich atmete wieder ein, diesmal noch tiefer, und ließ mir von der Seeluft die Lungen füllen und den Kopf freipusten. Mein Geist und mein Körper waren im Gleichklang. Deepak wäre zufrieden gewesen.

Genau deswegen sollte man auf Kreuzfahrt gehen, dachte ich genießerisch, während ich ein weiteres Mal Luft holte und langsam und genußvoll ausatmete. Nicht wegen der sechsgängigen Mahlzeiten. Nicht wegen der zollfreien Einkaufsmöglichkeiten.

Nicht wegen der Vorträge über das Falten von Servietten. Sondern deswegen. Wegen des Luxus, in einer sternklaren, mondhellen Nacht auf dem Deck eines Schiffs mitten im Ozean stehen zu können. Wie die Fernsehwerbung sagt – es ist wirklich anders da draußen. Nur man selbst und die endlose Weite der See, nichts außer einem selbst und der Unendlichkeit. Dieses Gefühl ist aufregend und einschüchternd und mit keinem anderen zu vergleichen. Mein Leben in New York schien auf einmal nicht mehr zu existieren. Mein Geist kannte nur noch die Gegenwart, nur noch die Eindrücke dieses Moments.

Als mir die Idee gekommen war, aufs Promenadendeck zu gehen, hatte ich vorgehabt, ein bißchen zu laufen, mein Essen abzuarbeiten und einen Ausgleich dafür zu schaffen, daß ich an diesem Tag nicht dazu gekommen war, meine gewohnten vier Meilen zu laufen. Doch jetzt stand ich nur da, die Hände auf der Reling, während meine Haut sich in der salzigen Luft spannte und prickelte und meine Gedanken ins Fließen kamen.

Es war nicht Sam, der mir als erstes einfiel. Es war mein Vater, der mir in den Sinn kam. Nicht der Phantomvater, den ich seit Jahren nicht gesehen hatte, sondern der junge Mann, den ich als Kind bewundert hatte. Er hatte welliges dunkles Haar wie Sam, war aber nicht annähernd so klassisch gutaussehend – oder so hochgewachsen. Trotzdem war er für mich das magischste Wesen der Welt gewesen, da er allein die Macht besaß, mich in seine Arme zu nehmen und mir das Gefühl zu geben, eine Prinzessin zu sein. Er war Apotheker und arbeitete in einem Drugstore in der Nähe unseres Hauses in New Rochelle. Aber Medikamente zu verkaufen war nur eine seiner Begabungen: Er sang besser als Julius LaRosa, tanzte besser als Fred Astaire und erzählte bessere Witze als Milton Berle. Zumindest fand *ich* das. Leider gehörte es auch zu seinen zahlreichen Talenten, mit Frauen anzubändeln, die nicht mit ihm verheiratet waren – eine Tatsache, mit der ich wahrscheinlich hätte leben können, wenn er mich nicht verlassen hätte, wenn er nur nicht zu der Rothaarigen gezogen wäre, wenn er nur nicht der Vater eines zweiten kleinen Mädchens geworden wäre, einer unechten Tochter, die er in die

Arme nehmen, der er vorsingen, mit der er tanzen und die er wie eine Prinzessin behandeln konnte. Wenn doch nur.

Hör schon auf damit, schimpfte ich mich selbst, wie ich es stets tat, wenn der Schmerz und die Wut in mir hochkamen. Das war einmal. Und jetzt ist jetzt. Leb dein Leben.

Ich schluckte den Kloß in meiner Kehle hinunter, starrte in das schäumende Wasser hinab. Ich konnte den Blick nicht davon abwenden. Es war hypnotisch, wie wenn man in einen Kamin starrt, in dem ein loderndes Feuer brennt. Dann gestattete ich mir, an Sam zu denken, mich auf sein Gesicht zu konzentrieren, darauf, wie er sich bewegte, auf die Dinge, die er sagte, und die Dinge, die er nicht sagte. Ich schwamm in hoffnungslos schwülstiger Sentimentalität, während ich darüber nachgrübelte, ob er mich mochte, mich interessant, unterhaltsam oder hübsch gefunden oder sich überhaupt eine Meinung von mir gebildet hatte. Ich schloß die Augen und malte mir ein komplettes Persönlichkeitsbild von ihm aus, so wie man es macht, wenn man einen Mann kennenlernt, der einen fasziniert und über den man nicht viel weiß. Ich gab ihm fiktive Eltern, ein paar Geschwister, eine feste Freundin auf dem College und eine Exfrau oder auch zwei. Und dann gab ich ihm mich. Ich stellte mir wirklich vor, daß wir die ganze Kreuzfahrt über zusammen waren, erlaubte mir, daran zu glauben, daß Liebe nicht nur eine Illusion war, daß Männer aufrichtig und treu sind und daß Glück möglich war – sogar für mich.

Ich genoß es ungemein, mir all das auszumalen und vorzustellen und in Tagträumen zu schwelgen, als eine Stimme aus dem Lautsprecher mich abrupt in die Wirklichkeit holte.

»Meine Damen und Herren. Hier spricht Ihr Captain.«

Es war Captain Svein Solberg, Mr. Personality. Es war Punkt neun Uhr, und er beglückte uns – wie angekündigt – mit einem Bericht über unsere Position und das Wetter. Wir befanden uns in der Nähe der Bahamas, ein paar hundert Meilen von Puerto Rico entfernt, und hatten eine Geschwindigkeit von siebzehn Knoten.

»Die Wetterlage ist heiter«, berichtete er und blickte offenkundig in denselben klaren Himmel wie ich, »mit äußerst geringer Niederschlagsneigung. Falls keine unvorhergesehenen Probleme auftreten, rechnen wir für die gesamte Kreuzfahrt mit ruhiger See.«

Äußerst geringe Niederschlagsneigung. Ruhige See. Für die gesamte Kreuzfahrt.

Ich dachte über die Worte des Captains nach. Konnte wirklich von jetzt an alles in ruhigen Bahnen verlaufen? War es vertretbar, mich einmal im Leben treiben zu lassen? War es an der Zeit, mich zu entspannen und zu amüsieren?

»Warum nicht?« flüsterte ich der Möwe zu, die über mir kreiste. »Warum nicht?«

Wie ich da so auf dem Deck des Schiffes stand und die Möwe schweben sah, empfand ich ein Gefühl von Abenteuer und Vorfreude, das ich seit Jahren nicht mehr gehabt hatte. Es ist doch erst der erste Abend der Kreuzfahrt, sagte ich mir. In den nächsten sechs Tagen kann alles mögliche passieren. Alles mögliche.

Es spielte keine Rolle, daß ich erst zwei Stunden in Sams Gegenwart verbracht hatte und er für mich noch ein unbeschriebenes Blatt war. Wichtig war nur, daß ich ihn auf eine Weise haben wollte, die erschreckend und wundervoll zugleich war.

»Warum nicht?« sagte ich diesmal laut. »Warum verdammt noch mal nicht?«

ZWEITER TAG
Montag, 11. Februar

5. Kapitel

Das Telefon in meiner Kabine klingelte um sieben Uhr morgens und riß mich aus dem Tiefschlaf.

»Ja?«

»Ihr Weckanruf«, erklärte eine Männerstimme.

»Mein was?«

»Ja, Ma'am. Sie haben uns beauftragt, Sie um sieben Uhr anzurufen, und jetzt ist es sieben Uhr.«

»Oh, stimmt. Tut mir leid. Das hatte ich völlig vergessen.« Bevor ich zu Bett gegangen war, hatte ich im Büro des Zahlmeisters angerufen und darum gebeten, um sieben geweckt zu werden, damit ich gleich in der Frühe joggen gehen konnte. In dem Moment war es mir wie eine gute Idee erschienen. Woher hätte ich wissen sollen, daß ich die ganze Nacht wach liegen würde, weil meine Kabine direkt unter der »Teen Disco« lag und die Bässe der Musik, die sie dort spielten, mich zu einem menschlichen Vibrator machen würden? Wenn Sie jemals neben einer Baustelle gewohnt haben, wo der Preßlufthammer häufiger zum Einsatz kam, wissen Sie, wovon ich spreche. Ich fürchtete allen Ernstes, mir würden die Zähne ausfallen. »Danke für den Anruf«, sagte ich zu dem Aufweckmann.

»Gern geschehen und einen wunderschönen Tag, Mrs. Zimmerman.«

Mrs. Zimmerman. »Danke. Ihnen auch.«

Ich wusch mich, zog mich an und war um halb acht bereit zum Gehen, begierig, meinen ersten ganzen Tag auf See auszunutzen, und voller Hoffnung, Sam zu begegnen. Leider war der erste Mensch, den ich sah, als ich aus meiner Kabine in den Flur trat, Lenny Lubin.

»Lenny!« flüsterte ich, da ich die anderen Passagiere nicht wecken wollte. »Was machen Sie denn hier um diese Zeit?« Als

Jackie, Pat und ich ihn bei der Seenotübung im Crown Room kennengelernt hatten, hatte er uns erzählt – oder damit geprotzt –, daß seine Kabine auf Deck 9 läge, dem sogenannten Commodore-Deck, wo sich die luxuriösesten Kabinen befanden. Warum stand er also um halb acht Uhr morgens im Flur von Deck 8 herum? Außerdem trug er noch dieselben Kleider wie am Abend zuvor.

Er lachte, attackierte mich mit seinem alkoholisierten Atem und nickte in Richtung auf die Kabine, die zwei Türen neben meiner lag.

»Habe ich euch Hübschen nicht erzählt, daß ich ein Schwerenöter bin?« grinste er, wobei seine Zähne klickten und seine Armkettchen klirrten. »Ich bin gestern abend bei der Show gewesen, habe Glück gehabt und bin bei dem Puppengesicht aus 8026 gelandet.«

»Mann, da hatten sie aber wirklich Glück«, sagte ich und versuchte seine Begeisterung zu teilen. Es war tatsächlich Glück zu nennen, daß Lenny bei seinem Alter und seinem Lebensstil nicht während der Ausübung seiner Abenteuer starb.

»Wohin wollen Sie denn?« fragte er und übersah dabei geflissentlich, daß ich Joggingshorts und Joggingschuhe trug und daher mit großer Wahrscheinlichkeit joggen gehen wollte.

»Aufs Promenadendeck«, antwortete ich.

»Ganz allein? Was ist denn mit Ihren Freundinnen?«

»Die schlafen wahrscheinlich noch.«

»In ihren Kabinen?«

»Nein. Im Maschinenraum.«

Lenny lachte. »Ich dachte ja nur, sie hätten vielleicht auch Glück gehabt«, meinte er und stupste mich in die Rippen. »Man weiß ja nie, wo die Leute auf solchen Kreuzfahrten die Nächte verbringen, was?«

»Nein, das weiß man nie«, stimmte ich ihm zu, während ich versuchte, seitlich an ihm vorbeizukommen, da er mir buchstäblich den Weg versperrte.

»Ich sage Ihnen was«, hob er an und stieß mir seine haarige, schmuckbehängte Brust ins Gesicht. »Ich war eigentlich gerade auf dem Weg in meine Kabine, um zu duschen, aber vielleicht statte ich Kabine 8026 doch noch einen zweiten Besuch ab. Ausdauer ist nämlich meine Stärke, Sie verstehen mich doch, was, Süße?« Er stupste mich erneut an.

»Aber sicher«, sagte ich und stupste so fest zurück, daß ich an ihm vorbeischlüpfen konnte.

Das Wetter war herrlich, und als ich aufs Promenadendeck hinaustrat, in den strahlenden Sonnenschein und die warme tropische Luft, empfand ich dasselbe Gefühl von Abenteuer und Vorfreude wie am Abend zuvor.

Wie ich feststellte, drehten bereits einige Passagiere ihre Runden: Manche joggten, andere spazierten gemächlich, manche waren jung, andere alt; manche trugen Kopfhörer, andere diese Pflaster gegen Seekrankheit, die man sich hinters Ohr klebt. Ich schnürte meine neuen Turnschuhe fest zu, machte ein paar Stretching-Übungen und fing an zu laufen.

Mann, das ist ja um Klassen besser als der Roosevelt Drive, dachte ich; daran könnte ich mich gewöhnen, befand ich, als ich an einem hübschen weißen Segelboot vorbeisprintete, das auf dem Weg in die Karibik war.

Ich war gerade bei meiner vierten oder fünften Runde und fing richtig schön zu schwitzen an, als ich mich nach links wandte und feststellte, daß Sam Peck neben mir lief. Er wollte mich gerade überholen, erkannte mich dann aber und wurde langsamer.

»He«, sagte er zwischen zwei Atemzügen, während er in mein Tempo verfiel. »Sieh mal an, wen wir da haben.«

Ja, sieh mal an, dachte ich. Ich hatte keine Spur Make-up aufgelegt, mein Haar war zu einem schlampigen Pferdeschwanz zusammengebunden, und das schweißgetränkte T-Shirt hing mir aus der Hose. Ich sah aus wie ein ungemachtes Bett. Sam dagegen war eine Augenweide. Seine blauen Augen waren so hinreißend wie das Meer; die dunklen Wimpern und das dunkle Haar glänzten und schimmerten; seine Beine waren lang und schmal und doch muskulös. Ich konnte sie mir ohne weiteres um meine geschlungen vorstellen.

»Hi. Wie geht's?« sagte ich und versuchte, meine Stimme beiläufig klingen zu lassen, während wir nebeneinander hertrotteten.

»Wunderbar, danke. Was dagegen, wenn ich neben Ihnen herlaufe?«

»Überhaupt nicht.« Was dagegen?

»Ich hätte sie nicht für eine Joggerin gehalten«, sagte Sam auf diese kühle, distanzierte Art, die typisch für ihn war.

»Für was haben Sie mich denn gehalten? Eine Trapezkünstlerin?« fragte ich und konfrontierte ihn mit seiner eigenen Bemerkung vom Vorabend.

Er lachte. »Eins zu null für Elaine.«

Er wußte also meinen Namen noch. Zwei zu null für Elaine.

»Ich laufe jeden Morgen vier Meilen«, erklärte ich, während ich immer noch seine Bemerkung verarbeitete, die ich für ein Kompliment hielt.

»Vor der Arbeit?«

»Ja. Ich stehe um fünf auf und laufe bis halb sieben. Um acht bin ich im Büro.«

»Ich bin beeindruckt. Ich bin nicht annähernd so diszipliniert. Ich laufe nur, wenn ich dazu komme, zwischen Geschäftsreisen, um einigermaßen in Form zu bleiben.«

Wenn ich nur so einigermaßen in Form wäre, dachte ich, als ich einen verstohlenen Blick auf Sams harten, flachen Bauch warf.

»Sie sagten gestern abend, daß Sie geschäftlich viel reisen müssen«, sagte ich, während wir weiterjoggten, »aber ich kann mich nicht daran erinnern, daß sie erwähnt hätten, für welche Versicherungsgesellschaft Sie arbeiten.«

»Dickerson Lebensversicherungen.«

»Dickerson Lebensversicherungen?«

»Ja, in Albany.«

»Nie davon gehört.«

»Von Albany?«

»Nein, von Dickerson Lebensversicherungen.« Er nahm mich schon wieder auf den Arm.

»Es ist eine ganz normale Aktiengesellschaft. Ich arbeite schon seit fünfzehn Jahren für sie«, erklärte er.

»Fünfzehn Jahre. Das ist eine lange Zeit für ein und dieselbe Arbeit«, sagte ich. »Zumindest habe ich das schon von einigen Leuten zu hören bekommen. Ich arbeite seit sechzehn Jahren in der Public-Relations-Branche.«

»Dann sind wir wohl zwei Lebenslängliche.«

»Wohl schon. Wie sind Sie dazu gekommen, in die Versicherungsbranche zu gehen?«

»Mein Vater war leitender Angestellter bei Travelers. Er ist jetzt in Rente, aber die Versicherung muß mir in die Wiege gelegt worden sein.«

Ich hätte auch nichts dagegen, in deiner Wiege zu liegen, dachte ich, schockiert von meiner aufkeimenden Lüsternheit.

»Und Ihre Mutter? Hat sie auch gearbeitet?« fragte ich, indem ich mich wieder aufs Thema besann.

»Ja, aber sie war Ballettänzerin. Ich konnte mich nicht so recht in einem Tutu sehen, also habe ich mich für Versicherungen entschieden.«

»Vermutlich eine weise Entscheidung.«

»Aber zurück zu Ihnen«, sagte Sam. »Sie sind um acht im Büro, arbeiten den ganzen Tag, und dann?«

»Worauf möchten sie hinaus?«

»Was passiert nach der Arbeit? Was tun Sie, um sich zu amüsieren?«

»Das, was die meisten berufstätigen Frauen in Manhattan tun, um sich zu amüsieren: Entweder mache ich Überstunden und taue dann zu Hause ein Tiefkühlgericht auf oder ich gehe mit anderen alleinstehenden berufstätigen Frauen essen, und eine von uns rechnet es über ihren Spesenetat ab.«

»Was ist mit Männern?«

»Was soll mit ihnen sein?«

»Gibt's in Manhattan keine?«

»Doch, es gibt Männer in Manhattan. Aber die sind entweder mit ihrer Ehefrau, ihrer Arbeit oder ihrer Mutter verheiratet.«

»Wirklich so schlimm?«

»Noch schlimmer.«

Sam lachte. Ein weiterer Punkt für mein Team.

»Gestern abend haben Sie erzählt, daß Sie geschieden sind«, fuhr er fort. Er war wesentlich gesprächiger als am Abend zuvor. Ich fand alle diese Fragen ausgesprochen schmeichelhaft.

»Ja, ich bin geschieden«, sagte ich.

»Haben Sie noch Kontakt zu Ihrem Exmann?«

»Nur wenn er anruft, um mich zu beschimpfen. Vor etwa einer Woche stieß er seine erste Morddrohung aus.«

»Klingt nicht besonders freundschaftlich. Haben Sie die Drohung ernst genommen?«

»Kaum«, spottete ich. »Eric arbeitet in der Bestattungsbranche. Er weiß, wie man mit Leuten umgeht, die bereits tot sind. Aber er wüßte nicht, wie er tatsächlich jemanden zu Tode bringen sollte. Er bräuchte ein Handbuch dafür. Oder er müßte jemanden engagieren, der es ihm abnimmt.«

»Warum sollte er Sie überhaupt umbringen wollen?« fragte Sam und wich leicht vor mir zurück.

Ich lächelte. »Kein Grund zur Beunruhigung. Ich schildere es dramatischer, als es in Wirklichkeit ist. Das tue ich manchmal.«

»Dann erzählen Sie mir doch den wahren Grund dafür, warum Ihr Exmann so wütend auf Sie ist.«

»Eric hatte eine Affäre mit Lola, der Visagistin, die für sein Bestattungsunternehmen gearbeitet hat. Es war eine häßliche Scheidung. Ein paar Monate später erhielt ich den Werbeetat seines schärfsten Konkurrenten. Das hat Eric nicht besonders gefallen. Ich glaube, das hat ihn in seinem Macho-Image getroffen. Männer wollen nicht von einer Frau blamiert werden, und schon gar nicht von einer *Exfrau*.«

»Niemand mag es, wenn er von jemand anders blamiert wird. Punktum.«

»Stimmt, aber ich glaube, für einen Mann ist es besonders ärgerlich, von einer Frau ausgestochen zu werden, die dabei weder lügen noch betrügen, noch ihren Körper feilbieten muß – einer Frau, die ihr Können und ihren Einfallsreichtum einsetzt, um ihre Ziele zu erreichen.«

Sam lächelte. »Wow. Sie müssen ja ein Public-Relations-As sein. Sie klingen wie eine Presseverlautbarung.«

»Vielen Dank.«

»Von den positiven Nebenwirkungen abgesehen finde ich Morddrohungen von einem Exmann ein bißchen extrem. Ich zum Beispiel habe lediglich damit gedroht, einer Frau die Kniescheiben zu brechen.«

Ich lachte. »War diese Frau Ihre Exfrau? Ich glaube, Sie haben beim Essen gestern abend nicht erwähnt, daß Sie je verheiratet waren.«

Ich hatte mich zu Sam umgedreht, als ich die Frage stellte, und so sah ich, wie seine Miene plötzlich wieder distanziert, ausdruckslos und reserviert wurde – derselbe Blick, mit dem er gestern abend an unseren Tisch gekommen war. Es war, als hätte sich ein Vorhang über sein attraktives Gesicht gesenkt und verhüllte die spöttischen, intelligenten Augen, das sarkastische, sexy Lächeln, einfach alles. Ich wartete darauf, daß er etwas sagte, daß er meine Frage beantwortete, doch er lief nur weiter neben mir her, schwieg und blickte starr geradeaus. Es war eine heikle Situation. Ich wollte gerade das lastende Schweigen durchbrechen und ihn fragen, ob er sich gestern abend die Show angesehen oder im Casino an den einarmigen Banditen gespielt hatte, als er schließlich zu sprechen anfing.

»Ich war fast verheiratet«, sagte er so leise, daß die Worte kaum zu hören waren.

Oh, jetzt verstehe ich, dachte ich. Sam Peck ist einer dieser Männer, die sich nicht binden können, die keine Intimität aushalten, die nicht die Initiative ergreifen können; der Typ, der zur Tür draußen ist, sobald die Frau die Hochzeitsglocken läuten hört. Und der sich schämt, das zuzugeben.

»Sie müssen nicht darüber sprechen«, sagte ich und blickte aufs Meer hinaus, während wir weiterliefen. Ich versuchte, gelassen zu klingen, doch ich war zutiefst betrübt, da eine Beziehung mit Sam Peck nie zu etwas führen würde, nie mehr als eine Schiffsromanze wäre, die garantiert nie bis ins Stadium des Zusammenlebens gedeihen oder, Gott bewahre, vor den Traualtar führen könnte. Aber Moment mal! Vielleicht kann ich ihn ändern, dachte ich und ging genau in die Falle, in die schon Hunderte von Frauen aller Epochen immer wieder gegangen sind: diese wahnhafte Vorstellung, daß wir und nur wir allein ihn heilen, die rauhen Kanten seiner Persönlichkeit glätten und ihn zu unserem ganz persönlichen Märchenprinzen umgestalten können. Es ist ausgesprochen verführerisch, so etwas zu glauben, aber sehen Sie sich nur an, was passiert ist, als ich versucht habe, Eric von einem Frosch in einen Prinzen zu verwandeln: Am Schluß saß ich mit einem Frosch da, der sich in eine Ratte verwandelt hatte.

»Meine Verlobte kam eine Woche vor unserer Hochzeit ums Leben.«

Sam sagte etwas, aber ich konnte es über dem Rauschen des Meeres nicht hören. Ich wandte mich um und sah ihn an.

»Was haben Sie gesagt?« fragte ich. Seine Augen waren voller Kummer, voller Qual. »Ich habe Sie nicht…«

»Die Frau, die ich heiraten wollte, kam kurz vor der Hochzeit ums Leben. Vor etwa zwei Jahren.«

Ich war perplex. Sam Peck hatte eine Verlobte gehabt? Eine Verlobte, die ums Leben gekommen war? Wie? Unter welchen Umständen? Ich interessierte mich brennend dafür und quoll fast über vor Fragen, sagte aber statt dessen: »Oh, Sam. Das tut mir sehr leid.« Und das tat es auch. Mir tat Sam leid. Mir tat die Frau leid, die er hatte heiraten wollen. Und mir tat leid, daß ich mit Urteilen immer so schnell bei der Hand war, daß ich immer gleich das Schlimmste von allem und jedem annahm.

»Danke«, sagte er. »Die ersten Monate waren die Hölle, aber ich erhole mich langsam wieder. Langsam, aber sicher.«

»Ist diese Kreuzfahrt ein Teil des Heilungsprozesses? Daß Sie sich von der Arbeit frei nehmen, meine ich.«

»Meine vielen Reisen helfen mir. Ich bin nie lange genug an einem Ort, um ins Grübeln zu kommen. Und ich bin auch nie lange genug an einem Ort, um eine ernsthafte Beziehung mit jemand anders anzufangen.«

»Verstehe«, nickte ich, während sich in meiner Kehle ein kleiner Kloß bildete. Der arme Sam. Und *ich* Arme. Wenn Sam eine ernsthafte Beziehung mit mir anfinge, würde ich dadurch zu einer Übergangsfrau, und wer wollte das schon sein? Aber mit der Zeit und mit viel Geduld würde er vielleicht...

»Ich wollte diese Geschichte gar nicht erzählen«, sagte Sam, während sich seine Miene etwas aufhellte und der Vorhang wieder hochzugehen begann. »Ich würde viel lieber eine von Ihren Geschichten hören. Sie bringen mich zum Lachen, Elaine. Wußten Sie das?«

»Nein. Also, jedenfalls nicht...«

»Doch, Sie wissen es«, beharrte er. »Was Sie mir gestern abend beim Essen über einige Ihrer Kunden erzählt haben, war phantastisch.«

»Es war alles wahr.«

»Und wissen Sie, was noch?«

»Nein.«

»Sie sind groß.«

»Das ist Ihnen also aufgefallen.«

»Ja, und es macht vieles leichter. Normalerweise muß ich zu den Frauen hinuntersehen, wenn sie neben mir stehen. Weit hinunter. Fast bis ich Nasenbluten bekomme.«

»Aber bei mir bekommen Sie kein Nasenbluten, stimmts's?«

»Stimmt.«

Es ist zwar nicht »Ich liebe dich, Elaine«, aber zumindest kommen wir weiter, dachte ich.

Unser Gespräch wandte sich von uns ab und Themen wie Jackie und Pat, der Karibik und der *Princess Charming* zu. Ich fragte Sam, ob er gestern abend bei der Show gewesen sei.

»Ungefähr eine halbe Stunde lang, gerade rechtzeitig, um den Mann zu sehen, der barfuß über glühende Kohlen geht.«

»War es spannend?«

»Nicht direkt. Sein Manager hatte die Kohlen vergessen, deshalb mußten sie Briketts nehmen.«

»Und da denken die Leute, das Unterhaltungsprogramm auf Kreuzfahrtschiffen sei laienhaft.«

»Die Show heute abend könnte sogar noch unterhaltsamer

sein«, sagte er sarkastisch. »Sie veranstalten eine Elvis-Revue. Sechs Presley-Imitatoren singen ›Love Me Tender‹, und das Publikum entscheidet, wer den King am besten nachgemacht hat.«

»Klingt noch aufregender, als sich Captain Solberg auf dem *Princess-Charming*-Kanal anzusehen.«

»Oh, Sie sind also auch ein Fan von ihm?«

Ich nickte begeistert. »Ich liebe seine Wetterberichte. Er könnte der nächste Willard Scott sein.«

Sam lachte.

Wir plauderten noch ein bißchen, aber es ist schwer, gleichzeitig zu joggen und zu reden, ohne etwas außer Atem zu geraten, und so ließen wir es irgendwann sein und liefen nur noch nebeneinander her. Aus den Augenwinkeln konnte ich sehen, daß uns andere Leute beim Laufen beobachteten, wohl in der Annahme, wir seien ein Paar. Aber diesmal schreckte ich nicht vor dieser Unterstellung zurück. Es gibt Schlimmeres, als mit Sam Peck in Verbindung gebracht zu werden, dachte ich. Viel Schlimmeres.

Gegen halb neun hörten wir auf.

»Zeit zum Frühstücken«, verkündete Sam. »Haben sie Lust, mir dabei Gesellschaft zu leisten?«

Eine Einladung. Ich war begeistert. Doch die Pflicht rief: Ich rief morgens immer als erstes im Büro an, wenn ich nicht da war. Ja, ich war total in Sam verknallt. Aber Männer kamen und gingen; mein Job war meine Sicherheit, mein Anker.

»Danke, Sam, aber ich muß in meine Kabine zurück und im Büro anrufen.«

»Soll das ein Witz sein? Diese Anrufe vom Schiff aufs Festland kosten zehn Dollar in der Minute. Warten Sie doch bis Mittwoch, wenn wir in San Juan anlegen.«

»Geld spielt keine Rolle. Das läuft über mein Spesenkonto.«

»Gut, aber warum wollen Sie überhaupt in Ihrem Büro anrufen? Sie haben Urlaub, vergessen Sie das nicht.«

»Ich rufe jeden Tag im Büro an. Für den Fall, daß es bei einem Kunden ein Problem gibt.«

»Pearson & Strulley ist eine riesengroße Public-Relations-

Agentur. Kann nicht jemand anders Ihre Kunden übernehmen, wenn Sie weg sind? Zum Beispiel Ihre Assistentin?«

»Meine Assistentin ist traumhaft. Ein absolutes Juwel«, sagte ich. »Sie heißt Leah und stammt aus Jerusalem, und bevor sie für mich zu arbeiten angefangen hat, war sie Soldatin in der israelischen Armee. Ich habe mir gedacht, wenn sie den Nahostkonflikt überlebt hat, überlebt sie auch mich. Es ist nicht leicht, für mich zu arbeiten.«

»Das habe ich mir schon fast gedacht.«

»Sie ist unglaublich akkurat und erledigt selbst die kleinste Aufgabe, als wäre es ein militärisches Manöver. Und das beste ist, daß sie leidenschaftlich gern arbeitet. Die Frau schuftet fast so viele Stunden wie ich.«

»Warum kann sie dann nicht für Sie einspringen, solange Sie weg sind?«

»Leah ist keine leitende Kundenbetreuerin«, erklärte ich. »Vielleicht wächst sie eines Tages in diese Position hinein. Wenn sie ein paar Jährchen mehr auf dem Buckel hat. Unter *meiner* Leitung.« Ich trug ein bißchen dick auf, aber ich wollte Sam ja beeindrucken. In Wirklichkeit war Leah ohne weiteres in der Lage, meine Arbeit zu machen, was genau der Grund dafür war, weshalb ich im Büro anrief, selbst wenn ich im Urlaub war: um mich zu vergewissern, daß sie mir nicht meinen Job weggenommen hatte.

»Also, ich bin jedenfalls am Verhungern«, meinte Sam. »Falls Sie es sich noch anders überlegen, ich bin im Glass Slipper.«

»Im was?«

»So heißt das Café neben dem Swimmingpool. Dort gibt es ein Frühstücks- und ein Lunchbuffet. Möchten sie wirklich nicht mitkommen?«

Ich schüttelte den Kopf. »Wir sehen uns auf jeden Fall später«, sagte ich und entfernte mich von Sam, obwohl ich das gar nicht wollte. »Beim Abendessen.«

»Beim Abendessen«, sagte er und schob sich mit dem Zeigefinger die Brille wieder hoch. Sie war beim Joggen immer weiter heruntergerutscht.

»Beim Abendessen«, wiederholte ich mit einem kleinen Winken, während ich rückwärts im Schiff verschwand. Als ich drinnen war, außer Sichtweite von Sam, ahmte ich Jackie nach und schwenkte triumphierend die Faust.

»Jaaah«, jubelte ich und hatte das Gefühl, tatsächlich einen Sieg errungen zu haben. Ich hatte nie daran gedacht, daß ich auf dem Schiff einen Mann kennenlernen könnte, einen Mann, der so gut aussah und so sympathisch war wie Sam Peck. Und doch war genau das geschehen. Ich war für ihn nun keine x-beliebige Mitreisende mehr, nicht mehr irgendeine geschiedene, die ihm beim Abendessen aufgehalst worden war. Ich war Elaine. Die Frau, die ihn zum Lachen brachte.

Schlagartig wurde die Kreuzfahrt noch attraktiver für mich. Ich war sogar richtig froh, daß Jackie und Pat sie vorgeschlagen hatten.

Ich schob gerade meinen Schlüssel ins Schloß der Kabinentür, als ich jemanden aus der Kabine zwei Türen weiter kommen hörte: Nummer 8026. Ich brannte darauf, einen kurzen Blick auf das »Puppengesicht« zu werfen, das Lenny Lubin so begeistert hatte, und so blieb ich stehen, tat so, als würde ich mit meinem Schlüssel herumfummeln, und wartete, bis sie im Flur erschien.

Komm schon, wo bleibst du denn, Süße? Ich habe nicht den ganzen Tag Zeit, dachte ich.

Schließlich kam jemand aus Nummer 8026 heraus, aber nicht die Person, die ich mir vorgestellt hatte. *Er* war Anfang neunzig und saß im Rollstuhl, und auch wenn er für einen über Neunzigjährigen gut in Schuß war, war er doch kein Puppengesicht. Ich eilte hinüber, um ihm zu helfen, woraufhin er mir dankte und sagte, ich erinnerte ihn an Susan Anton. Ich dankte ihm und sagte, er müsse ja ein hervorragendes Gedächtnis haben, da sich kaum noch jemand an Susan Anton erinnerte.

In meiner Kabine angekommen, wurde mir schlagartig klar, daß Lenny Lubin mich darüber belogen hatte, was er in aller Frühe auf Deck 8 machte. Die Frage war nur: warum?

Mit einem Mal setzte meine überaus lebhafte Phantasie ein,

und ich unterstellte Lenny alle möglichen finsteren Absichten. Vielleicht war er gar nicht der gutmütige alte Lustmolch, als der er sich darstellte. Vielleicht war er in irgendeine Verschwörung verwickelt.

O Mann, fängst du schon wieder an, schimpfte ich mich selbst. Wie meine Freundinnen nur allzugut wußten, glaubte ich aus ganzem Herzen an Verschwörungen: Die Russen haben John F. Kennedy umgebracht, die Mafia hat Robert F. Kennedy umgebracht, die Bullen haben O. J. Simpson reingelegt und so weiter. All das war Teil meiner unseligen Überzeugung, daß man, wenn es hart auf hart kam, niemandem trauen konnte.

Ich lachte über meine eigene Blödheit. Lenny Lubin war ein harmloser Trinker, der wollte, daß ihn alle Welt für einen Deckhengst hielt. Also hatte er sich vermutlich den ganzen Stuß über das Puppengesicht in Kabine 8026 ausgedacht, weil er sich nicht damit abfinden konnte, daß er seit Jahren mit niemandem mehr im Bett war. Ich konnte es Lenny nachfühlen. Ich war auch seit Jahren mit niemandem mehr im Bett gewesen.

Trotzdem ließ das immer noch die Frage offen, warum er sich eine Kabine auf *unserem* Flur für seine Lügengeschichte ausgesucht hatte. Aber ich hatte keine Zeit, Agatha Christie zu spielen. Es war schon fast neun Uhr, und ich hatte noch nicht einmal meinen ersten Anruf im Büro erledigt.

Ich duschte rasch und wollte gerade in New York anrufen, als Pat an die Tür klopfte. Sie war auf dem Weg zum Frühstücken und wollte sich danach einen Haarschnitt, eine Kosmetikbehandlung und eine Maniküre gönnen.

»Bist du zum Mittagessen schon verabredet?« fragte ich.

»Gewissermaßen«, sagte sie. »Jemand hat mich eingeladen, mit ihm zu essen.«

»Mit ihm? Mit wem?«

»Mit Albert Mullins. Der, der darauf bestanden hat, meine Bluse in die Reinigung bringen zu lassen.«

»Der Vogelbeobachter.«

»Ja. Er hat heute früh angerufen und gefragt, ob ich mich gegen Mittag im Glass Slipper mit ihm treffen möchte.«

»Was hast du ihm geantwortet?« fragte ich und stellte mir vor, wie Pat mit der Entscheidung gerungen hatte.

»Ich habe gesagt, daß ich wahrscheinlich mit dir und Jackie essen würde, er sich aber gern zu uns setzen könne. Nur hat sich jetzt herausgestellt, daß Jackie unpäßlich ist.«

»Was fehlt ihr denn?«

Pat zuckte mit den Achseln. »Sie hat mich heute morgen geweckt und wollte wissen, ob ich etwas gegen Magenverstimmung dabeihätte. Du weißt ja, wie großen Wert Bill darauf legt, daß ich immer einen vernünftigen Vorrat an Medikamenten dabeihabe.«

»Ja, Pat. Das weiß ich. Aber erzähl doch weiter von Jackie.«

»Sie hat gesagt, sie hätte mit Henry Prichard etwas getrunken, sie wären bis etwa halb elf im Crown Room gesessen und dann ins Bett gegangen.«

»Zusammen?«

»Nein.« Pat kicherte. »Jackie sagte, Henry hätte sich als vollendeter Gentleman erwiesen.«

»Sie muß am Boden zerstört sein.«

»Elaine. Auf jeden Fall hat sie jetzt schreckliche Krämpfe und Übelkeitsanfälle, und außerdem ist ihr ganz schwindlig.«

»Es muß etwas sein, das sie gegessen hat«, überlegte ich laut. »Allerdings hatten sie und ich das Cordon Bleu, und ich fühle mich pudelwohl.«

»Wahrscheinlich ist es irgendein Virus. Ich habe beim Kabinenservice heißen Tee und trockenen Toast für sie bestellt. Jetzt ruht sie sich aus, glaube ich.«

»Dann schaue ich später mal bei ihr vorbei. Ich hoffe, daß es nur eine Sache von vierundzwanzig Stunden ist. Sie hat sich so auf diesen Urlaub gefreut nach all diesen Scherereien mit Peter.«

Pat nickte. »Ich habe mich schon gefragt, ob es vielleicht der Streß ist, der die Symptome bei ihr ausgelöst hat.«

»Wir werden wohl einfach abwarten müssen. Hör mal, du, Albert und ich könnten uns doch zum Mittagessen treffen – und Jackie natürlich auch, wenn sie sich fit genug dazu fühlt. Jetzt muß ich aber erst telefonieren.«

Pat war einverstanden und ging frühstücken und anschließend in den Schönheitssalon. Ich hoffte, daß wir nicht in rauhes Fahrwasser kämen, während sie sich ihr lockiges Blondhaar stutzen ließ. Das wäre mal ein richtig schlechter Haartag.

Ich zog mir einen Stuhl ans Telefon und las die Anweisungen auf der Karte, die auf die Innenseite des Telefonhörers geklebt war. Ich nannte der Vermittlung meine Kreditkartennummer, wählte meine Nummer bei Pearson & Strulley und wartete mehrere Sekunden. Schließlich kam der Anruf durch, obwohl ein entsetzliches Rauschen in der Leitung hing.

Für zehn Dollar die Minute dürfte es aber nicht dermaßen knistern, dachte ich, während ich darauf wartete, daß meine Assistentin ans Telefon ging.

Schließlich hörte ich ihre Stimme – ganz schwach.

»Leah? Hier ist Elaine«, brüllte ich.

»Wer?« fragte sie.

»Elaine. Elaine Zimmerman.« Es war die miserable Verbindung, sagte ich mir. Sie konnten mich nicht jetzt schon vergessen haben.

»Elaine. Ich kann Sie kaum hören.«

»Das liegt daran, daß ich mitten auf dem Atlantik bin.« Ich hielt inne und wartete, bis ein erneutes Rauschen sich gelegt hatte.

»Also, tut sich irgend etwas bei meinen Kunden?«

»Ja. Eine ganze Menge.«

»Was? Erzählen Sie's mir.«

»Was wollen sie zuerst hören? Die guten oder die schlechten Neuigkeiten?«

»Sie haben lange genug für mich gearbeitet, Leah. Sie kennen die Regeln.«

»Stimmt. Tut mir leid. Zuerst die schlechten Nachrichten. Dina Witherspoon ist verhaftet worden, weil sie in der Schmuckabteilung von Neiman-Marcus ein Goldarmband hat mitgehen lassen. Das Börsenaufsichtsamt ermittelt wegen Wertpapierbetrugs gegen Mini-Shades. Und ein Mann aus Santa Monica hat The Aromatic Bean auf 2,5 Millionen Dollar verklagt, weil der Cappuccino, den er sich über den Arm gekippt hat, angeblich Verbrennungen zweiten Grades verursacht hat.«

Ich konnte es nicht fassen. Ich war gerade vierundzwanzig Stunden weg, und was geschah? Ein Alptraum der Public-Relations-Branche! *Drei* Alpträume der Public-Relations-Branche! Alpträume, die ich von meiner Luxuskabine auf der *Princess Charming* aus unmöglich in den Griff kriegen konnte!

»Sind Sie noch dran, Elaine?« fragte Leah.

»Leider ja«, antwortete ich, nachdem ich das nächste Rauschen abgewartet hatte. »Sie haben gesagt, daß es auch gute Neuigkeiten gäbe. Welche wären das?«

»Daß Sie sich entspannen und Ihren Urlaub genießen können, weil ich mich hier um alles kümmere.«

»Ja?«

»Ja. Harold hat mich heute morgen befördert. Ich bin jetzt auch leitende Kundenbetreuerin.«

Harold Teitlebaum war der Vizepräsident von Pearson & Strulley, der Mann, dem ich unterstellt war. Er hatte mir gegenüber nichts davon erwähnt, daß er Leah befördern wollte. Kein einziges Wort.

»Ich habe Sie nicht richtig verstanden«, sagte ich, obwohl ich sie deutlich hörte.

»Ich habe gesagt, daß Harold mich befördert hat. Ich bin jetzt nicht mehr Ihre Assistentin.«

Ich wartete eine Minute ab, um all das zu verarbeiten. Eine zehn-Dollar-Minute.

»Das freut mich für Sie, Leah, aber Dina Witherspoon, Mini-Shades und The Aromatic Bean sind *meine* Kunden«, sagte ich, um dieser israelischen Aufsteigerin unmißverständlich klarzumachen, daß ich noch am Ball war.

»Oh, natürlich. Ich springe nur für Sie ein, bis Sie aus dem Urlaub zurück sind. Dann teilt mir Harold meine eigenen Kunden zu. Er sagt, er weiß auch schon welche.«

»Harold war ja ganz schön fleißig«, bemerkte ich trocken.

»Sie klingen verärgert, Elaine.«

»Verärgert?« Verärgert war ich eigentlich nicht. Ich fühlte

mich übergangen, ausgeschlossen, aus dem Rennen. Ich saß auf einem Schiff fest, weitab vom Schuß, und konnte weder zur Rettung meiner Kunden noch zu meiner eigenen etwas tun. »Mir geht's wunderbar«, sagte ich mit zusammengebissenen Zähnen.

»Hören Sie, Elaine. Ich muß Schluß machen. Harold möchte, daß ich Liz Smith eine Presseinformation faxe, um zu erklären, daß Dina Witherspoon das goldene Armband nicht gestohlen hat; sie hat es nur *hochgehoben*, um festzustellen, wie schwer es ist, und dann ist es in ihre Tasche gefallen, ohne daß sie es bemerkt hat.«

Harold wollte, daß *Leah* eine Presseinformation an Liz Smith faxte? Über meine Kundin?

»Oh, fast hätte ich es vergessen«, fügte Leah hinzu, bevor sie davoneilte, um meine Arbeit zu tun. »Heute morgen hat in aller Herrgottsfrühe Ihr Exmann hier angerufen.«

»Eric? Was um alles in der Welt wollte der denn?« Wie ich bereits angedeutet habe, zählten Eric und ich nicht zu jenen geschiedenen Paaren, die auch nur den leisesten Versuch machten, ein herzliches Verhältnis zu wahren.

»Es war ein bißchen seltsam«, meinte Leah. »Er sagte, er hätte gehört, daß Sie eine Kreuzfahrt machen.«

»Natürlich hat er gehört, daß ich eine Kreuzfahrt mache. Das habe ich ihm erzählt, als er das letzte Mal angerufen hat, um mich anzubrüllen.«

»Er sagte, er wolle sich nur vergewissern, daß Sie tatsächlich gefahren sind.«

»Sich vergewissern? Das ist aber seltsam. Warum sollten ihn meine Reisepläne kümmern?«

»Ich habe keine Ahnung. Aber noch seltsamer war, daß er zu lachen angefangen hat, als ich ihn gefragt habe, ob Sie ihn anrufen sollen, wenn Sie wieder zurück sind.«

»Zu lachen?«

»Ja. Als ob ich etwas wahnsinnig Witziges gesagt hätte.«

»Aber Eric lacht nie. Er verbringt die meiste Zeit mit Leichen, und die sind nicht gerade für ihre geistreichen Repliken bekannt.«

»Tja, ich bin sicher, Sie und er werden klären können, was es zu klären gibt. Und jetzt muß ich mich wirklich wieder an die Arbeit machen.«

»Während ich hier sitze und Shuffleboard spiele, meinen Sie?«

»Sehen Sie's ein, Elaine: Sie sind auf einer Kreuzfahrt, und ich bin im Büro. Wer von uns ist in der günstigeren Position, um die Angelegenheiten hier zu regeln?«

Sie natürlich. Aber trotzdem.

»Ich habe alles unter Kontrolle«, sagte sie, als sollte ich das beruhigend finden und nicht bedrohlich. »Und jetzt gehen Sie los und amüsieren sich.«

»Aber ich finde wirklich, daß ich diejenige sein sollte, die...«

»Ich kann Sie nicht verstehen, Elaine«, unterbrach sie mich, während sich wieder das Rauschen in die Leitung drängte.

»Das ist jetzt auch schon egal«, sagte ich und legte auf.

6

Um Viertel nach zehn wollte ich mit Harold seine einseitige Entscheidung, meine Assistentin zu befördern, besprechen. Doch ich erreichte nur *seine* Assistentin, die mir erklärte, daß er in einer Besprechung sei. Ich gab ihr die Telefonnummer des Schiffs sowie die Nummer meiner Kabine und bat um seinen Rückruf. Es kam keiner. Um Viertel vor elf rief ich wieder an und erfuhr, daß Harold bereits in der nächsten Besprechung säße. Um Viertel vor zwölf rief ich zum dritten Mal an und bekam zu hören, daß Harold Mittagessen gegangen sei. Zwischendurch klopfte immer wieder Kingsley an meine Tür und fragte, wann er die Kabine aufräumen könne. Jedesmal antwortete ich »Später«, und jedesmal sagte er »Kein Problem«. Um zehn vor zwölf erlöste ich ihn von seinem Elend und verließ die Kabine.

Zuerst ging ich bei Jackie vorbei. An der Tür hing das »Bitte nicht stören«-Schild, doch als ich lauschte, hörte ich, daß der Fernseher lief, und so klopfte ich leise.

»Jackie, ich bin's, Elaine«, sagte ich. »Ich wollte nur mal nachsehen, ob du noch lebst.«

Ich lauschte auf irgendwelche Lebenszeichen und war erleichtert, als ich das Rascheln von Bettzeug und dann schlurfende Schritte hörte. Nach ein paar Minuten erschien Jackie. Sie hielt sich den Bauch und hatte das Gesicht schmerzhaft verzogen.

Es ging ihr offensichtlich nicht gut. Ihr Teint wies eine gelbliche Färbung auf, und ihre Augen waren milchig. Selbst ihr kurzes, stachliges blondes Haar wirkte welk. Ich hatte sie noch nie in so schlechter Verfassung gesehen, nicht in den ganzen sechs Jahren, die wir uns kannten. Da sie im Freien arbeitete, hatte sie stets eine gesunde, frische Hautfarbe und war das krasse Gegenteil eines zerbrechlichen Blümchens. Nicht daß sie besonders auf sich geachtet hätte. Sie aß Junkfood, trank mehr als jede andere Frau, die ich kannte, und rauchte bis vor vier Jahren täglich eine Schachtel Marlboro. Dann gab sie das Rauchen auf und fing an, ihre Fingernägel bis zum Nagelhäutchen abzukauen. Sie war gelegentlich verkatert, und hin und wieder plagte sie ihr Rücken, aber sie machte den Eindruck, als sei sie immun gegen Erkältungen und Grippe. »Ich bin zu bösartig für diese Viren«, lachte sie immer, wenn das Thema aufkam. Ich hatte ihr stets geglaubt. Bis jetzt.

»Schau mich bloß nicht so an«, ächzte sie und schaltete mit der Fernbedienung den Fernseher aus. »Ich fühle mich so schon schrecklich genug.«

»Glaubst du, daß du seekrank bist?« fragte ich.

»Ich? Peter und ich waren x-mal Tiefseefischen. Außerdem spürt man den Seegang auf diesem Schiff fast überhaupt nicht. Die meiste Zeit denke ich nicht einmal daran, daß ich auf dem Wasser bin.«

»Was glaubst du dann, was mit dir los ist?« fragte ich, nahm sie sachte beim Ellbogen und führte sie zum Bett zurück.

Sie lächelte schwach. »Sag du's mir, Elaine. Du bist unser Hypochonder. Was ist denn die Krankheit der Woche?«

»Es *gab* einmal ein Kreuzfahrtschiff, dessen Passagiere die Legionärskrankheit bekommen haben.«

»Gut. Das, was ich habe, ist nicht so exotisch. Es ist nur der übliche Virus, bei dem man alle fünf Minuten aufs Klo rennen muß. Oder vielleicht habe ich etwas gegessen, das mir nicht bekommen ist.«

»Aber beim Abendessen ging's dir noch gut«, bemerkte ich, »und als wir in Pats Kabine waren, auch. War noch alles in Ordnung, als du mit Henry in der Bar warst?«

»Klar. Diese Geschichte ging erst gegen zwei Uhr morgens los. Aber dann durchschlagend.«

»Tja, leg dich einfach wieder hin, und ich erzähle dir eine Gutenachtgeschichte«, sagte ich und schüttelte ihre Kissen auf.

Sie lehnte vehement ab. »In deinen Geschichten geht es ständig um diese Kriminellen, die du Kunden nennst, oder darum, daß das eine Miststück bei Pearson & Strulley versucht, einem anderen Miststück den Job streitig zu machen. Ich glaube, zu so einer Geschichte bin ich nicht aufgelegt.«

Damit war es unmöglich, Jackie von Leah zu erzählen. »In Ordnung. Wenn ich dir also keine Geschichte erzählen soll, berichte du mir doch von deinem Abend mit Henry.«

»Es war nett«, sagte sie. »Nicht das Riesenfeuerwerk oder so. Aber es war nett, einfach mit einem Mann beisammenzusitzen. Mit einem Mann, mit dem ich nicht geschäftlich zu tun habe.«

»Wie ist er denn?« wollte ich wissen. »Er wirkte sehr mitteilsam.«

»Das ist er auch. Außerdem ist er sportbegeistert, und wir haben uns über Baseball, Basketball, Football und Hockey unterhalten.«

»Was? Und nicht über Skibobrennen?« Ich war kein Sportfan, obwohl ich jeden Tag joggte. Sport war in meinen Augen Leichtsinn; Joggen war Medizin.

»Nein, aber wir haben uns ungefähr zehn Minuten beim Bowling aufgehalten. Henry hat eine eigene Kugel und spezielle Schuhe und spielt in einer Liga.«

In diesem Moment krümmte sich Jackie vor Schmerzen.

»Wieder Krämpfe?« fragte ich.

Sie nickte und hielt ein paar Sekunden lang den Atem an,

während sie darauf wartete, daß sie aufhörten. »Wo waren wir gerade?«

»Bei deiner Unterhaltung mit Henry über Sport«, erinnerte ich sie.

»Genau.«

»Hör mal, du bist wahrscheinlich recht erschöpft, Jackie. Ich lasse dich jetzt lieber ausruhen, damit dieser Virus sich aus deinem Körper herauskämpfen kann. Ich bin mit Pat zum Mittagessen verabredet.«

»Mittagessen. Uäh. Ich mag nicht einmal an Essen denken.«

»Tut mir leid.« Ich stand auf. »Soll ich dir Imodium oder sonst etwas besorgen?«

»Pat hat mir bereits ihren gesamten Vorrat von Dr. Bills Pröbchen gegeben. Ich glaube, sie gehörten zu ihrer Scheidungsabfindung.«

»Das ist mehr, als ich von Eric bekommen habe. Aber ich wollte auch nichts von ihm. Nicht einmal einen Gratis-Sarg.«

»Aber ich wette, du willst etwas von Sam Peck.«

»Von wem?« Die Bemerkung traf mich völlig unvorbereitet. Ich konnte kaum schlucken.

»Komm schon, Elaine. Ich habe doch gesehen, wie du ihn gestern abend angeschaut hast.«

Ich ging auf die Tür zu. »Ich sehe später noch mal nach dir«, sagte ich und umging damit das Thema.

»Okay, aber du weißt ja, wie paranoid du in puncto Ansteckung bist«, warnte sie mich. »Wenn du das nächste Mal kommst, setzt du am besten eine Atemschutzmaske auf.«

»Mal sehen, ob sie so etwas bei Perky Princess haben«, sagte ich, warf ihr eine Kußhand zu und ging.

Ich war pünktlich um zwölf im Restaurant, gerade als Captain Solberg über die Lautsprecher die erste seiner täglichen Ansprachen hielt. Das Glass Slipper lag auf Deck 11, dem Sonnendeck, wo sich auch die beiden Swimmingpools des Schiffs befanden. Es war ein Café mit zwangloser Atmosphäre, ein Lokal, in dem es völlig normal war, barfuß und in einem patschnassen Badean-

zug am Büffet zu stehen und sämtliche anderen Passagiere voll-
zutropfen. (Ich trug keinen Badeanzug, weder einen nassen noch
sonst einen, weil meine Badeanzüge in dem berühmten ver-
lorengegangenen Koffer steckten. Daher sah ich mich gezwungen, eine weitere Kreation von Perky Princess zu tragen: einen
rot-weiß-blauen Kaftan, der mit einem Anker aus goldenen Pai-
letten geschmückt war.) Was das Buffet selbst anging, so umfaßte
das Angebot die übliche Cafeteria-Kost: Hamburger, die so zart
und saftig waren wie Hockey-Pucks; fettige Pommes frites; in
Mayonnaise ertrinkender Krautsalat; dazu eine Salatbar, deren
Bestandteile aussahen und rochen, als faulten sie schon einige
Tage in der heißen Sonne. Schließlich belud ich mein Tablett mit
dem einzigen Produkt, das ich für ungefährlich hielt: abgepackte
Salzstangen.

Ich entdeckte Pat und Albert Mullins an einem Vierertisch mit
Aussicht aufs Meer. Sie saßen einander gegenüber, wobei Albert
die ganze Zeit schwatzte und gestikulierte und Pat versuchte,
gleichzeitig zu essen und zuzuhören. Selbst aus der Entfernung
konnte ich erkennen, daß ihr Besuch im Schönheitssalon ein Erfolg gewesen war: ihr ungebärdiges, gekräuseltes Haar war ge-
stutzt, in Form gebracht und gezähmt worden; ihr Teint war infolge der Gesichtsbehandlung mit Peeling, Reinigungsmilch und
Gesichtswasser von einem rosigen Glanz überzogen; und ihre
Nägel waren in einem flotten Korallenrot lackiert. Sie wirkte
ebenso gesund, wie Jackie krank aussah.

»Hallo, ihr beiden«, begrüßte ich sie.

Albert erhob sich unverzüglich von seinem Stuhl, korrekt wie
ein Soldat. Ich erwartete schon fast, daß er salutierte.

»Behalten Sie doch Platz, Albert«, sagte ich, während ich mich
neben Pat setzte.

Albert setzte sich wieder. »Und wie geht es Ihnen an diesem
schönen Nachmittag, Elaine?« fragte er.

»Mir geht's prima, danke.« Ich drehte mich zu Pat. »Aber ich
komme gerade von Jackie. Sie ist ernstlich krank.«

»Ich weiß«, seufzte Pat. »Ich wünschte, wir könnten irgend
etwas tun. Bill hat sich immer so gut um die Kinder gekümmert,

wenn sie etwas mit dem Magen hatten. Irgendwie wußte er, was man tun mußte, damit sie sich besser fühlten.«

Ich war versucht, darauf hinzuweisen, daß einer der Gründe, warum Pat sich von Bill hatte scheiden lassen, der gewesen war, daß er in den letzten Jahren ihrer Ehe kaum jemals zu Hause und kaum jemals für seine Kinder da war, ob sie nun gesund oder krank waren. Doch ich wechselte das Thema.

»Na, Albert«, begann ich. »Haben Sie schon irgendwelche aufregenden Vögel gesehen?«

»Für mich sind sie alle aufregend, Elaine«, entgegnete er, knabberte winzige Stückchen von seinem Hamburger und betupfte sich die Mundwinkel mit der Serviette, die er auf dem Schoß liegen hatte, damit kein Ketchup oder Fett auf die Hose oder den Tisch tropfte. Offenbar war Alberts Besessenheit, Pats Bluse reinigen zu lassen, nur die Spitze des Eisbergs, was sein pingeliges Wesen anging. Eine weitere Serviette hatte er sich in den Kragen seines weißen T-Shirts gesteckt, und ein ganzer Stapel davon lag als Reserve neben seinem Wasserglas. »Ich habe Pelikane gesehen, Blaureiher und natürlich Möwen. Nichts, was in dieser Gegend ungewöhnlich wäre. Aber ich freue mich schon auf morgen, wenn wir zum ersten Mal anlegen. Ich rechne damit, daß es auf dieser Insel einige hochinteressante Arten geben wird.«

Unser erster Anlegehafen war Isle de Swan, eine ungefähr achtzig Hektar große Insel, die Sea Swan Cruises gehörte. Direkt vor der Nordwest-Küste Haitis gelegen, war sie beispielhaft für einen neuen Trend in der Kreuzfahrtindustrie: Schiffahrtslinien kaufen große Areale von Dritte-Welt-Ländern, denen es an Finanzkraft mangelt, erschließen diese Gebiete und machen sie zu Anlegestationen ihrer Schiffe. Es waren lohnende Investitionen. Das Land war billig, genau wie die einheimischen Arbeitskräfte, die man engagiert hatte, um die Passagiere beim Landgang zu umsorgen. Wir sollten am nächsten Morgen gegen halb acht dort vor Anker gehen.

»Wie ich, glaube ich, gestern schon erwähnt habe«, sagte Pat zwischen mehreren Gabeln Krautsalat, »geht mein Exmann im

Sommer manchmal mit den Kindern Vögel beobachten. Soweit ich weiß, haben sie schon Buntspechte und Kapuzenwaldsänger und sogar einen Seidenschwanz aufgespürt.«

Der »Schwanz« in Seidenschwanz löste sowohl bei Pat als auch bei Albert einen Augenblick äußerster Verlegenheit aus, was sie beide veranlaßte, hektisch nach ihrem Wasserglas zu greifen und angespannt zu trinken.

»Sagen Sie mal, Albert«, fragte ich, während ich meine Salzstangen hinunterwürgte, »haben Sie sich schon immer für Vögel interessiert? Schon als kleiner Junge?«

»Ja«, nickte er lebhaft. »Ich war kein besonderer Sportler. Als die anderen Jungs für die verschiedenen Schulmannschaften ausgewählt wurden, begann ich mich für Vögel zu interessieren. Warum ausgerechnet für Vögel, weiß ich nicht. Vermutlich identifiziere ich mich irgendwie mit ihnen. Oder vielleicht lebe ich durch sie als Stellvertreter.«

»Was meinen Sie damit, Albert?« wollte Pat wissen.

»Wie viele von uns möchten gern ihrem Leben, ihrem eigenen Ich entkommen, indem sie einfach die Flügel ausbreiten und davonfliegen?« sagte er sehnsüchtig. »Vögel können von einer Brutstätte zur anderen ziehen und den Jahreszeiten folgen. Wir Menschen sind an unser Los gebunden, oder nicht?« Es war keine Frage. »Also würde ich kurz gefaßt sagen, daß ich die Vögel um ihre Freiheit beneide. Doch ich muß zugeben, daß ich mich frei wie ein Vogel fühle, seit ich diese Kreuzfahrt begonnen habe. Völlig sorgenfrei einfach so über den Ozean gleiten zu können ist eine wahre Freude. Die Leute von Sea Swan kümmern sich wirklich um alles – Mahlzeiten, Unterhaltung, Gesellschaft (dabei lächelte er Pat an). Ich kann mich nicht erinnern, jemals so völlig frei von Verbindlichkeiten, Verpflichtungen und Problemen gewesen zu sein.«

Meine Güte, schon wieder eine von Alberts flammenden Reden.

»Verbindlichkeiten und Verpflichtungen? Leben Sie eigentlich allein?« wagte sich Pat vor, während ich mich fragte, was für Probleme Albert meinen könnte.

Er nickte. »Ich nehme an, ich bin das, was man gemeinhin als Einzelgänger bezeichnet.«

Ein Einzelgänger, dachte ich und brachte das Wort unwillkürlich mit Mord und Missetaten in Verbindung. Tja, warum auch nicht? Ausnahmslos jedes Mal, wenn ein Typ sich ein Gewehr umhängt, ein hohes Gebäude besteigt und auf einen Parkplatz voller unschuldiger Menschen schießt, erscheinen seine Nachbarn in den Abendnachrichten und beschreiben ihn als Einzelgänger. Vielleicht hatten Alberts »Probleme« ja etwas mit den Gesetzeshütern zu tun.

»Und Ihre Familie?« fragte Pat. »Lebt sie auch in Manhattan? Oder in Connecticut?«

»Offen gestanden habe ich keine Familie«, sagte Albert. »Es sind schon alle tot. Und es sieht nicht danach aus, als würde ich in absehbarer Zeit Nachkommen haben – ob sie nun männlich sind oder nicht –, also wird der Name Mullins vermutlich mit mir aussterben.«

»Nicht unbedingt«, sagte Pat, die unerschütterliche Optimistin. »Man kann nie vorhersagen, was im Leben passiert. Meine Mutter hat immer gesagt, ich würde nie heiraten und Kinder bekommen – meine Schwester Diana war die Femme fatale, als wir noch jung waren, und ich war ziemlich schüchtern. Aber ich habe nicht nur geheiratet – noch dazu einen Arzt! –, sondern auch noch fünf Kinder zur Welt gebracht, von denen vier Jungen sind.«

»Und was sagt Ihre Mutter *jetzt*?« fragte Albert und klang stellvertretend für Pat ganz entrüstet.

»Oh, sie und ich haben beide umgedacht«, gestand Pat. »Sie sieht inzwischen ein, daß man Kinder nicht in Schachteln stecken und etikettieren kann.« Sie wandte sich an mich. »Neulich habe ich mir tatsächlich ein Herz gefaßt und zu ihr gesagt: ›Es war falsch von dir, mich die ganzen Jahre so autistisch zu behandeln, Mutter.‹«

»Autorität, Pat«, korrigierte ich sie. »Es war falsch von ihr, dich autoritär zu behandeln.«

»Ja, genau.«

Albert nickte, zog ein Päckchen feuchte Tüchlein aus seiner Hosentasche und säuberte seine Hände sorgfältig mit einem davon. Wahrscheinlich duschte er nach jeder Mahlzeit.

»Meine Mutter war auch ein wenig autoritär, möge sie in Frieden ruhen«, sagte Albert. Ich fragte mich, ob Alberts arme, verstorbene Mutter die Quelle seines Vermögens war. Eine Woche auf der *Princess Charming* war nicht billig, und er hatte keinen richtigen (zum Beispiel bezahlten) Job; ich nahm an, daß er, falls er das einzige noch lebende Mitglied einer Familie war, auf die altmodische Art und Weise zu seinem Geld gekommen war: Er hatte es geerbt.

Wir plauderten noch ein Weilchen. Pat sprach über ihre Mutter. Albert sprach über seine Mutter. Ich sprach über meine Mutter, obwohl sie, genau wie mein Vater, nicht zu meinen Lieblingsthemen gehörte. Sie war kein Scheusal oder dergleichen – zum Beispiel machte sie umwerfende Kartoffelpfannkuchen. Es war nur einfach so, daß ein Teil von mir sie dafür verantwortlich machte, daß mein Vater uns verlassen hatte. Wenn sie irgendwie anders gewesen wäre, interessanter oder verführerischer, dann hätte er uns vielleicht nicht wegen der Rothaarigen verlassen. Aber wer wußte schon, was die Menschen dazu brachte, das zu tun, was sie taten?

Irgendwann entschuldigte sich Albert und sagte, er müsse in seine Kabine gehen, um ein Ferngespräch zu führen. Das erstaunte mich. Er hatte uns doch erzählt, er sei Einzelgänger. Mit wem führen Einzelgänger Ferngespräche? Vielleicht ruft er seinen Vermögensberater an, dachte ich, da es ja, falls meine Theorien über Alberts Finanzen zutrafen, ein Vermögen zu verwalten gab. Mir fiel Kenneth Cone ein, den Anlageberater von Tisch 186, und ich erwog, ihn mit Albert bekannt zu machen. Wenn sie beschlossen, Geschäfte miteinander zu machen, bekäme ich vielleicht eine Vermittlungsgebühr oder Provision oder so etwas.

»Nun«, sagte Albert, während er sich erhob und einen Berg Servietten zerknüllt auf seinem Teller zurückließ. »Ich hoffe, die Damen haben noch einen angenehmen Tag. Einen sehr angenehmen Tag.«

»Sie auch«, sagte Pat.

»Das Mittagessen war hinreißend, dank Ihnen beiden«, erklärte er. »Ich hoffe, Sie übermitteln Ihrer Freundin Jackie meine aufrichtigsten Genesungswünsche.« Er hielt inne und verzog den Mund zu einem schelmischen Grinsen. »Oder sollte ich sagen ›der dritten blonden Maus‹?«

Pat kicherte, da sie sich offenkundig davon geschmeichelt fühlte, daß Albert sich nicht nur an unseren Spitznamen füreinander erinnerte, sondern sich vertraut genug mit uns fühlte, um ihn zu verwenden.

Ich war weniger geschmeichelt als verwirrt. Meines Wissens hatten wir Albert unseren Spitznamen nicht verraten. Ich jedenfalls nicht.

Als Albert gegangen war, erzählte ich Pat von meinem Telefongespräch mit Leah. »Harold läßt sie *meine* Kunden betreuen«, sagte ich und regte mich gleich wieder auf. »Was, wenn das der Anfang vom Ende bei Pearson & Strulley für mich ist? Was, wenn sie dort frisches Blut wollen? Jüngeres Blut?«

»Ich bin weder Geschäftsfrau noch bin ich gebildet«, begann Pat. Es hatte sie schon immer gestört, daß sie ihr Studium nicht abgeschlossen hatte; daß sie gearbeitet und Kinder bekommen hatte, während Bill die Leiter der höheren Bildung erklomm. »Und ich kenne mich auch nicht bei Pearson & Strulley aus«, fuhr sie fort. »Aber falls du es mir nicht übelnimmst, glaube ich, daß du überreagierst.«

»Ich nehme es dir nicht übel«, fuhr ich fort. »Sprich weiter.«

»Na gut. Für mich klingt es ganz danach, als säßen deine Kunden in der Klatsche.«

»In der Patsche, Pat.«

»Genau, sie sitzen in der Patsche, und sie brauchen Hilfe. Und zwar schnell. Du bist außer Landes, also liegt es doch auf der Hand, daß deine Assistentin, die von dir eingearbeitet wurde und alle Beteiligten kennt, damit beauftragt wird, sich um die Angelegenheit zu kümmern.«

»Du glaubst also nicht, daß Harold versucht, mich kaltzustellen oder so?«

»Ganz und gar nicht. Du hast deinen Job noch. Du bist lediglich in Urlaub. Es gibt keinerlei Grund zu der Annahme, daß Harold oder Leah es auf dich abgesehen haben. Du steigerst dich da in etwas hinein, Elaine. Ich hoffe, du nimmst mir das nicht übel.«

»Ich habe es dir bereits gesagt: Ich nehme es dir nicht übel«, sagte ich und nahm es übel. Einmal war ja okay. Aber zweimal – das reichte.

»Tja, ich glaube, ich muß los«, sagte Pat nach einem Blick auf ihre Uhr.

»Wohin?«

»Der Reiseleiter hält einen Vortrag über zollfreien Einkauf auf den Inseln.«

»Pat, es tut mir leid, wenn ich deine Illusionen zerstören muß, aber zollfreier Einkauf ist eine Erfindung der Tourismusindustrie. Glaub mir, du bekommst das ganze Zeug bei Costco billiger.«

»Ehrlich?«

Ich sah sie an, so unschuldig, so vertrauensvoll, so gut.

»Das war nur ein Witz«, sagte ich. »Man kann hier unten tolle Schnäppchen machen, wenn man sich auskennt. Dieser Vortrag klingt ziemlich interessant.«

»Willst du mitkommen?«

Ich schüttelte den Kopf. »Ich glaube, ich kaufe mir ein Taschenbuch, lege mich in einen Liegestuhl am Pool und schaue mir die Leute an.« Halte Ausschau nach Sam hätte es wohl zutreffender heißen müssen.

»Dann bis zum Abendessen«, sagte Pat. »Hoffentlich ist Jackie dann wieder mit dabei.«

»Hoffentlich«, stimmte ich ihr zu.

Nach einem weiteren Versuch, Harold zu erreichen, der angeblich mit einem Kunden verhandelte, kaufte ich mir einen Spionagethriller von einem britischen Autor, von dem ich noch nie gehört hatte, und ging an den Pool, wo ich mich auf die Suche nach einem freien Liegestuhl machte – eine Aufgabe, die sich nicht wesentlich davon unterschied, wenn man am Tag vor

Thanksgiving einen Einkaufswagen im Supermarkt zu ergattern versuchte.

Sieh dir bloß mal all diese Leute an, sagte ich mir im stillen, während ich die zweitausend Passagiere betrachtete, die ausgestreckt nebeneinander lagen – Leiber in den verschiedensten Formen und Größen, die in der heißen Sonne brutzelten wie Hühnchen am Spieß. Es schien ihnen gar nicht aufzufallen, daß sie so wenig Raum für sich hatten, daß sie zum Teil fast aufeinander lagen. Ebensowenig schien ihnen das Getöse aufzufallen, das von einem der beiden Swimmingpools herübertönte. Offenbar fand dort gerade ein Staffelwettbewerb statt, bei dem die sechs Frauen, die am einen Ende des Pool standen, versuchen sollten, mit den Zähnen die Ballons zu fassen, die sich zwischen den Beinen der sechs Männer am anderen Ende befanden. Natürlich platzte alle zwei Sekunden jemandem ein Ballon vor dem Gesicht, und die Explosion veranlaßte sowohl Teilnehmer als auch Zuschauer zu kreischendem Gelächter. Ich überlegte, ob ich mich über Bord stürzen oder in meine Kabine zurückgehen sollte. Aber ich wollte doch nach Sam Ausschau halten. Also beschloß ich durchzuhalten. Schließlich erspähte ich den einzigen Liegestuhl auf dem ganzen Deck, der nicht besetzt war – das heißt auf dem weder ein Mensch noch ein Handtuch lagen. Ich ging zielstrebig auf ihn zu, nur um festzustellen, daß er kaputt war.

Ich stieß ein frustriertes Seufzen aus und ließ mich ganz vorsichtig auf dem Stuhl nieder. Er ist ja nur ein bißchen verbogen, dachte ich mir. Jedenfalls keine tödliche Waffe. Ich beschmierte mich großzügig mit Sonnencreme, suchte dann die Menge nach Sam ab und war enttäuscht, als ich ihn nicht sah. Trotzdem empfand ich ein leichtes Prickeln bei dem Gedanken, daß er irgendwo auf dem Schiff war und wir uns früher oder später wieder begegnen würden. Ich schloß die Augen und träumte von unserem Wiedersehen.

Ich muß unglaublich selig ausgesehen haben, da mich auf einmal eine Männerstimme fragte: »Am Meditieren?«

Ich hielt mir als Blendschutz eine Hand vor die Augen, blinzelte und sah Skip Jamison vor mir stehen, dem das lange blonde Haar naß und offen um die Schultern hing. Er war gerade aus dem Pool gekommen, und seine Badehose, ein hautenger, winzig kleiner, schwarzer Slip überließ nichts der Phantasie. Anders ausgedrückt, verfügte Skip über recht ansehnlichen Familienschmuck. Offensichtlich war ich nicht die einzige, die das bemerkt hatte. Skip wurde von zwei jungen Frauen flankiert.

»Ja«, antwortete ich. »Man könnte es wohl als eine Art Meditation bezeichnen.«

»Das ist cool. Meditieren tut Ihnen bestimmt gut«, verordnete Skip. »Chillen Sie mal richtig aus.« Er wandte sich an die beiden Frauen, die genervt oder beleidigt oder einfach nur gelangweilt darauf reagierten, daß er sich die Zeit nahm, mit einer ihrer Geschlechtsgenossinnen zu sprechen, noch dazu einer, die doppelt so alt war wie sie.

»Dann sehen wir uns wohl später wieder? Beim Abendessen?« sagte er zu Donna und Tori, nachdem er sie mir vorgestellt und erklärt hatte, daß sie denselben Tisch zugewiesen bekommen hatten. Den Tisch der jungen Singles.

»Heute ist Abendgarderobe vorgeschrieben«, erinnerte Tori Skip. »Vergiß bloß deinen Smoking nicht.«

»Ich soll einen Smoking anziehen?« Er lachte. »Dazu bin ich doch zu hip. Viel zu hip.«

»Er kann auch einen normalen Anzug tragen«, erklärte Donna Tori. »Auf dem Informationsblatt stand: Smoking nicht zwingend vorgeschrieben.«

»Ja, aber Smokings sind heiß«, meinte Tori. »Darin sieht jeder wie ein Filmstar aus.«

»Oder wie Kellner im Restaurant«, warf ich ein. »Das kommt darauf an, wie der Smoking geschnitten ist.«

Donna und Tori warfen mir beide einen Halten-Sie-sich-doch-raus-Blick zu.

»Smokings oder Anzüge oder was auch immer. Ich steh' nicht auf diesen förmlichen Scheiß«, sagte Skip. »Ich bin ein lässiger Typ, und daran muß ich mich halten. Deepak Chopra sagt: Fühl dich wohl in deiner eigenen Haut.«

Donna und Tori sahen sich an, zuckten mit den Achseln und gingen wieder zum Pool. Skip schnappte sich das Handtuch, das den Liegestuhl neben meinem bedeckt hatte, schlang es sich um die Taille und verdeckte damit den bereits erwähnten Familienschmuck. Dann streckte er sich auf dem Liegestuhl aus.

»Ich glaube, der war schon belegt«, bemerkte ich.

»›War‹ ist genau das richtige Wort«, meinte er und machte es sich bequem. »Wissen Sie, es ist echt verblüffend, wie oft wir uns über den Weg laufen, wie oft sich unsere Wege kreuzen, finden Sie nicht?«

»Verblüffend.« Es ist wirklich verblüffend, sich auf einem Schiff mit über zweitausend Passagieren zu befinden und andauernd denselben zwei zu begegnen.

»Was sind Sie für ein Sternzeichen?« fragte Skip.

Mein Gott, diesen Satz hatte ich seit den siebziger Jahren nicht mehr gehört.

»Skorpion«, sagte ich. »Und Sie?«

»Skorpion«, antwortete er, schüttelte den Kopf und wunderte sich über die gesammelten Zufälle. »Und wissen Sie, was noch verblüffend ist?«

»Nein, was denn?« fragte ich.

»Daß sie jedesmal allein sind, wenn wir uns begegnen. Sie haben mir erzählt, Sie seien mit zwei Freundinnen hier, aber immer wenn wir uns über den Weg laufen, sind sie nicht dabei.«

»Ich habe die beiden nicht erfunden, falls Sie darauf hinauswollen«, sagte ich. »Es gibt sie wirklich. Wir sind nur nicht immer als Schwarm unterwegs wie Insekten.«

»Tja, vielleicht lerne ich sie ja noch kennen, bevor die Kreuzfahrt zu Ende ist.«

»Ganz bestimmt.« Ich nahm den Spionagethriller, den ich erstanden hatte, zur Hand und schlug ihn auf der ersten Seite auf. »Stört es Sie, wenn ich lese?« fragte ich, da ich nicht unhöflich sein wollte.

»Stören? Nicht die Bohne. Ich bleibe einfach hier liegen, klappe die Läden zu und zieh' mir 'ne Dosis Sonne rein.«

Skip marinierte sich mit dem Sonnenöl, das der vorherige Benutzer des Liegestuhls mitsamt dem Handtuch dagelassen hatte, wünschte mir »Frohes Lesen« und schloß die Augen.

Ich hatte etwa eine halbe Stunde gelesen und die warme Sonne genossen, dabei die Staffelwettbewerbe, die Kellner mit ihren Tabletts, ja sogar die Steel Drums ausgeblendet, als ich zufällig von meinem Buch aufsah und Sam erblickte. Er saß ein paar Reihen weiter auf einem Liegestuhl und las eine Zeitschrift. Mein Pulsschlag beschleunigte sich.

Da er offenbar in sein Heft vertieft war, nutzte ich die Gelegenheit und gönnte mir den Genuß, ihn ungeniert anzustarren und jede Einzelheit zu studieren. Und dann wurde ich natürlich in flagranti ertappt: Er sah auf – und mir direkt in die Augen. Es war, als hätte er meinen Blick auf sich gespürt, gemerkt, daß meine Augen auf ihm ruhten. Es war mir überaus peinlich.

Ich setzte ein verlegenes Lächeln auf.

Er lächelte zurück, legte seine Zeitschrift beiseite und kam zu mir herüber.

Er trug zerknitterte blaue Schwimmshorts, und sein nackter Brustkorb war hart, flach und behaart. Geradezu bepelzt. Ja, ich weiß, daß manche Frauen sich nichts aus behaarten Männern machen, da ich selbst einmal zu ihnen gehört habe (wenn ich ein Tier will, kaufe ich mir eine Katze oder einen Hund und so weiter), aber *Sams* Behaarung war für mich ein weiterer Quell der Bewunderung. Es war absurd.

»Elaine«, sagte Sam, der nun am Fußende meines Liegestuhls stand. »Wie geht's?«

»Danke, gut. Und Ihnen?« sagte ich.

»Danke, gut.«

Du liebe Güte. Ich fragte mich, warum wir uns nach unserem doch recht fröhlichen Geplauder am Morgen nun beide so steif und förmlich gaben, und dann drehte ich mich um und bemerkte, daß Skip aufrecht dasaß und lauschte.

»Haben Sie sich ein bißchen gesonnt?« sagte ich zu Sam und stellte damit eine weitere idiotische Frage. Nein, Elaine, er ist ein bißchen mit dem Heißluftballon geflogen.

Sam nickte. »Und etwas Lektüre nachgeholt.« Er wartete darauf, daß ich ihn mit Skip bekannt machte, beinahe, als dächte er, wir seien »zusammen«. Also stellte ich ihm Skip vor. Er und Sam schüttelten einander die Hände.

»He, Mann, kenne ich Sie nicht?« fragte Skip Sam. »Aus der Stadt?«

»Und welche Stadt soll das sein?« fragte Sam.

»New York. Gibt's noch 'ne andere Stadt?« Skip zwinkerte mir mit diesem herablassenden Ausdruck zu, den viele New Yorker zur Schau tragen, wenn sie wollen, daß sich Leute aus anderen Städten wie Dorftrottel vorkommen.

»Es gibt durchaus noch ein paar andere«, meinte Sam trocken. »Ich arbeite zum Beispiel in Albany.«

Skip schüttelte den Kopf. »Herrgott, ich könnte schwören, daß ich Sie von irgendwoher kenne. Sie haben nicht vielleicht einen Zwillingsbruder in Manhattan, oder?«

»Nicht, daß ich wüßte«, sagte Sam. »Vielleicht habe ich nur eines dieser ganz gewöhnlichen Durchschnittsgesichter.«

Ja, und ich bin die Doppelgängerin von Michelle Pfeiffer, dachte ich.

»Kennt ihr beiden euch aus New York?« fragte Sam Skip und mich.

»Nein, wir haben uns erst gestern kennengelernt«, antwortete ich. »Im Aufzug. Skip ist in der Werbebranche, und er ist auf dem Weg in die Karibik, um Schauplätze für Aufnahmen für Crubanno Rum ausfindig zu machen.«

»Das klingt, als hätten manche Leute eine ziemlich angenehme Arbeit«, meinte Sam.

»Stimmt«, gab Skip zu. »Die Inseln sind eine heiße Gegend zum Rumhängen. Echt cool.«

Es war witzig mit den Wörtern »heiß« und »cool«. Ich hatte noch nie begriffen, ob sie eigentlich austauschbar waren oder ob sie verschiedene Bedeutungen hatten, die nur zu speziell waren, als daß über Vierzigjährige sie hätten verstehen können.

»Und woher kennen Sie sich?« fragte Skip Sam und mich.

»Elaine und ich sind Tischgenossen«, erklärte Sam. »Tisch 186. Die Frühschicht.«

Skip sah von Sam zu mir und dann wieder zu Sam. Dann nickte er anerkennend mit dem Kopf. »*Das* ist also der Knabe von Ihrem Tisch.«

»Der Knabe? Wovon reden Sie?« sagte ich.

»Sie wissen schon. Der Knabe von Ihrem Tisch«, wiederholte Skip. »Der Typ, mit dem Sie sich gestern abend auf dem Promenadendeck treffen wollten. Um die Sterne auszuchecken.«

O Gott, plötzlich fiel mir wieder ein, was für ein Märchen ich Skip aufgetischt hatte, nur um ihn loszuwerden.

»Äh, nein, das war jemand anders«, log ich weiter.

»Ein Mann von unserem Tisch?« fragte Sam und sah mich skeptisch an.

»Ja«, sagte ich. »Lloyd Thayer.«

»Sie haben sich gestern abend mit Lloyd, dem Neunundachtzigjährigen, auf dem Promenadendeck getroffen?«

»Genau. Dorothy war auch dabei. Die beiden wollten einen Spaziergang machen, und ich habe gesagt, ich würde mitgehen. Falls Sie in der Dunkelheit nicht mehr genug sähen.«

»Das war aber aufmerksam von Ihnen«, sagte Sam.

»Sehr spirituell«, stimmte Skip zu und wandte sich dann an Sam. »Man täuscht sich leicht in Elaine. Sie hat eine weiche Seite und so ein krasses Faß-mich-nicht-an-Ding. Was absolut typisch für New York ist, glauben Sie mir.«

»Ich glaube Ihnen, Skip«, grinste Sam spöttisch. Er amüsierte sich königlich dabei, wie ein Landei behandelt zu werden. »Ich muß mich leider verabschieden, ich habe nämlich in fünf Minuten einen Termin.«

»Einen Termin?« fragte ich und betete darum, daß »Termin« nicht ein Deckname für »Rendezvous« war.

»Ja. Beim Schiffsfriseur.«

»Oh«, stieß ich mit einem erleichterten Lächeln aus. »Da gibt es anscheinend einen Sondertarif fürs Haarescheiden. Pat hat sich ihre heute auch stutzen lassen.«

»Von Sondertarifen habe ich nichts gehört«, sagte Sam, »aber Sie wissen doch, was für eine Kleinstadt Albany ist. Dort kriegt man einfach keinen vernünftigen Haarschnitt. Da habe ich mir gedacht, ich teste mal den Knaben hier auf dem Schiff, nachdem im Prospekt steht, daß er direkt aus Manhattan für uns eingeflogen wurde.«

Ich lachte. Skip nicht. Ich glaube, er begriff gar nicht, daß Sam ihn auf den Arm nahm.

»Dann bis zum Essen, Elaine«, sagte Sam. »War nett, Sie kennenzulernen, Skip.«

Und weg war er.

Ich starrte ihm nach und ließ unser Gespräch noch einmal Revue passieren, als Skip sagte: »Sams Schwingungen turnen mich nicht besonders an.«

»Was meinen Sie damit?«

Er zuckte mit den Achseln. »Ich spüre da so eine Energie. Eine andere Art von Faß-mich-nicht-an-Ding als bei Ihnen. Bei ihm kommt es eher wie Komm-mir-bloß-nicht-in-die-Quere rüber.«

»Sie trauen ihm bloß nicht, weil er sich die Haare schneiden läßt«, sagte ich lächelnd und betrachtete Skips lange, goldene Surferboy-Locken. Als ich in seinem Alter war, traute ich auch keinem Mann, der sich die Haare schneiden ließ. »Aber trotzdem danke. Nett, daß Sie mich gewarnt haben.«

7

Der Nachmittag verlief ereignislos. Ich sah nach Jackie, die sich immer noch miserabel fühlte, während Pat Stunden in Gesellschaftstanz nahm: Sie hatte schon immer mal richtig Merengue tanzen wollen, sagte sie. Außerdem versuchte ich erneut, Harold zu erreichen – dreimal. Beim ersten Mal sagte seine Assistentin, er telefoniere gerade am anderen Apparat. Beim zweiten Mal sagte sie, er sei nicht an seinem Platz. Beim dritten Mal sagte sie, er hätte das Büro für den Rest des Tages verlassen. Harold ging mir offensichtlich aus dem Weg, aber damit würde er nicht durchkommen. Ich hatte seine Privatnummer.

Das Dinner an diesem Abend war der erste der zwei förmlichen Abende auf der *Princess Charming*. Die Angestellte im Reisebüro hatte uns über diese Schwarzweiß-Begängnisse informiert, und daher hatte ich zwei schlichte, aber elegante Kleider eingepackt, die mir nun absolut nichts nützen würden, da sie im Gepäckraum irgendeiner 757 lagen. Und so tätigte ich einen weiteren Einkauf bei Perky Princess: ein kurzes, weißes, ärmelloses Teil, das meine mageren Arme und Beine überbetonte und mich wirken ließ wie eine Kreuzung aus einem kecken Zwanziger-Jahre-Mädchen und einem übertrieben glänzenden Storch.

Pat und ich bestellten Jackie beim Kabinenservice etwas Hühnersuppe und setzten uns zu ihr aufs Bett, um sie zum Essen zu überreden.

»Ich hätte lieber einen Scotch«, meuterte sie, aß aber trotzdem den ganzen Teller Suppe auf.

»Vielleicht morgen«, sagte Pat.

»Das ›vielleicht‹ kannst du streichen«, entgegnete Jackie. »Ich lasse mir nicht noch einen Tag von dieser Kreuzfahrt entgehen, und wenn ich auf die Isle de Swan kriechen muß.«

»Tapferes Mädchen«, sagte ich und bewunderte Jackies Mumm.

»Ich weiß nicht«, sagte Pat und sah Jackie kopfschüttelnd an. »Wenn es dir morgen früh nicht besser geht, sollten wir dich zum Schiffsarzt bringen, finde ich.«

»Zum Schiffsarzt?« sagte ich erschrocken. »Und wenn das so ein Quacksalber ist, dessen medizinische Ausbildung aus zwei Wochen an der Universität Kalkutta bestand?«

»Elaine.« Jackie rollte mit den Augen. »Zufälligerweise war ich mit Peter in den siebziger Jahren mit dem Rucksack in Kalkutta und fand es dort wunderbar.«

»Gut, aber mußte einer von euch während eures Aufenthalts einen Arzt konsultieren?« wollte ich wissen.

»Nein«, räumte sie ein.

»Da hast du's.« sagte ich.

»Ich denke, ich sollte Bill anrufen«, sagte Pat. »Ich könnte ihm Jackies Zustand am Telefon schildern, und er könnte uns sagen, was zu tun ist.«

»Er wird wohl keine Ferndiagnose stellen können«, wandte ich ein. »Er ist ein guter Arzt, Pat, aber er ist Hunderte von Meilen weit weg. Außerdem hast du gesagt, du würdest erst am Freitag anrufen, um Lucy zum Geburtstag zu gratulieren.«

»Falls es irgend jemanden interessiert, was ich meine, würde ich sagen, es ist höchste Zeit für euch beide, zum Abendessen zu gehen«, sagte Jackie und nickte zur Tür hin.

»Bist du sicher, daß es dir nichts ausmacht, allein hierzubleiben?« fragte ich.

»Ganz sicher. Richte allen an Tisch 186 schöne Grüße von mir aus«, sagte sie und scheuchte uns hinaus.

Pat und ich verließen Jackies Kabine und sahen Kingsley einen Wäschekarren den Flur entlangschieben. Als wir an ihm vorbeigingen, lächelte er und sagte: »Ein Gentleman hat sich nach Ihnen erkundigt.«

»Nach uns?« sagte ich.

Kingsley nickte. »Er ist vor etwa zehn Minuten hier vorbeigekommen.«

Mein Herz machte einen Sprung, während ich mich fragte, ob es Sam gewesen war.

»Was hatte dieser Mann an?« fragte ich.

»Einen Smoking«, antwortete Kingsley.

»Das engt den Kreis natürlich ein«, sagte ich. Die meisten Männer auf dem Schiff, von Skip einmal abgesehen, trugen heute abend einen Smoking. Wenn sie selbst keinen hatten, konnten sie sich in der Herrenboutique namens Preening Prince einen ausleihen.

»Wahrscheinlich hätte ich gar nichts sagen sollen«, gestand Kingsley. »Der Gentleman hat mich um Diskretion gebeten.«

»Komm schon. Elaine«, sagte Pat und zog mich am Arm. »Kinglsey hat uns doch schon erklärt, daß er nicht mehr sagen kann. Gehen wir essen, ja?«

Ich griff in meine Handtasche, holte einen Dollar heraus und reichte ihn Kingsley. »Können Sie *jetzt* mehr sagen?« fragte ich.

Er lächelte. »Kein Problem. Der Gentleman hat sich speziell nach Mrs. Gault erkundigt. Nach der, die krank ist.«

»Henry Prichard«, sagten Pat und ich unisono.

»Er hat mir seinen Namen nicht genannt«, sagte Kingsley.

Ich nickte. »Ist schon in Ordnung, Kingsley. Wir wissen, wer es war.«

Aber trotzdem fragte ich mich, warum Henry vor uns geheimhalten wollte, daß er sich nach Jackie erkundigt hatte. Und warum rief er sie nicht einfach an und erkundigte sich, wie es ihr ging? Und überhaupt – woher wußte er eigentlich, daß sie krank war? Sie war ja den ganzen Tag nicht aus ihrer Kabine herausgekommen.

»Gehen wir, Elaine«, sagte Pat und schob ihren Arm durch meinen. »Du weißt doch, daß es Ismet gerne sieht, wenn wir pünktlich zum Essen kommen.«

»Du hast recht«, sagte ich, da ich nicht einen Moment von Sams Gesellschaft missen wollte.

Aber Sam war nicht da, als wir an Tisch 186 anlangten. Ich tat so, als merkte ich es nicht, und setzte mich neben Dorothy Thayer. Pat nahm den freien Stuhl zu meiner Linken.

»Wo ist denn Ihre andere Bekanntschaft?« fragte Dorothy, nachdem wir uns alle begrüßt hatten.

»Ich bin eigentlich gar nicht mit ihm bekannt«, sagte ich. »Ich habe ihn erst gestern abend hier am Tisch kennengelernt.«

Sie lächelte. »Ich habe Ihre Freundin gemeint. Die mit dem Gartencenter.«

»Oh«, sagte ich und wurde ganz verlegen, weil ich so hingerissen von Sam war, daß ich die arme kranke, an Elektrolytmangel leidende Jackie komplett vergessen hatte. »Sie fühlt sich ein bißchen unwohl. Sie hat ein kleines Magenproblem.«

»Was hat sie gesagt, Dorothy?« fragte Lloyd.

»Sie hat gesagt, ihre Freundin hätte ein kleines Magenproblem«, erklärte Dorothy ihrem Mann, dessen schwarze Smokingschultern von Schuppen übersät waren.

»Womöglich war es etwas, was sie gestern beim Abendessen zu sich genommen hat«, sagte Gayle und zuckte vor ihrem gebutterten Brötchen zurück. Sie sah ziemlich imposant aus in dem leuchtend grünen Seidenkleid, das ihr glänzendes rotes Har voll zur Geltung brachte. Passend zum Kleid hatte sie die Diamanten gegen Smaragde ausgetauscht. Ihr Mann, Kenneth, trug einen Armani-Smoking und hatte eine große, dicke Zigarre im Mund. Natürlich brannte sie nicht. Unter neureichen, erfolgreichen Männern galt es als ungemein schick, sich die edelsten kubanischen Zigarren aus Saint Martin oder Saint Bart's oder woher die Schmuggelware auch immer kommt, einfliegen zu lassen und die Zigarre einfach in der Hand zu halten oder an ihr zu kauen oder zu lutschen, so wie es die Männer in den fünfziger Jahren taten, nur noch etwas demonstrativer.

»Ich glaube nicht«, sagte ich beruhigend. »Ich habe das gleiche gegessen wie sie. Es ist vermutlich ein Virus.«

Darauf folgte eine längere Diskussion über die rezeptfreien Magenmittel, die derzeit auf dem Markt waren, einschließlich einer Debatte darüber, was besser gegen einen übersäuerten Magen half. Und aus irgendeinem Grund führte *das* zu einer Debatte darüber, ob man ein Fieber aushungern oder eine Erkältung füttern sollte. Selbst die Jungvermählten, Brianna und Rick, rissen ihre Lippen lange genug voneinander los, um ihre Meinung in die Waagschale zu werfen.

»Beim ersten Anzeichen von irgendwas stopfe ich mich mit Vitamin C voll«, teilte uns Brianna mit.

»Vitamine sind Schwachsinn«, grunzte Rick. »Das ist rausgeschmissenes Geld, Zuckerschneck.«

»Ganz und gar nicht, Herzilein«, sagte Brianna. »Vitamine helfen wirklich. Viele Leute nehmen sie.«

»Viele Leute glauben auch, daß die Regierung ihr Freund ist«, sagte Rick. »Viele Leute sollten aufwachen und die Korruption riechen.« Ich hatte also recht gehabt, was Rick betraf. Es war ohne weiteres vorstellbar, daß er in einer Kampfuniform zusammen mit anderen, ähnlich gekleideten Individuen geheimen Versammlungen beiwohnte.

»Ich nehme schon seit der achten Klasse Vitamine«, sagte Brianna. »Und ich werde sie auch weiterhin nehmen, Kuschelhäschen.«

»Was hast du gesagt?« Rick starrte sie an, als sähe er sie zum ersten Mal. Ich vermutete, daß sie ihm noch nie widersprochen und noch nie seine Überlegenheit in Frage gestellt hatte – zumindest nicht in der Öffentlichkeit. Außerdem nahm ich an, daß die Flitterwochen vorüber waren und damit die Zeit der Zärtlichkeit.

»Ich persönlich gehe immer zum Chiropraktiker, wenn ich merke, daß etwas im Anzug ist«, berichtete Gayle. »Es ist erstaunlich, wie eine Behandlung der Wirbel das Immunsystem stimuliert.«

Ich sah Kenneth an, der die Zigarre in seinem Mund stimulierte, sie hin und her drehte, herauszog und wieder hineinsteckte. Kenneth konsultierte vermutlich keinen Chiropraktiker, wenn er sich schlecht fühlte; er suchte eher Frauen vom Schlag einer Heidi Fleiss auf.

Lloyd wollte gerade Dorothy fragen, worüber gesprochen wurde, als Sam endlich auftauchte.

»Tut mir leid, daß ich zu spät komme. Schon wieder.«

Er zog den Stuhl neben Pat heraus und setzte sich.

In seiner Abendgarderobe war er eine umwerfende Erscheinung: die hochgewachsene, hagere Gestalt, das dunkle, wellige, frisch geschnittene Haar und das saubere weiße Hemd zu seinem leicht gebräunten Teint. Er sah im Smoking genauso wundervoll aus wie in Joggingshorts und Badehosen, ein Mann für alle Garderoben. Ich mußte mich selbst daran erinnern zu atmen.

»Offenbar haben Sie gern einen großen Auftritt«, sagte ich und beugte mich über Pat hinweg, um mit ihm zu sprechen.

Er schüttelte den Kopf. »Ich bin nur einer dieser chronischen Zuspätkommer«, erklärte er. »Ich komme nie rechtzeitig, egal wie sehr ich mich auch bemühe.«

Chronische Zuspätkommer waren mir seit jeher ein Greuel, aber in Sams Fall machte ich schnell eine Ausnahme.

»So«, sagte er und warf einen Blick auf den Stuhl zu seiner Linken. »Ist Jackie oben in ihrer Kabine und wartet auf die CNN-Sportschau?« Offensichtlich hatten sie am Vorabend über ihre Sportleidenschaft diskutiert.

»Nein, sie kämpft mit einem Virus«, erklärte Pat. »Ihr war nicht danach, zum Essen zu kommen.«

»Tut mir leid, das zu hören«, sagte Sam. »Hat sie irgend etwas dagegen eingenommen?«

»Das haben wir bereits geklärt, ja?« fauchte Rick.

Gnädigerweise kamen in genau diesem Moment Manfred und Ismet an unseren Tisch gestürzt. Manfred nahm unsere Weinbestellungen auf, und Ismet nannte uns die Spezialitäten. Da es der italienische Abend war, empfahl er uns das Ossobuco.

»Was zum Teufel ist Oh-so buh-ko?« fragte Rick seine Frau auf die gleiche feindselige Weise, auf die er sie am Abend zuvor nach dem Coq au vin gefragt hatte.

»Du bist doch Italiener. Find's selber raus«, sagte Brianna mit unüberhörbarer Schärfe in der Stimme. Sie war eindeutig noch nicht über ihren letzten kleinen Wortwechsel hinweg.

»Ich bin *Halb*italiener«, erklärte Rick. »Väterlicherseits. Aber gekocht hat immer meine Mutter. So wie es sich für Frauen *gehört*.«

»Möchtest du damit sagen, daß ich unsere gesamte Ehe in der Küche verbringen soll?« fragte Brianna herausfordernd. »Nur weil deine Mutter so gelebt hat?«

»Gefällt es dir nicht, wie meine Mutter ihr Leben geführt hat?« wollte Rick wissen.

Bevor Brianna noch eins draufsetzen konnte, fragte Ismet die Jungvermählten nach ihren Speisewünschen.

»Ich nehme das Ossobuco«, sagte Brianna und funkelte ihren Gatten an.

»Bringen Sie mir einfach einen Teller Spaghetti mit Fleischklößchen, Ishmael«, sagte Rick.

Ismet verbeugte sich und eilte davon, um unsere Bestellungen weiterzugeben.

Das Essen war wesentlich besser als am Abend zuvor, und ich genoß jeden Bissen meines Hühnchens alla romana. Aber am meisten genoß ich es, mit Sam zu sprechen – oder vielmehr ihm zuzuhören. Nachdem ihm Pat erschöpfend von ihren Kindern berichtet hatte, berichtete er uns erschöpfend von den Kindern seines Bruders – sechsjährigen Zwillingsmädchen, die ihn oft in Albany besuchten. Er schien sehr an den Kindern zu hängen und ein hingebungsvoller Onkel zu sein, äußerte sich aber erfrischend offen darüber, wie sehr ihn die Vorstellung beängstigte, selbst Kinder aufzuziehen.

Er wird eines Tages einen wundervollen Vater abgeben, dachte ich unvermittelt, als er von den letzten Weihnachten mit seinen kleinen Nichten erzählte. Einen aufrichtigen, liebevollen Vater. Ich wußte ganz genau, daß ich ihn idealisierte und er, sollte er jemals Kinder haben, sich als ebensolche Ratte erweisen konnte wie mein Vater. Doch für den Moment beschloß ich, Sam sein Image als Gott abzukaufen, was unvermeidlich ist, wenn man sich in blinder Leidenschaft verzehrt.

Beim Nachtisch, während Pat Sam von Bill und seiner Arbeit erzählte (es war die Rede von Hernien, Dickdarmkrämpfen und Beschwerden, die nicht gerade appetitanregend waren), tippte mir Dorothy auf den Arm und fragte mich, ob ich je verheiratet gewesen sei.

»Ja«, sagte ich. »Kurz. Ich bin geschieden.«

Sie nickte verständnisvoll. »Scheidung ist heutzutage in unserer Gesellschaft so häufig geworden, aber ich kann es einfach nicht begreifen. Lloyd und ich haben es geschafft, über fünfundsechzig Jahre zusammenzubleiben – länger, als unsere Eltern überhaupt gelebt haben.«

»Was ist Ihr Geheimnis?« fragte ich. »Es muß doch etwas geben, was Sie beide über lange und glückliche Ehen gelernt haben, was wir anderen nicht wissen.«

Sie lächelte wissend. »Das Geheimnis einer langen und glücklichen Ehe ist Sex, meine Liebe.«

»Sex?« wiederholte ich. Ich hatte eine scheinheilige kleine Rede über Vertrauen und gegenseitigen Respekt erwartet und darüber, wie wichtig es sei, daß die Partner miteinander kommunizierten.

»Ja, Sex«, beharrte sie. »Lloyd und ich rammeln immer noch wie die Kaninchen.«

Ich sah Lloyd an, der es nicht einmal schaffte, eine Gabel voll

Pasta in seinen Mund zu manövrieren. Die Hälfte davon landete auf seiner Smokingjacke.

»Er ist ein unglaublicher Liebhaber«, sagte Dorothy. Dann schloß sie die Augen, entweder weil sie in einer erotischen Erinnerung versank oder weil ihre Schlafenszeit schon längst gekommen war. Sie hielt die Augen mehrere Sekunden lang geschlossen.

»Dorothy?« fragte ich.

Sie antwortete nicht.

»Dorothy?« sagte ich noch einmal und stupste sie sachte an. Mir ging durch den Kopf, daß sie tot sein könnte.

»Ja?« sagte sie schließlich und machte ganz langsam die Augen auf.

»Alles in Ordnung?«

Sie strahlte. »Alles bestens«, sagte sie. »Mein Mann und ich sind wahnsinnig verliebt. Nicht wahr, Lloyd?«

»WAS HAST DU GESAGT, DOROTHY?« brüllte Lloyd.

»Ich habe gesagt, wir sind wahnsinnig verliebt«, wiederholte Dorothy.

Lloyd lächelte die Frau, mit der er seit über fünfundsechzig Jahren verheiratet war, weder an, noch machte er ihr eine Liebeserklärung. Aber mit einer Geste, die für einen so barschen und übellaunigen Mann wie ihn unerwartet zärtlich war, hob er die Hand zu ihrem Gesicht und streichelte ihr die Wange.

»Ich hab's Ihnen ja gesagt«, kicherte sie und zwinkerte mir zu.

»Ja, das haben Sie«, sagte ich lächelnd und beneidete sie.

Nach dem Essen beschlossen Pat, Sam und ich, uns die Elvis-Presley-Revue zu ersparen, und einigten uns auf einen Casino-Besuch. Wir besorgten uns jeder einen Becher voller Vierteldollars, suchten uns drei interessant aussehende Geldspielautomaten und hockten uns davor. Sam spielte an einem namens Jackpot Jungle, Pat versuchte sich am Double Diamond Deluxe, und ich bearbeitete den Super Joker. Ich bin noch nie eine große Spielerin gewesen, da ich nun mal der Typ Mensch bin, der jedes Risiko scheut, aber es hatte doch etwas seltsam Aufregendes an sich, einen Vierteldollar in den Schlitz zu werfen, am Hebel zu ziehen und so abzuwarten, ob sich all die kleinen Äpfel, Orangen und Erdbeeren so formieren würden, wie sie sollten. Es war ausgesprochen faszinierend zu gewinnen – selbst wenn es nur ein oder zwei Dollar waren. Sämtliche Lämpchen an dem Gerät fingen an zu blinken, die Klingeln und Summer lärmten los, und dann ergossen sich einem die Münzen in die erwartungsvoll ausgestreckten Hände. Trotzdem – auch wenn es noch so aufregend war, konnte ich mir nicht vorstellen, meine Tage und Nächte vor einem einarmigen Banditen zu verbringen, und ich wunderte mich über diejenigen, die das taten. Als ich mir an jenem Abend kurz die Leute im Casino betrachtete, fiel mir auf, daß viele von ihnen Frauen waren – Frauen, die ganz allein vor einem Automaten saßen, in der einen Hand eine Zigarette, in der anderen einen Cocktail, und spielten und verloren und spielten und gewannen und spielten und verloren und so weiter. Linderten sie so ihre Einsamkeit, entflohen einer schlechten Ehe, suchten einen Ausgleich zu einem eintönigen Leben? War das Verspielen von ein oder zwei Bechern Kleingeld eine gesellschaftlich eher akzeptierte Form der Rebellion, als, sagen wir, mit einem großen, dunklen Fremden nach Mexiko durchzubrennen?

Apropos großer, dunkler Fremder: Sam kam an meinen Automaten herüberspaziert und sagte: »Einen Becher Vierteldollars für Ihre Gedanken, junge Frau.«

Ich lachte. »Meine Gedanken sind nicht so viel wert, glauben Sie mir.«

»Macht's Spaß?«

»Klar. Und Ihnen?«

Er nickte. »Obwohl ich jetzt, glaube ich, genug habe. Ich würde lieber einen Spaziergang auf dem Promenadendeck machen. Haben Sie Lust mitzukommen?«

Ich sah auf die Uhr. Es war Viertel vor neun. Ich hatte eigentlich zurück in meine Kabine gehen und Harold anrufen wollen. Aber ich hatte bereits das letzte Mal, als Sam mich gefragt hatte, nämlich heute morgen zum Frühstücken, gesagt, ich müsse im Büro anrufen. Ich konnte ihm schlecht ein zweites Mal eine Abfuhr erteilen, indem ich ihm erzählte, ich müsse meinen Boß anrufen. Harold würde eben warten müssen.

»Mit Vergnügen. Sehen wir mal nach Pat«, sagte ich und suchte den Raum nach meiner Freundin ab. Als ich sie entdeckte, war sie immer noch über den Double Diamond Deluxe gebeugt.

»Scheffelst du das große Geld?« fragte ich, als sie ihren letzten Vierteldollar in das Gerät steckte und nur noch einen leeren Becher vorzuweisen hatte.

Sie zuckte verlegen mit den Achseln. »Ich fürchte, ich bin hierbei nicht besonders evident«, sagte sie.

»Effizient meinst du?« fragte ich.

Sie nickte.

»Das ist niemand«, sagte Sam beruhigend. »Deshalb sind ja morgen alle wieder da. Um es noch einmal zu versuchen.«

»Dann ist mir wohler«, seufzte Pat erleichtert auf.

»Hör mal, was hältst du von einem Spaziergang auf dem Promenadendeck?« schlug ich ihr vor. »Da können wir zusammen den italienischen Abend abarbeiten.«

Sie blickte zu Sam und dann wieder zu mir. Ich wußte, was sie dachte: Drei ist einer zuviel. Außerdem wußte ich, daß sie eine Entscheidung zu treffen hatte, und ich wußte, wie lange *das* dauern konnte. Ich versuchte sie anzutreiben. »Was meinst du, Pat? Kommst du mit?« Natürlich wollte ich mit Sam allein sein. Aber mir sind Frauen ein Greuel, die ihre Freundinnen sitzenlassen, sowie ein Mann auf der Bildfläche erscheint.

Wir warteten, während sie überlegte. Sam war sehr geduldig. Schließlich sagte sie, sie wolle nach oben gehen und nach Jackie sehen.

»Sind Sie sicher?« fragte Sam. »Es ist eine herrliche Nacht.«

Pat lächelte, während sie mich ansah. Es war eine neue Situation für uns, eine vollkommen neue Situation. Wenn die drei blonden Mäuse früher in Urlaub gefahren waren, war es meist Jackie gewesen, die Männer kennengelernt hatte, nicht ich. Nie ich. Plötzlich hatte sich das Gleichgewicht unserer Freundschaft verschoben. Plötzlich war ich diejenige, die die Lust gepackt hatte.

»Ich bin sicher«, sagte sie.

»Sag Jackie, ich wünsche ihr süße Träume«, sagte ich.

»Also? Bereit zum Spazierengehen?« fragte er.

»Bin bereit«, sagte ich.

Er legte mir die Hand auf den Rücken, an den Reißverschluß meines Kleides, als er mich aus dem Casino führte. Seine Berührung fühlte sich so zart an, daß ich buchstäblich erschauerte. Ich hoffte, daß er nicht merkte, wie ungewohnt es für mich war, von einem Mann berührt zu werden.

Als wir nach draußen kamen, war die Luft weich und warm, wie am Abend zuvor, aber es war nicht so klar. Über uns hingen Wolkengebirge, die Mond und Sterne verdeckten. Die Atmosphäre war drückend, geheimnisvoll, dramatisch.

»Gehen wir doch dort hinüber«, sagte Sam und deutete auf das Heck des Schiffs, wo ich bereits vierundzwanzig Stunden zuvor gestanden und das aufgewühlte Kielwasser unter mir betrachtet hatte.

Ich willigte ein, und so gingen wir aufs hintere Ende der *Princess Charming* zu. Sam wählte eine einsame, abgelegene Stelle an der Reling aus, eine Art Nische. Es war dunkel und eng und ein bißchen beängstigend dort, und wenn ich allein gewesen wäre, hätte ich über die Schulter geblickt. Aber ich war nicht allein. Ich war mit einem Mann zusammen, den ich mochte. Weswegen sollte ich mir Sorgen machen?

»Zigarette?« fragte Sam, während ihm der Wind eine Locke seines dunklen Haars in die Augen blies. Er kämmte sie mit seinen langen, schmalen Fingern zurück.

»Nein, danke. Ich rauche nicht.«

»Gut. Ich auch nicht.«

»Warum haben Sie mich dann gefragt, ob ich eine Zigarette möchte?«

»Ich weiß nicht. Ich trage einen Smoking, Sie ein elegantes Kleid, und wir stehen auf einem Schiffsdeck und blicken auf die nächtliche See. Ich hielt es für die Art Spruch, die ein richtig smarter Kerl in einer solchen Situation zu einer Frau sagt. Entweder ›Zigarette?‹ oder ›Glücklich, Liebling?‹«

Ich lachte. »Sie haben zu viele Filme mit Bette Davis gesehen.«

»Schuldig. Aber es geht nichts über ein Zitat aus einem alten Film, um ein Gespräch in Gang zu bringen.«

»Erzählen Sie mir bloß nicht, daß Ihnen die Worte fehlen.«

»Nein. Mir fehlen nur die *richtigen* Worte. Ihnen entgeht nicht viel, Slim. Bei Ihnen muß ein Mann ganz schön aufpassen, was er sagt.« Slim. Ein Spitzname. Nein, es war nicht »Schönste« oder »Geliebte«, aber es war um Klassen besser als »Kuschelhäschen«. Offen gestanden gefiel es mir ziemlich gut.

Vor allem gefiel mir die Art, wie er es sagte. Sein Tonfall war warm, spielerisch, persönlich. »Ehrlich gesagt, habe ich das Gefühl in puncto Bonmots mit Ihnen nicht ganz mithalten zu können«, gestand er.

»O Gott. Schon wieder ein Mann mit Versagensängsten«, stöhnte ich.

Er lachte. »Sind Sie mit sich selbst genauso streng wie mit anderen?«

»Darauf können Sie wetten. Außer mit meinem Exmann. Mit dem bin ich noch strenger als mit irgend jemandem sonst.«

»Ah ja. Sie haben schon erwähnt, daß Sie eine massive Abneigung gegen ihn haben. Dank Leah, der Frau, die in seinem Bestattungsinstitut gearbeitet hat.«

»Das war Lola. Leah ist meine Assistentin bei Pearson & Strulley. Oder zumindest war sie das.«

»Was ist denn passiert?«

»Mein Chef hat sie heute befördert. Ohne sich die Mühe zu machen, mir davon zu erzählen.«

»Sie müssen ganz schön sauer sein.«

Ich nickte. »Aber nicht so sauer, wie ich wegen Lola war. Eric hat immer gesagt, sie sei eine Künstlerin, was tote Körper anging. Wie sich herausstellte, war sie bei lebenden auch nicht ganz ungeschickt.«

»Tut mir leid.« Sam versuchte, ein Lachen zu unterdrücken.

»Ich wollte nicht witzig sein.«

»Sie sind aber witzig. Die Art, wie Sie Dinge schildern, bringt mich zum Lachen. Ich kann nichts dagegen tun.«

Meine Stimmung hellte sich auf. Ich fand es phantastisch, wenn er lachte. Wenn *ich ihn* zum Lachen brachte.

»Ihre Freundin Pat hat mir heute abend beim Essen von ihrer Ehe erzählt«, sagte er, »und davon, wie die Medizinerkarriere ihres Exmannes und ihre Konzentration auf die Kinder einen Keil zwischen die beiden getrieben hat. Sie liebt ihn nach wie vor, das ist nicht zu übersehen. Und sie liebt ihre Kinder und ihr Haus und ihr Leben in einer ruhigen Wohngegend über alles. Sie klang ziemlich zufrieden, abgesehen davon, daß Bill nicht mehr da ist.«

Es überraschte mich, daß sich Sam an Bills Namen erinnerte, aber dann wurde mir klar, daß Pat in den fünfzehn Minuten ihres Gesprächs Bills Namen vermutlich zweiundsiebzigmal erwähnt hatte.

»Sie will Bill wiederhaben, so einfach ist das«, sagte ich. »Sie glaubt, wenn sie wieder zusammenfänden, würde sie nicht noch mal die gleichen Fehler machen. Sie meint, sie wären jetzt beide älter und klüger.«

»Und was glauben Sie? Macht sie sich nur etwas vor?«

Ich zögerte, bevor ich antwortete. »Sie sind älter geworden, wie wir alle. Aber wer könnte behaupten, daß wir klüger geworden sind? Klugheit ist gewissermaßen Ansichtssache, wissen Sie? Wenn Bill zu ihr zurückkommt, wird Pat glauben, daß er klüger geworden ist. Und wenn sie sich zu der Frau entwickelt, zu der er zurückkehren möchte, wird er denken, daß sie klüger geworden ist.«

»Vielen Dank, Dr. Zimmerman.«

»Keine Ursache.«

»Und was ist mit dem ganzen Geld, das er für sie und die Kinder gezahlt hat? Sein Groll deswegen wird nur schwer zu überwinden sein.«

»Woher wissen Sie von seinem Groll?«

»Pat hat davon gesprochen.«

»Oh. Tja, vielleicht ärgert er sich wegen des Geldes, das er ausspucken muß, aber hat noch keine einzige Zahlung versäumt. Finanziell gesehen ist er ziemlich gut zu seinen Kindern gewesen.«

»Und emotional gesehen? Ist er auch für sie da, wenn Pat nicht in Urlaub ist?«

»Er ist ein Mann.«

Sam lachte. »Soll das eine Antwort sein?«

Ich mußte auch lachen. »Tut mir leid. Ich hatte einen Vater, der nicht da war, ob nun emotional oder sonstwie. Jedenfalls bin ich beim Thema Männer und Väter nicht gerade objektiv.« Ich erzählte Sam die Geschichte in allen Einzelheiten.

»Und Ihre Mutter? Was für eine Rolle hat sie dabei gespielt, daß Ihr Vater unglücklich war?«

»Daß er *unglücklich* war? Finden Sie es richtig, so über einen Schürzenjäger zu reden?«

»Nun, er war offensichtlich nicht glücklich mit Ihrer Mutter. Warum hätte er sich sonst mit anderen Frauen abgeben sollen?«

»Weil…« Ich hielt inne. »Woher zum Teufel soll ich wissen, warum Männer das tun, was sie tun?«

»Immer mit der Ruhe, Slim. Ich wollte nur andeuten, daß es manchmal zwei braucht, um eine Ehe zu zerstören, und daß Ihre Mutter vielleicht keine Mutter Teresa war.«

»Nein, sie war besser gekleidet.«

Er lächelte. »Sollen wir lieber über etwas anderes reden?«

Ich nickte.

»Was ist mit Jackie?« fragte er. »Was ist in ihrer Ehe schiefgelaufen?«

»Pete hat eine Frau gefunden, mit der er lieber verheiratet sein wollte als mit Jackie. Eine Frau mit Geld. Eine Frau, die Duftkissen in ihre Wäscheschubladen legt.«

»Ich weiß nicht…«

»Tut mir leid. Lassen Sie mich ein bißchen weiter zurückgehen. Jackie und Peter haben sich auf dem College kennengelernt«, erklärte ich. »Sie waren Hippies. Sie haben von der Hand in den Mund gelebt.«

»Und dann kam Peter zu dem Schluß, daß er eine Frau wollte, die von einem Treuhandvermögen lebte und Duftkissen in ihre Schubladen legte?«

»Genau. Peters Geschmack änderte sich. Früher war er rundum zufrieden mit einer Frau in Latzhosen. Er und Jackie haben geheiratet, das J&P-Gartencenter gegründet und es zu einem Erfolg gemacht. Dann stellte Peter fest, daß er mit einer reichen Frau glücklicher wäre.«

»Aber sie arbeiten immer noch zusammen?«

»Mhm. Beruflich sind sie gute Partner. *Waren* gute Partner. Jetzt möchte Peter einen richtigen Großbetrieb aus dem J&P-Gartencenter machen, aber Jackie will weder expandieren noch sich auszahlen lassen. Die Stimmung zwischen ihnen ist momentan total gespannt. Was wieder einmal beweist, daß Männer wankelmütige Kreaturen sind. Man weiß nie, was ihnen im nächsten Moment einfällt.«

»Nein, Slim. Das weiß man nie.«

Um seine Äußerung zu unterstreichen, tat Sam etwas völlig Unerwartetes: Er beugte sich vor und küßte mich auf die Wange!

Ich war so baff, daß ich nur dastehen und ihn anstarren konnte. Seine Lippen waren so sanft und weich und die Geste so zart und unbedrohlich, daß ich mir, als er sich wieder entfernte, allen Ernstes eine Hand aufs Gesicht legte, auf die Stelle, wo sein Mund gewesen war, nur um die Wärme dort zu spüren. Ich fühlte mich an Lloyd Thayer erinnert, daran, wie er Dorothys Wange gestreichelt hatte, wie die Zärtlichkeit dieser Geste mich erstaunt hatte, und daran, daß Lloyd und Dorothy seit fünfundsechzig Jahren verheiratet waren.

»Jetzt habe ich anscheinend eine Methode gefunden, dich sprachlos zu machen«, lachte Sam. »Ich habe dich mit Freundlichkeit überwältigt.«

»Du steckst voller Überraschungen«, sagte ich und versuchte mich zu sammeln. Der letzte Mann, der mich auf die Wange geküßt hatte, war Harold gewesen, mein Chef, und zwar an dem Tag, als er mir erklärte, daß ich eines der wertvollsten Mitglieder seines Teams sei. Und jetzt konnte ich ihn nicht einmal dazu bewegen, mich zurückzurufen. »Warum hast du das getan?« fragte ich Sam, da ich es ehrlich wissen wollte.

»Das war ein Reflex, ein Impuls. Tust du nie Dinge, die völlig spontan sind?«

»Fast nie.«

»Tja, ich schon. Außerdem mußte ich mich nicht so tief herablassen, um dich zu küssen.«

»So tief herablassen, um…«

»Das war die falsche Formulierung. Ich habe gemeint, daß ich mich nicht wie eine Brezel verrenken mußte, um dich zu küssen, weil wir ja von der Größe her nicht so weit voneinander entfernt sind.«

»Aha.« Ausnahmsweise erwies sich meine Größe einmal als praktisch.

Ich war immer noch dabei, die Geschehnisse zu verarbeiten, als Captain Solbergs Stimme mit dem Neun-Uhr-Wetterbericht über die Lautsprecheranlage ertönte.

»Guten Abend, meine Damen und Herren. Hier spricht Ihr Captain.«

Sam sah auf die Uhr und nickte. »Er ist wirklich pünktlich. Schon den zweiten Abend hintereinander.«

»Wir setzen unseren Weg in südöstlicher Richtung fort«, unterrichtete uns Captain Solberg, »an Kuba vorbei und zu unserem ersten Anlegehafen, der Isle de Swan. Wir werden morgen früh gegen halb acht dort ankommen und rechnen mit einem herrlichen Tag auf der Insel. Die Temperatur liegt momentan bei fünfundzwanzig Grad Celsius, und es ist teilweise bedeckt. Die Brücke der *Princess Charming* wünscht Ihnen einen angenehmen Abend.«

»Ich freue mich schon auf die Isle de Swan«, sagte ich, nachdem Captain Solberg sich verabschiedet hatte. »Aber wie wollen sie eigentlich zweitausendfünfhundert Passagiere vom Schiff auf diese winzige Insel schaffen? Es kann doch dort keinen Pier geben wie in Miami.«

»Nein, den gibt es auch nicht. Sie haben so was wie kleine Barkassen, mit denen sie zwischen dem Schiff und der Insel hin- und herfahren. Es kann Stunden dauern, bis alle drüben und wieder zurück sind. Da wir um vier Uhr schon wieder ablegen, würde ich dir empfehlen, dich frühzeitig anzustellen, wenn du länger als zehn Minuten auf der Insel sein möchtest.«

»Ich dachte, du hättest gesagt, dies sei deine erste Kreuzfahrt? Du kennst dich ja besser aus als die Frau im Reisebüro.«

»Ich habe mir ein paar Reiseführer gekauft, in denen über jedes Schiff etwas drinsteht. Sie beurteilen das Essen, die Kabinen, das Unterhaltungsangebot, einfach alles. Das einzige, worüber sie sich ausschweigen, ist die Gesellschaft. Sie können nicht vorhersagen, wie die Mitreisenden sein werden.«

»Also gut. Wie würdest du die Passagiere auf diesem Schiff beurteilen?«

»Jetzt möchtest du wohl ein Kompliment hören, was?« Er setzte ein schiefes Lächeln auf.

»Natürlich nicht.« Natürlich schon.

»Okay. Soweit ich bislang gesehen habe, würde ich die Passagiere auf der *Princess Charming* als eindeutig überdurchschnittlich einordnen. Ausgesprochen interessant.«

»Oh, bitte. Die Leute auf diesem Schiff sind ungefähr so interessant wie ein Parfümseminar.«

»Ich spreche von dir, Slim.«

»Von mir?« Er kam näher. Unwillkürlich trat ich zurück. Nun hing ich praktisch über der Reling.

»Ja, von dir«, sagte er. »Ich habe noch nie jemanden wie dich kennengelernt.«

»Na komm. Du kennst mich doch überhaupt nicht.« Meine Stimme klang hoch, piepsig und leicht hysterisch. Das kam alles so überraschend. Ersehnt, ja. Ausgemalt, sicherlich. Aber nicht einmal in meinen lebhaftesten Phantasien hätte ich mir träumen lassen, daß es so schnell gehen könnte.

»Nein«, gab Sam zu, »ich kenne dich nicht. Aber ich kann nicht aufhören, an dich zu denken.«

Jetzt kommt das Gesülze, dachte ich, als Sam noch näher kam. Dieser Typ belabert wahrscheinlich Unmengen von Frauen mit diesem Satz. Und das nach dem Unsinn, daß ihm die Worte fehlten. Er konnte ja auch ein Gigolo sein – was wußte ich denn schon? Einer von diesen Männern, die die Kreuzfahrtschiffe abgrasen, auf der Suche nach alleinstehenden, ungebundenen, wohlhabenden Frauen – Frauen mittleren Alters.

»Ich weiß nicht genau, *warum* ich unaufhörlich an dich denken muß«, fuhr Sam fort. »Eigentlich bist du ebenso nervtötend, wie du witzig bist. Wir kennen uns ja erst seit kurzem, aber immer wenn wir zusammen sind, kann ich nicht entscheiden, ob du eine Nervensäge bist oder der ›Fund‹ des Jahrhunderts.«

»Tja, dann gehe ich wohl am besten in meine Kabine zurück und warte deine Entscheidung ab.«

»So habe ich es nicht gemeint. Ich wollte nur sagen, daß ich eigentlich nicht damit gerechnet habe, daß mir diese Kreuzfahrt Spaß machen würde, und jetzt gefällt sie mir doch. Sehr sogar. Das war ein Kompliment, Elaine.«

»Danke schön.«

»Verstehst du, ich war nicht in Ferienstimmung, als ich Albany verließ. Ich habe über einen Berufswechsel nachgedacht, und das hat mich stark belastet.«

»Einen Berufswechsel? Du meinst, weil du soviel reisen mußt?«

»Ja. Das spielt dabei eine große Rolle.«

»Aber du hast doch gesagt, daß dir die Versicherungsbranche gefällt, daß sie dir in die Wiege gelegt wurde.«

»Das habe ich wohl gesagt, ja.«

Ich nickte. Wir standen immer noch sehr nahe beieinander. Wir standen sogar so nahe beieinander, daß meine Nasenspitze beim Nicken seinen Adamsapfel streifte.

»Paß auf, ich möchte dich nicht mit meinen beruflichen Problemen langweilen«, sagte er und wich plötzlich zurück. »Ich glaube, diese Woche wird ziemlich amüsant werden. Darüber, was nach der Reise passiert, zerbreche ich mir nach der Reise den Kopf.«

Ich nicht. *Ich* würde Harold anrufen, sowie ich wieder in meiner Kabine war.

»Also«, sagte Sam, lockerte seine Krawatte und knöpfte die Smokingjacke auf. »Was hältst du davon, die Stimmung ein bißchen aufzuheitern und hinunter in die Disco zu gehen?«

»In die Disco? Was sollen wir denn da?«

»Tanzen vermutlich.«

»Ich bin keine große Tänzerin. Man hat mir gesagt, daß ich führe.«

»Kein Mensch führt beim Discotanzen. Man stellt sich einfach auf die Tanzfläche und entspannt sich.«

»Ich weiß nicht, wie man sich entspannt.«

»Aber sicher weißt du das.« Sam nahm meine Hand. Es war das dritte Mal, daß wir Hautkontakt hatten. Ich zählte mit.

»Ich warne dich«, sagte ich. »Tanzen ist nicht meine Stärke.«

»Du wirst dich amüsieren wie noch nie«, sagte er. »Vertrau mir.«

»Ich vertraue nie Leuten, die sagen ›Vertrau mir.‹«

»›Nie‹ ist eine lange Zeit, Slim.«

8

Die Disco der *Princess Charming* war – wie die Restaurants und Boutiquen – gut gemeint, aber geschmacklos. Die Wände waren in einem schlammigen Zahnpastapink gestrichen, und davor standen schwarze Kunstledersofas. Als Sam und ich hereinkamen, tanzten alle zu diesem uralten Song »Feelin' Hot! Hot! Hot!«, der überhaupt kein Discosong war. Er hatte einen südamerikanischen Rhythmus und hätte eher in Pats Merengue-Kurs gepaßt. Zur Zeit untermalte er eine Toyota-Werbung – Grund genug, nicht danach zu tanzen, fand ich.

Trotzdem zerrte mich Sam auf die Tanzfläche, wo ich ein halbes Dutzend Nummern lang blieb. Zuerst fühlte ich mich schrecklich unsicher. Es half ein bißchen, daß Sam größer war als ich; daß ich nicht alle überragte wie eine Riesin. Aber ich hatte kein Gefühl für den Rhythmus, keine Verbindung zu meinem eigenen Körper und keine Geduld für Songs, die eine Ewigkeit dauerten und immer wieder die gleichen sinnlosen Phrasen wiederholten.

»Entspann dich«, drängte Sam. »Versuch's.«

»Tu ich ja.« Ich tat es wirklich. Für mich selbst. Ich zuckte andeutungsweise zur Musik, schnippte gelegentlich mit den Fingern und schwenkte den Kopf auf und ab, um mehr Wirkung zu erzielen, und trotz meines anfänglichen Widerstands begann ich mich zu amüsieren.

Es stellte sich heraus, daß Sam für einen Weißen ein ziemlich guter Tänzer war. Er war locker und anmutig, und in seinem schwarzen Smoking sah er umwerfend aus. Ich war auch nicht die einzige, die das bemerkte: Einige Frauen starrten ihn mit heraushängender Zunge an.

Tut mir leid, er ist mit *mir* da, grinste ich selbstgefällig. Die Frage war nur, *warum* war er mit mir da? Trotz seiner Bemerkung, daß er unaufhörlich an mich denken müsse und daß er noch nie jemanden wie mich kennengelernt hätte, fragte ich mich unwillkürlich, was jemand wie Sam Peck mit einer verklemmten, knochigen Kuh wie mir anfing. Steuerten wir etwa auf eine Liebesgeschichte zu, er und ich? Unmöglich, dachte ich. Liebesgeschichten sind eine Fiktion, ein Handlungsmotiv in Büchern und Filmen. Aber wie sollte ich mir dann die Tatsache erklären, daß ich mich derart stark zu Sam hingezogen fühlte? Daß Sam auch an mir interessiert zu sein schien? Daß ich mich, obwohl ich überhaupt keine Kreuzfahrt hatte machen wollen, phänomenal amüsierte?

Wir tanzten bis Viertel vor zehn beziehungsweise bis sich meine Haare kräuselten. Irgendwann verkündete der DJ, nun sei »Karaoke-Time!«. Die Menge applaudierte begeistert. Ich wandte mich an Sam und fragte: »Was heißt ›Karaoke‹ eigentlich? Es klingt wie eine ansteckende asiatische Krankheit.«

»Ich habe keine Ahnung«, sagte er.

»Und was ist so toll daran? Wenn die Leute bei einem Song mitsingen wollen, können sie das doch in ihrem Auto tun.«

»Das heißt wohl, daß du heute nicht zum Mikrophon greifen wirst«, meinte Sam mit einem Lächeln.

Ich schüttelte den Kopf.

In diesem Moment begann die Musik, und die Leute standen Schlange, um sich am Mikrophon zu versuchen. Das erste Stück war »Born in the U.S.A.«, und der erste, der es sang, war Lenny

Lubin. Stellen Sie sich vor, wie Jackie Mason Bruce Springsteen imitiert, und Sie können nachempfinden, was wir durchmachten. Als Lenny fertig war, jubelte die Menge – weil er das Mikrophon freigab, nicht weil er auch nur ansatzweise gut gewesen wäre –, und er steuerte geradewegs auf Sam und mich zu.

»He, bin ich ein Star oder was?« sagte er und tätschelte sein orangefarbenes Haar, um sich zu vergewissern, daß es nach all seinen Verrenkungen noch an Ort und Stelle saß.

»Sie waren großartig, Lenny. Einfach großartig«, sagte ich.

»Danke. Und wer ist das?« fragte er mit einem Nicken zu Sam.

»Sam Peck«, sagte Sam. »Erfreut, Sie kennenzulernen.«

»Lenny Lubin. Von Lubin's Lube Jobs. Wenn Sie mal in Massapequa sind und einen Ölwechsel brauchen, schauen Sie vorbei«, sagte Lenny.

»Massapequa ist auf Long Island«, flüsterte ich Sam zu. »Nicht allzu weit von Manhattan.«

»Danke, daß du diesem armen, verirrten Kleinstadtjungen durch die Schnellstraßen und Seitenstraßen des Lebens hilfst«, flüsterte Sam zurück.

»In welcher Branche sind Sie?« wollte Lenny wissen.

»Versicherungen«, antwortete Sam.

»Bei welchem Laden?«

»Dickerson Life.«

»Dickerson? Nie gehört.«

»Der Hauptsitz ist in Albany. Ich arbeite schon seit zehn Jahren für sie.«

Ich sah Sam an. »Mir hast du erzählt, daß du schon seit fünfzehn Jahren für sie arbeitest.«

»Nein, Elaine. Das kann ich nicht gesagt haben. Du mußt mich mit Kenneth durcheinanderbringen, der auch bei uns am Tisch sitzt. Er hat gesagt, daß er schon seit fünfzehn Jahren im Anlagegeschäft ist.«

Ich zuckte mit den Achseln. Möglicherweise hatte ich mich geirrt. Aber das passierte mir im allgemeinen nicht, wenn es um Dinge ging, die mir Menschen über sich selbst erzählten. Ich hörte stets aufmerksam zu, wenn sie mir kleine Einzelheiten aus ihrem

Leben anvertrauten, denn Wissen ist Macht. Je mehr man über die Leute wußte, desto besser konnte man sich vor ihnen schützen, wenn sie sich als Lügner und Betrüger entpuppen sollten.

»Kann man bei diesem Dickerson Haftpflichtversicherungen abschließen? Fürs Auto? Fürs Haus? Gegen Überschwemmungen?« fragte Lenny Sam.

»Alles, was Sie aufgezählt haben«, antwortete Sam. »Unser Motto lautet: Dickerson – und Versicherung heißt Sicherheit.«

»Sehr einprägsam«, meinte ich.

Lenny stand noch ein paar Minuten bei uns und fragte mich, wo die beiden anderen »Hübschen« seien. Ich sagte es ihm. Schließlich erklärte er, er wolle in seine Kabine gehen und in etwas Bequemeres schlüpfen und dann zurückkommen, um richtig mit Tanzen loszulegen.

»Möchtest du noch bleiben? Oder gehen?« fragte Sam, nachdem wir Lenny losgeworden waren.

»Gehen, glaube ich«, sagte ich. »Ich schätze, ich habe genug Disco für heute.«

Wir verließen gerade die Disco, als wir Henry Prichard begegneten, der sich in Begleitung einer Blondine in einem schulterfreien, blaßrosa Kleid befand. Zuerst tat er so, als hätte er mich noch nie gesehen, obwohl wir uns erst am Tag zuvor kennengelernt hatten. Und dann, als ich Hallo sagte und ihn daran erinnerte, daß ich eine Freundin von Jackie Gault war, fragte er allen Ernstes: »Jackie wer?«

»Gault«, sagte ich. »Sie haben gestern abend nach dem Essen noch etwas mit ihr getrunken.«

»Ach *Jackie*«, sagte er und nickte heftig. Er hatte immer noch die Baseballkappe von den Pirates auf. Zu seinem Smoking. Ich nahm an, daß sein vorübergehender Gedächtnisschwund eher damit zusammenhing, daß er bei der Blonden im blaßrosa Schulterfreien weiterhin gut angeschrieben sein wollte, als damit, daß er Jackie vergessen hätte. Immerhin – war Henry nicht vor dem Abendessen auf Deck 8 gewesen, um sich nach ihr zu erkundigen? Hatte es Kingsley nicht so geschildert? Oder hatten Pat und ich nur angenommen …

»Ich heiße Sam Peck«, sagte Sam und schüttelte sowohl Henry als auch seiner Begleitung die Hand. Sie hieß Ingrid und war Schwedin.

»Henry Prichard. Erfreut, Sie kennenzulernen.«

Henry fragte nicht einmal, wie es Jackie ging, stellte ich enttäuscht fest. Er sagte auch nichts Harmloses wie: »Bestellen Sie ihr meine besten Grüße.«

»Gefällt Ihnen die Kreuzfahrt?« fragte ich ihn und Ingrid.

»Sie ist sensationell!« begeisterte sich Henry. »Das Beste, was ich je gemacht habe. Ich schwöre bei Gott, wenn ich wieder nach Altoona komme, verkaufe ich so viele Autos, daß sie mich diese Kreufahrt noch einmal gewinnen lassen müssen.«

»Und Sie, Ingrid? Amüsieren Sie sich gut?« fragte ich.

»Danke. Wie geht es Ihnen?« sagte sie lächelnd.

Ingrid sprach nicht viel Englisch, aber sie war sehr hübsch. Ich nahm an, daß Henry mit *ihr* nicht über Baseball redete.

»Was macht Ihre Nebenhöhlenentzündung?« fragte ich Henry aus reiner Höflichkeit. Mir war wieder eingefallen, daß er Jackie am Abend zuvor erzählt hatte, er hätte seine Kabine aufgesucht, um seine Antibiotika einzunehmen.

Er sah mich ein oder zwei Sekunden ausdruckslos an. Dann sagte er: »Ach, das.« Er preßte sich die Finger gegen die Wangenknochen unterhalb der Augen und schüttelte den Kopf. »Es geht mir besser, aber ich bin noch nicht ganz aus dem Schneider. Ich habe immer noch diesen dumpfen Kopf.«

Das kommt daher, daß du ein Dumpfkopf bist, dachte ich. Dieser Knabe schien sich ja wirklich an rein gar nichts zu erinnern.

Schließlich überließ ich Henry seiner weiteren Abendgestaltung und schwor mir, Jackie nicht zu erzählen, daß ich ihm begegnet war.

»Du bist mir ja vielleicht eine Betriebsnudel«, sagte Sam, als wir uns den Weg aus der Disco bahnten und auf den Aufzug zugingen.

»Ich…«

»Erst Skip. Dann Lenny. Jetzt Henry. Hast du in nur zwei Ta-

gen sämtliche alleinstehenden Männer auf dem Schiff kennengelernt?«

»Bis auf zwei oder drei«, witzelte ich und hoffte insgeheim, die
Frage wäre ein Beweis dafür, daß Sam eifersüchtig war.

Wir schlenderten durch den Flur, in sicherem Abstand voneinander, und blieben vor dem Aufzug stehen. Wir blieben eine
ganze Weile dort stehen, wir zwei ganz allein, und jeder wartete,
daß der andere den Knopf drückte, da wir wußten, daß wir,
wenn wir erst einmal im Aufzug waren, entscheiden mußten, zu
welchem Deck wir fahren wollten und was wir dort tun würden,
wenn wir ankämen. Wir durchlebten diesen qualvoll unbehagli-
chen Augenblick, wo man mit einem Mann aus ist, den man im
Urlaub kennengelernt hat, sich die Situation zuspitzt und keiner
von beiden genau weiß, wie man den Abend beenden oder ob
man ihn *überhaupt* beenden soll. Gehen Sie in sein Zimmer?
Kommt er auf ihres? Oder zieht sich jeder auf sein eigenes Zimmer zurück und läßt den anderen mit dem Wunsch nach mehr
zurück? Und wenn man vor dem Aufzug beschließt, es dabei zu
belassen, wie beschließt man es dann? Küßt man sich? Schüttelt
man sich die Hände? Macht man das »Peace«-Zeichen? Steht
man einfach da, ganz sittsames kleines Frauchen, und wartet ab,
daß der Mann die Sache in die Hand nimmt? Oder nimmt man
selbst die Sache in die Hand, in dem Wissen, daß man – egal, was
man tut – die halbe Nacht damit zubringen wird, sich zu wünschen, man hätte es anders gemacht?

Dieses peinliche Schweigen wurde durch die Tatsache noch
peinlicher, daß draußen ein heftiger Wind aufgekommen war
und das Schiff begonnen hatte, auf höchst unangenehme Weise
zu schlingern.

»Danke, daß du mit mir tanzen gegangen bist«, sagte ich
schließlich.

»Gern geschehen«, meinte Sam.

»Es hat mir Spaß gemacht«, sagte ich.

»Und wie.« In seinen blauen Augen stand die Skepsis.

»Ehrlich. Vertrau mir.«

»Ich vetraue nie Leuten, die sagen: ›Vertrau mir.‹«

Ich lachte.

»Gehst du morgen früh joggen?« fragte er.

»Ja, wenn dieser kleine Sturm sich gelegt hat.«

»Treffen wir uns doch um halb acht auf dem Promenaden-deck.«

»Einverstanden.«

»Und danach gehen wir frühstücken.«

»Das wäre schön.«

»Du und Pat und Jackie werdet vermutlich gemeinsam zur Isle de Swan hinüberfahren, oder?«

»Wenn es Jackie bessergeht. Aber du bist herzlich eingeladen, mitzukommen.«

»Gern. Ich würde gern mitkommen, meine ich.« Er hielt inne und trat dann einen Schritt näher. Ich konnte seinen heißen, discolastigen Atem auf meinem Haar spüren. Auch eine Spur Knoblauch war darin. Vom italienischen Abend. »Es ist ja wohl ziemlich offensichtlich, daß ich gern mehr von dir sehen würde.«

»Mehr von mir?« Was meinte er damit? Mehr von mir wie: öfter? Oder mehr von mir wie: mehr Körper?

»Ja, mehr von dir. Ich habe dir ja schon gesagt, daß ich mir nicht ganz sicher bin, was ich von dir halten soll. Du erforderst eindeutig genauere Erforschung.« Er lächelte.

»Wie bei einem wissenschaftlichen Projekt?« fragte ich, und meine Atmung wurde flacher, je näher er zu mir herkam. Und je näher er herankam, desto weiter wich ich vor ihm zurück – aus reiner Nervosität, verstehen Sie, und weil ich mit Situationen wie dieser so außer Übung war –, bis ich mit dem Rücken gegen die Aufzugtür stieß und mich versehentlich an den »Aufwärts«-Knopf lehnte.

»Ist irgendwas nicht in Ordnung?« fragte Sam.

»Nicht in Ordnung? Nein«, sagte ich, da ich nicht zugeben wollte, wie angespannt ich war, wie sehr ich mich danach *sehnte*, daß Sam mich küßte. »Ich wollte nur nicht, daß du denkst, ich sei leicht zu haben.«

Er lachte. »Kein Mensch käme je auf die Idee, daß du leicht zu haben bist, Slim.«

»Es wird leichter, wenn du mich besser kennenlernst«, versprach ich, da ich hoffte, er würde nicht aufgeben.

Sam, der offensichtlich meine Gedanken lesen konnte, beugte sich vor und wollte gerade seine Lippen auf meine drücken, als der Aufzug ankam. Mein Werk.

Wir rissen uns voneinander los und starrten feindselig die Aufzugtüren an, die sich öffneten und den Blick auf sechs oder acht Nonnen freigaben. Es erübrigt sich zu erwähnen, daß der romantische Zauber verflogen war.

Sam und ich quetschten uns zwischen die Schwestern, drückten die Knöpfe für unsere beiden Stockwerke und fuhren hinauf. In seinem Stockwerk langten wir zuerst an. Kurz bevor er ausstieg, berührte er mich am Arm und flüsterte: »Bis morgen früh.«

»Bis dann«, sagte ich und hoffte, die Nonnen wären erfreut darüber, daß Sam und ich den Abend mit einer so keuschen Note beschlossen.

Na gut, dachte ich. Wir haben ja noch fünf Nächte.

Bevor ich in meine Kabine ging (was keine leichte Aufgabe war, da das Schiff dermaßen rollte und schlingerte, daß es ein Abenteuer war, den Flur hinabzugehen), blieb ich vor Pats Kabine stehen, um mich nach Jackies Gesundheitszustand zu erkundigen, doch sie hatten alle beide das »Bitte-nicht-stören«-Schild an die Tür gehängt. Ich nahm an, daß sie schon schlafen gegangen waren und mir alles am nächsten Morgen erzählen würden.

In meiner Kabine angekommen, sank ich aufs Bett, das Kingsley gekonnt hergerichtet hatte, und stellte fest, daß ich nicht im geringsten müde war. Ganz im Gegenteil – ich war aufgedreht, zappelig und ruhelos. Ich fühlte mich wie ein Schulmädchen, das gerade von einer heißen Verabredung nach Hause gekommen ist und für sein Leben gern jemandem die Geschichte in allen Einzelheiten erzählen möchte. Das Problem war nur, daß es keinen »jemand« gab.

Es war kurz nach zehn. Ich schaltete den Fernseher ein und lehnte mich zurück, um die Nachrichten auf CNN anzusehen. Der Empfang war mal besser, mal schlechter, vermutlich wegen des Sturms, aber ich bekam ein paar der gesendeten Beiträge mit. In einem ging es um Zinssätze. In einem anderen um die Herzogin von York. Dann kam etwas über Hydrokultur-Tomaten. Und gerade als ich anfing, mich zu entspannen, kam etwas über Dina Witherspoon, die verhaftet worden war, weil sie in der Schmuckabteilung von Neiman-Marcus dieses gottverdammte Armband hatte mitgehen lassen!

Ich schoß vom Bett auf.

Das Bild auf dem Fernseher war grobkörnig und der Ton undeutlich, aber meine Kundin war unverwechselbar, wie sie umringt von Medienvertretern in Handschellen aus ihrem Hotel in Dallas geführt wurde.

»Ich dachte, *Sie* würden das regeln, Leah!« rief ich laut, erbost darüber, daß Dina Witherspoons Ruf – und der von Pearson & Strulley – in die Hände einer Elevin, noch dazu *meiner* Elevin, gelegt worden war!

Plötzlich war der Bildschirm schwarz. Ich bedauerte es nicht. Nun mußte ich wenigstens keine Geschichten mehr über die Skandale, in die meine *anderen* zwei Kunden verwickelt waren, mitansehen.

Jetzt reichte es. Ich würde Harold anrufen. Er war ein Nachtmensch und blieb oft bis ein oder zwei Uhr morgens auf. Es war mir egal, wieviel Uhr es war. Dies war meine Chance, ihm meine Unersetzlichkeit ins Gedächtnis zu rufen, ihm restlos klarzumachen, daß Dina Witherspoons Bild, wenn ich die Angelegenheit geregelt hätte, nicht weltweit über alle Fernsehschirme geflimmert wäre, als ob sie eine gewöhnliche Kriminelle wäre, und daß, wenn meine Assistentin schon befördert werden mußte, *ich* es hätte sein sollen, die sie beförderte.

Ich hangelte mich zum Telefon hinüber und hielt mich dabei an den Möbeln fest, damit mich das Stampfen und Schlingern des Schiffs nicht umwarf. Ich nahm den Hörer ab, nannte der Vermittlung meine Kreditkartennummer, wählte Harolds Privatanschluß und wartete. Es erstaunte mich nicht, daß das Rauschen in der Leitung noch schlimmer war als am Tag zuvor, da der Fernsehempfang schon so miserabel gewesen war. Trotzdem hoffte ich, die Verbindung würde lange genug klar bleiben, um meinem Chef mein Anliegen zu vermitteln.

Ich wartete. Es dauerte entsetzlich lang, bis der Anruf durchkam. Das einzige, was ich hörte, war Summen, Brummen und Knistern.

Ich überlegte, warum sich Sea Swan Cruises überhaupt die Mühe machten, jede Kabine mit Fernseher und Telefon auszustatten, wenn beides von ein paar Regenschauern außer Gefecht gesetzt werden konnte. Es überrascht Sie bestimmt nicht zu hören, daß ich mich genauso darüber ärgern kann, wenn mich leblose Gegenstände im Stich lassen, wie wenn es Menschen tun.

Die Zeit verging, und die Verbindung war immer noch nicht hergestellt. Ich wollte gerade auflegen und noch einmal anrufen, als ich ganz entfernt eine männliche Stimme hörte. Ich nahm an, daß es Harold war, der »Hallo« sagte.

»Harold!« schrie ich. »Hier ist Elaine Zimmerman! Ich rufe von der *Princess Charming* aus an!«

Als Antwort hätte ich etwas in der Richtung erwartet wie: »Elaine, das ist aber eine Überraschung!« Oder: »Elaine, setz dich ins Flugzeug und komm nach Hause. Pearson & Strulley braucht dich.« Oder zumindest: »Elaine, wie zum Teufel kommst du dazu, mich so spät abends zu Hause anzurufen?«

Statt dessen kam überhaupt keine Antwort. Jedenfalls nicht für mich. Nachdem ich die erste Männerstimme gehört hatte, hörte ich, wie eine zweite auf die erste antwortete. Und dann sagte der erste Mann wieder etwas zum zweiten. Schließlich dämmerte mir, daß keiner dieser beiden Männer Harold war und auch keiner von ihnen mich hören konnte.

Ich erinnerte mich daran, daß mir das gleiche schon einmal in New York passiert war. Eines Samstagabends hatte ich in meiner Wohnung den Telefonhörer abgenommen, weil ich chinesisches Essen aus dem Lokal um die Ecke bestellen wollte, und anstelle des Besitzers vom Pan Central Station, wo sie ein göttliches Moo Goo Gai Pan machten, hatte ich zwei Jamaikanerinnen in der Leitung, die sich darüber stritten, welche von ihnen das bessere Ziegencurry machte. Ich meldete das Problem vom Apparat einer Nachbarin aus der Telefongesellschaft, und die zuständige Person versicherte mir, die Leitung werde binnen vierundzwanzig Stunden wieder in Ordnung sein. Sie war es nicht. Zwei ganze Tage lang war ich gezwungen, Gespräche zu belauschen, die es nicht wert waren, belauscht zu werden.

»Hallo? Hallo?« sagte ich zu den beiden Männern. »Kann mich einer von Ihnen hören?«

Sie schwatzten einfach weiter, als hätte ich kein Wort gesagt; ihre Stimmen klangen blechern, verzerrt und unangenehm.

Ich wollte gerade verärgert wieder auflegen, als ich hörte, wie der eine Mann dem anderen Mann erzählte, daß es sonnig und warm und die *Princess Charming* viel größer als erwartet sei und er sich einigermaßen wohl fühle.

»Das freut mich zu hören«, sagte der andere. »Ich wußte ja, daß Sie die Sache mit meinen Augen sehen würden.«

Vielleicht ist es ein Vertreter, der sich bei seinem Boß droben im Norden für die Kreuzfahrt bedankt, die er gewonnen hat, dachte ich. Oder der Boß macht die Kreuzfahrt und fragt seinen Vertreter, wie die Geschäfte gehen. Die Stimmen waren so verzerrt, daß ich nicht erraten konnte, was für Männer es waren.

Ich wollte erneut auflegen, als das Gespräch interessant zu werden begann.

»Was für einen Bären haben Sie denn den anderen Passagieren aufgebunden?« fragte der erste Mann.

Die Antwort des anderen war praktisch unverständlich, obwohl er es war, der vom Schiff aus sprach, während sich der andere irgendwo in den Staaten aufhielt. Seine Stimme verschwand immer wieder, und das einzige, was ich verstehen konnte, war:

»…nicht das Problem.«

»Was dann? Sie würden doch kein Vermögen für ein Gespräch vom Schiff aus ausgeben, wenn es kein Problem gäbe«, sagte der erste Mann. »Für mich klingt es, als ob alles nach Plan liefe.«

»…weiß nicht, ob ich… wirklich fertigbringe.«

»Was reden Sie denn da? Natürlich bringen Sie es fertig. Sie haben keine Wahl, wissen Sie das nicht mehr?«

»…schwerer als… gedacht hätte. Jetzt, wo ich… kenne.«

»Jetzt aber mal halblang. Sie ist ein Alptraum.«

»Sie ist gar nicht so…«

»Das würden Sie nicht sagen, wenn sie *Ihre* Exfrau wäre.«

Ich kicherte vor mich hin. Die Bemerkung hätte von Eric stammen können.

»Sind Sie sicher, daß Sie wollen, daß ich…?«

»Ich bin mir in meinem ganzen Leben noch nie sicherer gewesen. Worüber ich mir allerdings nicht sicher bin, sind *Sie*. Sie dürfen mich auf keinen Fall wieder vom Schiff aus anrufen.«

»Tut mir leid. Ich… nur noch einmal von Ihnen hören, was für ein… sie ist.«

»Machen Sie die Augen auf, dann sehen Sie selbst, was für eine Nervensäge sie ist! Sie sitzt doch mit Ihnen auf diesem verfluchten Schiff!« Der Mann hielt inne, um sich zu beruhigen. »Lassen Sie es mich anders ausdrücken«, fuhr er fort.

»Wenn Sie die Sache nicht erledigen, gehe ich auf der Stelle zur…«

»Halt. Ich weiß.«

Weiß was? Welche Sache erledigen? Was ging hier eigentlich vor? Ich spürte, daß ich auf etwas gestoßen war, das unendlich viel bedrohlicher war als Ziegencurry.

»Sind wir uns also einig?« fragte der Mann vom Festland.

»Wir sind uns einig«, stimmte der Mann auf dem Schiff zu.

»Ich habe gesagt, daß ich… werde, und ich werde es auch tun.«

Ich werde *was* tun? fragte ich mich mit zunehmender Unruhe.

»Sind Sie sicher?« fragte der andere Mann skeptisch, ungeduldig und genervt. »Kein Gejammer mehr?«

»Ich hab's Ihnen doch gesagt«, sagte der Schiffspassagier. »Bevor die *Princess Charming* wieder in Miami ist, ist Ihre… so… wie diese…«

Ihre *was* ist so *was* wie diese *was*?

»Was haben Sie gesagt?« fragte der andere Mann. »Unsere Verbindung bricht langsam zusammen.«

Der Mann, der von irgendwo auf dem Schiff sprach, irgendwo

auf *meinem* Schiff, womöglich sogar von irgendwo auf meinem *Deck*, antwortete schließlich: »Ich habe gesagt, bevor dieses Schiff wieder in Miami ist, ist Ihre Exfrau so tot wie diese Telefonleitung.«

Dann ertönte ein Klicken. Dann ein zweites. Und dann *war* die Leitung tot.

DRITTER TAG
Dienstag, 12. Februar

9. Kapitel

Die *Princess Charming* steuerte um halb sieben Uhr morgens, eine Stunde früher als geplant, unsere erste Anlegestelle an, die Isle de Swan. Das schlechte Wetter vom Vorabend hatte sich verzogen, und der Tag prangte mit strahlendem Sonnenschein, einer leichten Brise und ruhiger See.

Der Blick durch mein Bullauge wurde von dem Rettungsboot behindert – und von meiner Unfähigkeit, die Augen offenzuhalten, dank meiner zweiten schlaflosen Nacht an Bord –, aber als ich das Gesicht gegen die Scheibe drückte, war ich trotzdem überwältigt von den Farben, den Formen und der postkartenhaften Vollkommenheit des Anblicks. Das kräftige Blau des Atlantiks war dem schimmernden Türkis der Karibik gewichen. Die Vegetation leuchtete mit ihrem Blütenreichtum in so lebhaften Farben, daß es schon beinahe unecht wirkte. Auf Hügeln und Bergen standen pastellfarbene Häuschen, und der Sandstrand wirkte (jedenfalls aus der Entfernung) feinkörniger und watteweicher, als ich je einen gesehen hatte. Und dann, wenige oder auch viele Meilen von der Isle de Swan entfernt – es war unmöglich abzuschätzen – erhoben sich am Horizont andere Inseln aus dem Meer: im Osten Haiti und sein Nachbar, die Dominikanische Republik, und im Westen Jamaika und Kuba. In diesem Moment fiel mir – reichlich spät – ein, daß die *Princess Charming* nicht nur ein protziger Vergnügungsdampfer war, beladen mit Lebensmitteln und Alkohol und Leuten, für die Amüsement gleichbedeutend war mit Sich-gehen-lassen. Das Schiff war überdies ein Fahrzeug, ein Transportmittel, ein Hilfsmittel, das einen aus dem Grau des Alltags an Orte wahrhaft atemberaubender Schönheit brachte, und zwar auf eine gemächliche, verträumte Weise, mit der Flugzeuge nicht mithalten konnten.

Willkommen in der Karibik, dachte ich und erlaubte mir ein Lächeln. Willkommen im Paradies.

Leider war mein Lächeln nicht von Dauer. Als ich an jenem Dienstag morgen aus meinem Bullauge hinaussah, fiel mir plötzlich wieder das Telefongespräch ein, das ich acht Stunden zuvor mitgehört hatte. Die ganze Nacht hatte ich mir den Kopf über diese Unterhaltung zerbrochen und überlegt, was ich deswegen unternehmen sollte.

Worüber ich einfach nicht hinwegkam, was ich immer wieder in Gedanken abspulen mußte, war, daß ich mitgehört hatte, wie ein Mann, ein Passagier auf der *Princess Charming*, eingewilligt hatte, die Exfrau eines anderen Mannes zu ermorden, eine Frau, die ebenfalls Passagierin auf dem Schiff war. Anders ausgedrückt, befanden sich unter den zweitausendfünfhundert schlechtgekleideten Passagieren auf dem Prachtstück von Sea Swan zwei Personen, die auf ein entsetzliches Schicksal zusteuerten: ein Auftragskiller und eine Frau, die das Opfer sein sollte.

Und jetzt frage ich Sie: Selbst wenn Sie nicht so durch und durch paranoid wären wie ich, selbst wenn Sie nicht dazu neigten, Gefahr und Intrige auch dort zu sehen, wo nichts dergleichen existiert, selbst wenn Sie keine Frau wären, deren Exmann sie so sehr verabscheut, daß er ihr den Tod wünscht, würde die Situation Sie nicht auch am Schlaf hindern?

Ich hatte versucht, in meinem dunklen Mauseloch von Kabine die Ruhe zu bewahren, während die Stunden verstrichen. Mitternacht. Ein Uhr. Zwei Uhr. Und so weiter. Ich hatte mir selbst gesagt, daß ich das Gespräch zwischen den beiden Männern mißverstanden haben mußte. Es war ein so starkes Rauschen in der Leitung gewesen, daß es womöglich auch ein nettes Gespräch unter Kollegen hätte sein können und sie mit »erledigen« einen Auftrag und mit »tot« eine Karteileiche gemeint hatten.

Vielleicht war ja die Thematik auch mehr nautischer Natur gewesen, und die Männer hatten lediglich in einem Jargon gesprochen, den ich nicht kannte.

Oder vielleicht hatte ich auch das Wort »Exfrau« falsch verstanden, und die Männer hatten in Wirklichkeit »Extraschau«

gesagt, zum Beispiel: »Legen Sie lieber noch eine Extraschau hin, bevor dieses Schiff wieder in Miami ist.«

Ja, das war es, beschloß ich gegen drei Uhr morgens. Vielleicht war der Mann, der vom Schiff aus gesprochen hatte, eine Art Entertainer – einer dieser unbegabten Komiker, die die Kreuzfahrtschiffe für ihre Shows engagierten –, und der Mann am anderen Ende war sein Agent, der ihm gegenüber hart und diktatorisch auftrat, wie es Agenten häufig tun.

Hübscher Versuch, seufzte ich schwer, als es etwa halb vier Uhr morgens war. Ja, es gab eine Menge Wörter, die so ähnlich klangen wie jene, die ich die zwei Männer sagen gehört hatte. Aber abgesehen von dem erstaunlich hohen Gehalt an hochdichten Lipoproteinen in meinem Blut war einer meiner wenigen körperlichen Vorzüge ein außergewöhnlich scharfes Gehör. Eric hatte sich früher immer darüber lustig gemacht, wenn er aus gewesen war und mich mit Lola betrogen hatte und nicht wollte, daß ich davon erfuhr. Dann schlich er sich spät nachts in die Wohnung und tappte barfuß auf Zehenspitzen herum, damit seine Schuhe nicht auf dem harten Holzboden quietschten. Gerade wenn er dachte, er sei aus dem Schneider, pflegte ich aus dem Schlafzimmer zu rufen: »Eric? Wo in aller Welt bist du gewesen?« »Mein Gott, Elaine, du mußt ein bionisches Gehör haben«, murmelte er dann, als wäre es meine Schuld, daß er im Bestattungsinstitut gewesen war und sich von Lola mit Balsamierungsflüssigkeiten hatte massieren lassen. »Du hast so gute Ohren, daß du einen Vogel scheißen hörst«, fügte er zu allem Überfluß noch hinzu, wenn er sich besonders schuldig fühlte.

Ich hatte also ein hervorragendes Gehör, und folglich bedeutete die Tatsache, daß ich *glaubte*, ich hätte die beiden Männer am Telefon den Mord an der Exfrau des einen besprechen hören, vermutlich, daß ich genau das gehört hatte.

Als nächstes versuchte ich mich damit zu beruhigen, daß die beiden Männer bestimmt nur einen *Witz* gemacht hatten. Männer machten andauernd Witze über die Frauen, mit denen sie einmal verheiratet waren. Nein, sie machten andauernd Witze über Frauen, basta! Sie machten entweder Witze darüber, daß

wir an ihnen herumnörgelten oder darüber, daß wir sie vernach-
lässigten; daß wir entweder sexuell unersättlich oder hoffnungslos frigide waren; daß wir entweder zuviel Geld für Kleider, Fit-
neßstudios und Kosmetikerinnen ausgaben oder uns zu wenig
um unser Äußeres kümmerten und daß der Umgang mit uns
wegen unseres fragilen Hormongleichgewichts maßlos anstrengend war. Wir waren ein einziger großer Witz für die Männer.
Ha ha ha.

Aber wenn die beiden Männer am Telefon nur einen Witz gemacht hatten, warum hatten sie dann nicht gelacht? Rauschen
hin oder her, ich hatte nicht ein einziges Kichern aufgeschnappt.

Nein, um vier Uhr morgens mußte ich den Tatsachen ins Auge
sehen: Irgendeine arme, arglose Frau sollte ins Gras beißen. Und
es bedurfte keiner langen Überlegung, um mich zu fragen, ob
Jackie oder Pat oder ich diese Frau waren. Aber würde Eric tatsächlich den Auftrag erteilen, mich umzubringen? Würde Peter
einen Killer engagieren, um Jackie das Licht auszublasen?
Würde Bill, ein Mann, der den Eid des Hippokrates geschworen
hatte, allen Ernstes jemanden dafür bezahlen, daß er Pats Leben
ein Ende setzte?

Keiner der Männer am Telefon klang wie einer unserer Exmänner. Aber schließlich waren die Stimmen wegen der schlechten Verbindung auch schrecklich verzerrt gewesen.

Ich fragte mich immer wieder, warum irgend jemand Pat,
Jackie oder mich umbringen wollen sollte. Wir waren weiß Gott
nicht vollkommen, aber wir hatten auch nicht verdient, kalt-
blütig ermordet zu werden. Erst recht nicht in unserem gemeinsamen Urlaub, was meiner Meinung nach den Gipfel der Bosheit
darstellte.

Jedenfalls war ich gegen fünf Uhr morgens drauf und dran,
den Flur hinunterzurennen, gegen die Kabinentüren meiner
Freundinnen zu hämmern und sie zu wecken und vor der möglichen Bedrohung ihres Lebens zu warnen. Doch zweierlei
bremste mich. Als erstes fiel mir wieder ein, daß Jackie und Pat
mich ohnehin für hysterisch hielten. Sowie ich den Mund aufmachte und ihnen die Geschichte von den beiden Männern am

Telefon erzählte, würde Jackie mit den Augen rollen und in diesem rauhen, abgebrühten Tonfall sagen: »Elaine, nun mach mal halblang«, und dann alles weitere, was ich sagte, als paranoiden Schwachsinn abtun. Und Pat würde sich die Hand vor den Mund halten und zu kichern anfangen und denken, daß ich einfach unverbesserlich war, wie ein eigensinniges Kind. Sie würden das Ganze lediglich als einen weiteren Fall von falschem Alarm abtun. Ich hatte im Lauf der Jahre von so vielen Komplotten, Intrigen und Verschwörungen gesprochen, daß sie mich in dieser Hinsicht nicht mehr ernst nahmen.

Nein, sie würden mir niemals glauben.

Und warum sollte ich ihnen den Urlaub ruinieren? Vor allem, wo es nicht den Schatten eines Beweises dafür gab, daß eine von uns das geplante Opfer des Auftragskillers sein sollte. Nach der großen Anzahl verzweifelt aussehender, alleinreisender Frauen zu urteilen, die am Abend zuvor in der Disco gewesen waren, gab es auf dem Schiff Dutzende von Exfrauen. Vielleicht wollten die beiden Männer eine von *ihnen* umbringen.

Ich beschloß, daß das mindeste, was ich tun konnte, war, im Büro des Zahlmeisters von den durcheinandergeratenen Leitungen Bescheid zu sagen.

Um zwanzig vor sieben nahm ich den Telefonhörer ab. Die Leitung war völlig frei. Ich wählte den entsprechenden Anschluß und bekam die gleiche Britin an den Apparat, mit der ich auch am ersten Tag der Kreuzfahrt gesprochen hatte. Als ich ihr berichtete, was am Abend zuvor geschehen war (wobei ich das Mordkomplott ausließ), bestätigte sie, daß die Verbindungen aufs Festland von dem schlechten Wetter in Mitleidenschaft gezogen worden waren, ebenso wie der Fernsehempfang über Satellit, aber jetzt alles wieder in Ordnung sei.

Nicht ganz, wollte ich sagen, unterließ es aber.

Ich war um halb acht mit Sam auf dem Promenadendeck verabredet, und obwohl ich völlig erschöpft war, wollte ich mir die Gelegenheit, mit ihm zu joggen und anschließend zu frühstücken, nicht entgehen lassen. Aber es war immer noch nicht später als Viertel vor sieben. Es war immer noch Zeit, hinsichtlich des Mordkomplotts etwas zu unternehmen, und ich wußte genau, was ich unternehmen wollte: Ich würde mit Captain Solberg persönlich sprechen – natürlich ganz diskret.

Ich wusch mich, fuhr mir mit einem Kamm durchs Haar, zog mir meine Laufklamotten an und erklomm die Treppe zur Brücke des Schiffs, anstatt auf den Aufzug zu warten.

Die Brücke befand sich auf der Etage unterhalb des Sonnendecks, wo der Swimmingpool und das Café Glass Slipper waren. Die Offizierskabinen waren im Heck untergebracht, mit riesigen, gläsernen Bullaugen versehen (ich nahm an, daß es für den Captain wichtiger war, das Meer zu sehen, als für mich) und bargen sämtliche Navigationsgeräte der *Princess Charming*. Anders ausgedrückt war die Brücke das Ruder des Schiffs, der Ort, von dem aus das Schiff auf Kurs gehalten wurde, eine Art großes, gemütliches Cockpit. Es gab beliebig miteinander kombinierbare Sofas, gerahmte Lithographien an den Wänden und einen flauschigen Teppichboden in supersauberem Ozeanblau. Das Auffälligste waren jedoch die Männer in ihren frischen weißen Uniformen mit den goldenen Streifen an den Schultern, die ihren Rang verrieten. Einer von ihnen fragte mich, was ich zu so früher Stunde von ihnen wolle. Die Brücke, so stellte sich heraus, war für Passagiere tabu, außer bei speziellen Führungen.

»Tut mir leid, wenn ich einfach so hereinplatze«, sagte ich, »aber ich muß dringend den Captain sprechen.«

»Dringend?« fragte der Mann, der sich als Erster Offizier des Schiffs vorgestellt hatte, aber nicht einen Tag älter als achtzehn aussah. Er war Skandinavier wie Captain Solberg und ebenso unnahbar.

»Ja, sehr dringend«, sagte ich, da ich mich nicht abwimmeln lassen wollte.

Erster Offizier Nilsen zuckte mit den Achseln und machte sich auf die Suche nach dem Captain.

Unterdessen ging ich auf und ab, betrachtete das Radargerät, die Seekarten und die gerahmten Plaketten, die die *Princess Charming* gewonnen hatte. Endlich erschien Captain Solberg.

»Ja? Wie kann ich Ihnen helfen?« fragte er.

Er war groß und blond und hatte ein zerfurchtes Gesicht wie ein nordischer Superman. Vielleicht wirkte er aber auch nur überlebensgroß, weil ich ihn im Fernsehen gesehen und seine Stimme über die Lautsprecheranlage gehört hatte.

»Können wir uns irgendwo unter vier Augen unterhalten?« fragte ich.

Er zog seine buschigen, goldenen Augenbrauen hoch und bewies damit für seine Verhältnisse enorm viel emotionale Beteiligung.

»Ich werde Sie nicht lange aufhalten«, versicherte ich ihm. »Aber es ist wichtig. Dringend, wie ich Ihrem Ersten Offizier Nilsen gesagt habe.«

Captain Solberg beäugte mich skeptisch, ließ sich aber dazu herab, mich in sein persönliches Büro zu führen, einen ziemlich schlampigen Raum, der von Faxen, Seekarten und Styroporbechern übersät war. Er wies auf den Besucherstuhl. Ich ließ mich darauf nieder.

»Also, wo liegt das Problem?« fragte er, während er einige Papiere auf seinem Schreibtisch sortierte.

Ich erzählte die gesamte beedauerliche Geschichte. Captain Solberg sah nicht von seinem Schreibtisch auf, bis ich das Wort »Mord« aussprach.

»Sie reisen allein?« war seine Reaktion auf meine Verschwörungsgeschichte.

»Mit meinen beiden besten Freundinnen«, sagte ich. »Oh. Ich verstehe, worauf Sie hinauswollen. Nein, ich bin mir ganz und gar nicht sicher, daß eine von uns das potentielle Opfer des Killers ist. Möglich wäre es natürlich. Wir sind alle drei geschieden, aber ganz egal, wer das Opfer auch sein soll, es ist auf jeden Fall eine Passagierin Ihres Schiffs, genau wie der Mann, der sie umbringen will. Er muß aufgehalten werden! Sofort!«

Als Reaktion darauf sprang Captain Solberg nicht etwa auf, ließ die Schiffssirene ertönen und sämtliche Passagiere an den Sammelstationen antreten. Er saß nur da und blieb erstaunlich ruhig, während er fragte: »Ist das Ihre erste Kreuzfahrt, Mrs....«

»Zimmerman«, sagte ich. »Ja.«

»Und fühlen Sie sich ein bißchen unwohl?«

»Unwohl? Nein, mir geht's bestens.«

»Was ist mit Ihrem Exmann? Fehlt er Ihnen ein bißchen, hier auf hoher See?«

»Eric mir fehlen? Ja, ungefähr so wie ein Migräneanfall«, sagte ich.

»Sie leiden also manchmal unter Kopfschmerzen, Mrs. Zimmerman? Sind Sie vielleicht auch schon wegen der Kopfschmerzen im Krankenhaus gewesen?«

»Nein, nein. Das sollte nur ein… vergessen Sie's.«

»Wissen Sie, Mrs. Zimmerman, ich bin schon seit mehr als siebenundzwanzig Jahren Kapitän, und ich habe schon viele Frauen erlebt, die ein Schiff besteigen und plötzlich traurig werden. Ängstlich. Deswegen braucht man sich nicht zu schämen. Deshalb haben wir ja so viele wundervolle Unterhaltungsmöglichkeiten, um Sie zu beschäftigen und bei Laune zu halten. Damit Sie sich nicht einsam fühlen.«

»He, Moment mal. Immer mit der Ruhe.« Ich konnte es nicht fassen. Captain Solberg glaubte mir kein Wort! Er hielt mich für eine dieser vereinsamten geschiedenen Frauen, eine nervöse Zicke, ein hysterisches Frauenzimmer. Na gut. Vielleicht war ich ja all das. Aber das hatte nichts mit den zwei Männern zu tun, die vorhatten, eine Frau auf diesem Schiff umzubringen! »Ich sage Ihnen die Wahrheit«, erklärte ich und setzte mich ganz aufrecht hin. »Ich weiß, was ich gehört habe, und eine Partie Bingo wird daran nichts ändern.«

»Sie haben also nichts für Bingo übrig«, überlegte der Captain. »Na gut, wir haben auch ein schönes Casino. Vielleicht würde es Ihnen und ihren Freundinnen Spaß machen, ein bißchen zu spielen. Die Sorgen des Alltags vergessen.«

»Ich spiele ja bereits, Captain Solberg«, sagte ich hitzig. »Ich setze mein Leben aufs Spiel, indem ich Passagierin auf diesem Schiff bin. An Bord befindet sich ein Killer, und das scheint Sie nicht im geringsten zu beunruhigen.«

»Oh, ich bin sehr beunruhigt«, sagte er und sah ungefähr so beunruhigt aus wie jemand, der entspannt in einer Hängematte liegt. »Möchten Sie etwas trinken? Einen Kaffee? Oder vielleicht einen kleinen Fruchtsaft?«

Herrgott. Dieser Typ denkt tatsächlich, ich bin plemplem, dachte ich. Oder durstig.

»Captain, Sie tragen doch die Verantwortung für die *Princess Charming*. Stimmt das?« fragte ich und fing noch einmal von vorne an.

»Natürlich. Und sie ist das schönste Schiff auf den Meeren, mit vier Hauptmotoren und sechs…«

»Ja, ja. Ich weiß«, sagte ich und schnitt ihm das Wort ab, bevor er seine gesamte Video-Ansprache abspulte. »Was ich gerne bestätigt haben möchte, ist, daß Sie die Verantwortung für die Sicherheit der Passagiere tragen. Richtig?«

»Richtig.«

»Und das Wohlergehen Ihrer Passagiere liegt ihnen sehr am Herzen. Richtig?«

»Richtig.«

»Wenn nun einer Ihrer männlichen Passagiere vorhätte, einen ihrer weiblichen Passagiere zu ermorden, hätten Sie doch das Recht, diesen Mann festzunehmen und in Gewahrsam zu nehmen? Richtig?«

»Nein.«

»Nein?«

»Nein. Ich kann keinen meiner Passagiere wegen eines Mordes festnehmen, der nicht stattgefunden hat, Mrs. Zimmerman. Wenn das Verbrechen tatsächlich begangen worden wäre, dann könnte ich etwas tun. Aber nicht vorher.«

»Aber wenn Sie nichts tun können, bevor das Verbrechen begangen worden ist, ist es zu spät«, beharrte ich. »Dann ist eine Frau ums Leben gekommen.«

Captain Solberg erhob sich von seinem Stuhl und ragte in seiner weißen Uniform wie ein Glas Milch über mir auf. Er schlurfte zu meinem Stuhl herüber und half mir auf. Dann zog er eine seiner Schreibtischschubladen auf, griff hinein und reichte mir ein kleines, zellophanverpacktes Päckchen, auf dem das Logo der *Princess Charming* prangte.

»Hier, nehmen Sie«, sagte er in beruhigendem Tonfall. »Wir hoffen, die Kreuzfahrt macht Ihnen Spaß.«

Ich musterte das durchsichtige Päckchen, das er mir überreicht hatte. Es enthielt mehrere Rabatt-Coupons für jede der neun Bars auf dem Schiff, einen Gutschein für eine Woche kostenlose Benutzung des Stairmasters im Fitneßraum, eine Freikarte für einen Film meiner Wahl und eine Schachtel Tabletten gegen Seekrankheit.

»Versuchen Sie, sich nicht so viele Sorgen zu machen«, sagte Captain Solberg, als er mich aus seinem Büro bugsierte. Er war nicht der erste, der mir sagte, ich solle mir nicht so viele Sorgen machen, aber er war der erste, der es mir auf einem Kreuzfahrtschiff sagte, auf dem ein potentieller Mörder frei herumlief.

»Ich werd's versuchen«, sagte ich und drückte mir das Päckchen gegen die Brust.

Obwohl ich emotional und körperlich erschöpft war, freute ich mich doch darauf, Sam zu treffen und mit ihm zu joggen, und so ging ich zum Aufzug und drückte den »Abwärts«-Knopf. Als der Aufzug kam, stand Skip Jamison darin. Schon wieder.

Er trug auch heute eines seiner bunten Hawaiihemden, dazu weiße Shorts und ein Paar Reeboks, und war sehr vertieft in die Musik, die durch die Kopfhörer seines Sony-Walkmans dröhnte. Ja, er war sogar dermaßen damit beschäftigt, mitzusummen, mit dem Kopf zu nicken und im Takt zur Musik mit den Fingern zu schnippen, daß er mich anfangs überhaupt nicht zu bemerken schien.

»He, das ist ja Elaine. Cool«, sagte er schließlich, während wir abwärts fuhren, und nahm die Kopfhörer ab.

»Oh, hi, Skip«, sagte ich, immer noch in Gedanken mit Auftragskillern und Exfrauen beschäftigt. »Was haben Sie denn vor?«

»Ich will nur auf dem Weg zum Frühstück eine Verbindung zu meiner Musik aufbauen«, sagte er fröhlich und klopfte mit dem Fuß den Takt zu dem Song, den er sich zuletzt angehört hatte.

»Tja, dann lassen Sie sich nicht stören«, sagte ich. »Ich bin eigentlich noch gar nicht wach, also auch keine wirklich gute Gesellschaft.«

»Schon verstanden. Sie brauchen Ihren Raum. Das ist cool«, sagte er. »Ich hör' mal wieder in meinen Sound rein.« Er stülpte sich die Kopfhörer über die Ohren und drehte die Lautstärke auf.

Ich lächelte und wünschte, ich könnte auch so sorglos sein. Dann rief mir Skip etwas zu, so wie es Leute immer tun, wenn sie vergessen haben, daß sie Kopfhörer tragen und nicht merken, daß sie brüllen.

»Toller Song«, schrie er und hielt mir die aufgerichteten Daumen entgegen. »Eric Claptons Unplugged-Version von ›Layla‹.«

Ich nickte abwesend.

»Ein Klassiker der Rockmusik«, brüllte er über ein dröhnendes Gitarrenriff hinweg. »Aber im Grunde liebe ich sie alle. Die ganzen coolen Songs, vor allem die schnelleren.«

Das ist ja schön, dachte ich und wünschte, Skip würde langsam die Klappe halten.

»Viele meiner Freunde denken, ich bin viel zu sehr Top-Forty-orientiert«, schwatzte er weiter.

»Aber Sie haben mir doch erzählt, daß Sie eher die sanften New-Age-Künstler schätzen«, sagte ich, indem ich widerwillig Konversation machte.

»Was?« schrie er.

»Sie haben mir doch erzählt, daß Sie die New-Age-Künstler mögen«, wiederholte ich wesentlich lauter und vermutete, daß man uns bis San Juan hören konnte.

»Yeah, die mag ich auch«, brüllte Skip. »Ich bin ziemlich querbeet in puncto Musik. Klassik. New Age. Top-Forty. Die ganzen Hits.«

»Cool«, sagte ich.

»Ich bin ein echter Allesfresser«, sagte er. »Ein richtiger Killer.«

Ich wirbelte herum, um ihn anzusehen. War es möglich, daß Skip der Mann war, der vorhatte, die Frau auf dem Schiff umzubringen? Der liebe, nette, lässige Skip? Das Geld für den Mordauftrag hatte er garantiert nicht nötig – er war schließlich Art Director bei einer großen Werbeagentur, einer Agentur, die für ihre bombastischen Gehälter bekannt war. Aber trotzdem…

»Skip?«

»Ja?«

»Waren Sie zufällig gestern abend in Ihrer Kabine? Gegen zehn?«

»Ja, ich habe gelesen. Warum?«

»Reine Neugier«, sagte ich.

Sowie der Aufzug auf dem Promenadendeck angelangt war, murmelte ich Skip ein verkniffenes »Bis später« zu und war schon verschwunden.

10

»He, he, immer langsam«, warnte mich Sam, als er mich eilig aus dem Schiff aufs Promenadendeck laufen sah. »Das Deck ist noch glatt vom Regen der letzten Nacht. Du könntest hinfallen und dir eine von deinen Stelzen brechen.«

Stelzen. Der Junge, der in meiner Jugend neben uns wohnte, hatte meine Beine auch immer Stelzen genannt, und ich weinte mich deshalb regelmäßig in den Schlaf. Jetzt hatte Sam sie gerade mit demselben Wort bezeichnet, und ich war begeistert.

Er lag ausgestreckt in einem Liegestuhl, und seine eigenen Stelzen hingen über dessen Ende. Er hatte auf mich gewartet, da ich zur Abwechslung mal diejenige war, die sich verspätet hatte.

Ich blieb stehen, schnappte nach Luft und entspannte mich. »Du hast recht. Ich war in Eile. Ich wollte nicht zu spät zu unserem Rendezvous kommen.«

Ich hatte das Wort »Rendezvous« nur selten benutzt, erstens, weil ich selten Rendezvous hatte, und zweitens, weil ich Rendezvous in puncto Risiko stets mit Bungee-Jumping gleichgesetzt hatte. Aber der alberne, jungmädchenhafte Beigeschmack kam mir irgendwie passend vor, vor allem nachdem Sam und ich uns gestern abend praktisch auf den Mund geküßt hatten – wenn der Aufzug nicht gekommen wäre. Mit diesem Fast-Kuß in der Tasche hatten wir unsere Beziehung eine Stufe angehoben, sie auf »Rendezvous«-Ebene gebracht und eingesehen, daß wir uns, da die Kreuzfahrt nur sieben Tage dauerte, besser beeilten, wenn wir wollten, daß auf amourösem Gebiet etwas lief. Das ist einer der seltsamen Aspekte von Ferien: Sie dauern nur begrenzte Zeit, und wenn man jemanden kennenlernt, den man mag, muß man einige Regeln über Bord werfen und den Kennenlernprozeß beschleunigen.

Meine Ängste wegen des Telefongesprächs verflüchtigten sich, zumindest vorübergehend. Sam sah so attraktiv aus, wie er da saß, so freundlich in seinem T-Shirt und den Laufschuhen, so unmörderisch.

Trotzdem mußte ich ihm, bevor wir zusammen joggten, bevor sich die Dinge zwischen uns weiterentwickelten, die gleiche Frage stellen, die ich Skip gestellt hatte. Ich mußte wissen, ob auch nur die geringste Möglichkeit bestand, daß *er* der potentielle Killer war.

Ich fragte ganz beiläufig: »Sag mal, hast du eigentlich den Rest des gestrigen Abends in deiner Kabine verbracht? Nachdem wir uns getrennt hatten?«

Er beäugte mich über seine Brillengläser hinweg, einen sarkastischen Ausdruck im Gesicht.

»Nein. Ich habe mit den Nonnen gefeiert, die wir im Aufzug getroffen haben«, antwortete er. »Das war vielleicht ein wilder Haufen, kann ich dir sagen.«

»Komm schon. Ich bin neugierig«, sagte ich.

»Ein paar Tänze in der Disco, und du kontrollierst mich schon?« spottete er.

»Natürlich nicht. Ich wollte nur wissen, ob du versucht hast, gestern abend in deiner Kabine fernzusehen und einen ebenso miesen Empfang hattest wie ich.«

»Oh. Nein, ich habe den Fernseher nicht einmal eingeschaltet. Offen gestanden bin ich erst gegen halb zwölf in meine Kabine gekommen.«

»Ach so?« Ich seufzte erleichtert auf. Nicht daß ich Sam ernsthaft verdächtigt hätte, der Killer zu sein.

»Ja. Als ich aus dem Aufzug stieg, merkte ich, daß ich eigentlich noch gar nicht ins Bett wollte. Ich war ruhelos und aufgekratzt, wie ein Kind.«

»Ich weiß. Ich auch.«

»Deswegen bin ich nicht in meine Kabine gegangen, sondern habe schnurstracks kehrtgemacht und bin hierher gekommen.«

»Aufs Promenadendeck?«

Er nickte. »Ich dachte, ich könnte vielleicht ein bißchen zur Ruhe kommen, mir über einiges klarwerden.«

»Oh, du meinst über die berufliche Veränderung, mit der du gerungen hast?«

»Das war ein Teil dessen, was mich beschäftigt hat.«

»Und was war der andere Teil?«

Er lächelte.

»Warte. Ich weiß es«, grinste ich, ganz von mir eingenommen. »Du hast versucht, herauszufinden, ob ich eine Nervensäge oder der ›Fund‹ des Jahrhunderts bin. War das nicht das andere Dilemma?«

»Genau.«

»Und bist du zu einer Lösung gekommen?«

»Ich hab's dir bereits gesagt, Slim. Du erforderst weitere Erforschung. Eingehende weitere Erforschung.«

»Aha. Und die berufliche Veränderung? Bist du dir darüber klargeworden?«

»Nicht ganz. Das Problem ist, daß ich nicht mehr mit dem Herzen bei der Arbeit bin. Seit meine Verlobte…« Er hielt inne, als kämpfe er mit sich, ob er mehr sagen, mehr preisgeben sollte.

»Sprich weiter, Sam. Bitte«, drängte ich ihn. Ich wollte etwas über sie hören, wollte wissen, was ihr zugestoßen war, wollte wissen, ob Sam sie immer noch liebte.

Er rückte seine Brille zurecht, indem er sie mit dem Zeigefinger nach hinten schob. »Meine Karriere hat mir seit Jillians Tod nicht mehr viel bedeutet«, sagte er. Jillian. Ein hübscher Name.

»Ich bin nicht mehr so ehrgeizig. Ich habe nicht mehr das Gefühl, daß es das Ende der Welt ist, wenn ich zu irgendeinem Termin nicht rechtzeitig komme, wenn ich in der Stadt, in die sie mich schicken, nicht auftauche. Mir ist das alles nicht mehr so wichtig, seit sie tot ist.«

Ich nickte und malte mir aus, wie Sam versuchte, mit dem Tod seiner Verlobten fertig zu werden, vor allem bei einer so anstrengenden Reisetätigkeit.

»Glaubst du wirklich, es wäre einfacher, wenn du einen anderen Job hättest?« fragte ich. »Wenn man jemanden verliert, den man liebt, bleibt einem doch diese Leere, egal, womit man sein Geld verdient.«

»Stimmt.« Er sah mich an, und seine Augen hinter den Gläsern waren von tiefem, eindringlichem Blau. Und dann, wie als Antwort auf eine Frage, sagte er: »Ich bin über sie hinweg. Wirklich. Es ist nur die Erfahrung, die mir Schwierigkeiten...« Er hielt erneut inne.

»Die Erfahrung?« fragte ich. »Du meinst, daß Jillian nur wenige Tage, bevor ihr heiraten wolltet, ums Leben gekommen ist?«

Er nickte ernst. »Das und die Tatsache, daß ich...«

»Daß du was?«

Diesmal wimmelte er mich ab. Er würde keine weiteren Fragen beantworten, das spürte ich. Sam war nicht der Mensch, der gegenüber Wildfremden, die er im Urlaub kennenlernt, sein Innerstes nach außen kehrte; er war reservierter, was seine persönliche Geschichte anging. Er hatte eine Geschichte zu erzählen, das war offensichtlich, aber er war noch nicht dazu bereit, sie zu erzählen. Jedenfalls nicht mir. Noch nicht.

»He«, sagte er plötzlich, als zwänge er sich selbst, besserer Laune zu sein. »Was hältst du davon, wenn wir ein bißchen joggen, dann etwas essen und auf die Isle de Swan rüberfahren, bevor der Tag vorbei ist?«

»Klar, los geht's«, sagte ich. Und nach ein paar Stretching-Übungen ging es los.

Sam und ich liefen unsere vier Meilen, frühstückten rasch im Glass Slipper und beschlossen, uns drüben auf der Insel zu treffen. Ich wollte mich mit Pat und Jackie absprechen und hören, wie sie sich den Ausflug in unserem ersten Anlegehafen vorgestellt hatten.

Meine beiden Freundinnen saßen wie festgeklebt vor dem Fernsehgerät in Pats Kabine, wo sie dem Reiseleiter auf dem *Princess-Charming*-Kanal lauschten, während er schilderte, was man auf der Isle de Swan alles unternehmen konnte. Sie trugen beide T-Shirt und Shorts und hatten ihre *Princess-Charming*-Tragetaschen mit Badeanzügen, Sonnencremes, Büchern und so weiter gefüllt.

»Jackie«, sagte ich, erfreut darüber, daß sie aufgestanden war. »Fühlst du dich besser?«

»Gut genug, um fünf Minuten Bootsfahrt zu einem der Strände da drüben zu überstehen«, sagte sie und nickte in Richtung Bullauge. Sie war immer noch blaß, schwach, gar nicht wie sonst. »Wenn ihr glaubt, ich setze mich in meine Kabine, während ihr da draußen ›Baywatch‹ spielt, dann habt ihr euch getäuscht.«

»Aber dich stundenlang in die heiße Sonne zu setzen, wo du gerade erst…« Ich beendete den Satz nicht. Ich wußte, daß ich eine Miesmacherin war. Ich sah durch Pats Bullauge auf die Isle de Swan hinaus. Da vor diesem kein Rettungsboot hing, war der Blick unbehindert und absolut herrlich. Man sah die leuchtenden Pink- und Lilatöne der Bougainvilleen, die cremefarbenen Sandstrände und das Blau und Grün des schimmernden, klaren Wassers.

»Das wird schon«, sagte Jackie. »Und wenn nicht, fahre ich wieder zurück. Kein Problem.«

»In Ordnung. Also, was habt ihr vor?« fragte ich. »Wollt ihr jetzt gleich auf die Insel fahren?«

Jackie sagte rasch ja. Pat erwiderte, daß sie zuerst mit Albert Mullins telefonieren wolle, um sich mit ihm abzusprechen. Ich hatte ganz vergessen, daß sie und Albert sich für eines der Kreuzfahrtangebote angemeldet hatten – eine Reihe von Zeichenstunden oder »Kunstsafaris«, wie sie genannt wurden, geleitet von einer renommierten Künstlerin aus Südflorida namens Ginger Smith Baldwin. In jedem Anlegehafen sollten die fünfzehn Leute in Baldwins Gruppe zu einem vorher bestimmten Ort marschieren und dort die nötigen künstlerischen Materialien sowie Anweisungen erhalten, wie man die Stimmung am besten einfing. Da ich künstlerisch schwerbehindert war und Jackie sich mehr für Wassersport interessierte als für Wasserfarben, machte Pat den Kurs mit Albert.

»Er freut sich schon darauf, Vögel zu zeichnen«, erklärte Pat, während sie seine Nummer wählte.

Ich ging in meine Kabine zurück, um zu duschen und mich umzuziehen, und stieß dann wieder zu den anderen in Pats Kabine.

»Wir treffen uns mit Albert und den anderen aus Gingers Zeichenkurs am Aufzug auf Deck 2«, sagte Pat.

Wir fuhren mit dem Aufzug auf Deck 2 hinunter und warteten in der Ladezone, zusammen mit mindestens zweihundert weiteren Passagieren. Einer davon war Henry Prichard. Ebenfalls mit von der Partie war Ingrid, seine einnehmende Freundin vom Abend zuvor. Falls Jackie enttäuscht war, weil Henry sich einer anderen Frau zugewandt hatte, während sie krank darniederlag, so ließ sie es sich nicht anmerken. Sie sagte stoisch: »Anscheinend ist der Autoverkäufer inzwischen vergeben.«

»Tut mir leid, Jackie«, sagte ich. »Ich weiß, du hattest gehofft, aus euch beiden würde was werden.«

»Ich hatte auf ein wenig Spaß gehofft, weiter nichts«, sagte Jackie. »Ich schätze, so läuft's eben auf Kreuzfahrten. Wenn du einen Tag aus dem Rennen bist, steht schon ein anderes Herzchen da und nimmt deinen Platz ein. Aber Henry ist nicht der einzige Kerl auf diesem Schiff. Ich werfe mein Diaphragma noch nicht über Bord.«

»So ist's recht«, sagte ich und tätschelte ihr den Rücken, was sie leider zum Husten brachte.

»Ist deine Krankheit jetzt in den Brustraum gewandert?« fragte Pat. »Deine Lungen hören sich verschleimt an.«

»Mir geht's gut«, sagte Jackie und wehrte uns beide ab. »Also, wo ist jetzt der Rest deines Kurses, Pat?«

Pat sah sich suchend um und machte Albert ausfindig. Sie winkte. Er verbeugte sich. Wir bahnten uns den Weg dorthin, wo er für das Boot zur Überfahrt Schlange stand.

»Ihnen allen einen wunderschönen Morgen«, sagte er und lüftete seinen braunen Safarihut. Dazu trug er T-Shirt und Shorts und hatte sowohl eine Kamera als auch ein schweres Fernglas dabei, die ihm an geflochtenen Gurten um den faltigen Hals hingen. Eine falsche Bewegung, und er stranguliert sich selbst, dachte ich.

»Guten Morgen, Albert«, sagte Pat. »Sind Sie bereit, heute ein Kunstwerk zu erschaffen?«

»Aber gewiß doch«, erklärte er in seiner schalkhaften, prüden, pseudobritischen Art. »Ich habe zwar noch nie versucht, meine Gefühle für Vögel mit den Möglichkeiten der visuellen Künste zum Ausdruck zu bringen, aber ich bin fest entschlossen, einen Versuch zu wagen!«

Piep piep.

Nur unweit von uns stand Gayle Cone von Tisch 186. Sie trug ein schickes kleines Strandkleid über dem Badeanzug, an ihrem Arm hing anstelle der *Princess-Charming*-Taschen, die wir alle herumschleppten, eine Prada-Handtasche, und sie hatte ihre Diamanten und Smaragde mit Elfenbein vertauscht.

»Kenneth und ich besitzen eine Baldwin«, sagte sie schwärmerisch zu Jackie und mir, während Pat mit Albert plauderte.

»So? Meine Eltern haben einen Steinway«, entgegnete Jackie.

»Nein, nein. Ich habe nicht von einem Klavier gesprochen, meine Liebe. Ich rede von einem Ölgemälde. Von Ginger Smith Baldwin. Wir haben es letztes Jahr in einer Galerie in *Soho* gekauft.« Gayle schüttelte den Kopf über Jackie, als könne sie es nicht fassen, daß jemand so hoffnungslos daneben sein konnte. »Und jetzt bin ich zu einer ihrer Kunstsafaris angemeldet! Ist das zu fassen? Meine Freundinnen werden vor Neid platzen!«

»Und was ist mit Kenneth?« fragte ich, da ich ihn nirgends sah. »Fährt er nicht mit zur Insel hinüber?«

»Oh, er ist bereits dort«, erklärte sie. »Wir haben völlig verschiedene Tagesabläufe, Kenneth und ich. Vermutlich sind wir deswegen so lange zusammengeblieben. Er ist immer bis spät nachts wach, und dann steht er im Morgengrauen wieder auf und treibt sich irgendwo herum. Ich sage Ihnen, dieser Mann schläft nie; dagegen liege ich um halb zehn oder zehn schon im Tiefschlaf.« Sie hielt inne, winkte uns näher heran und zog uns ins Vertrauen. »Ich habe Melatonin genommen«, flüsterte sie. »Ich weiß, daß es ein nicht ausgetestetes Hormon ist und mir womöglich ein Bart wachsen wird oder so was, aber damit kann ich schlafen wie eine Tote. Kenneth könnte an der Decke einen Steptanz aufführen, und ich würde mich nicht rühren.«

Eine Tote, dachte ich schaudernd und mußte erneut an das gräßliche Telefongespräch denken. Wenigstens brauchte sich Gayle keine Sorgen wegen des Killers zu machen, da sie ja keine Exfrau war. Sie und Kenneth waren jeweils nur einmal verheiratet gewesen, und zwar miteinander.

»Auf jeden Fall«, sagte sie, »ist Kenneth vermutlich schon beim Schnorcheln oder Tauchen – fragen Sie mich nicht, worin der Unterschied besteht – oder läßt sich am Strand braten. Wir sind zum Mittagessen verabredet. Nach meinem Zeichenkurs bei Ginger.«

Im selben Moment erschien eine faszinierend aussehende Frau mit einem Namensschild, auf dem »Ginger Smith Baldwin« stand. Sie trug Sandalen, abgeschnittene Blue Jeans und ein batikgefärbtes T-Shirt. Welliges rotbraunes Haar floß ihr über den Rücken. Von ihren Ohrläppchen hingen lange, dreieckige Silberohrringe mit Türkisen. Außerdem hatte sie Augen, die so blau waren wie die von Sam, und Grübchen, die ihr freundliches Lächeln einrahmten. Sie war attraktiv und herzlich zugleich, alles andere als die spröde Künstlerin, die ich mir vorgestellt hatte, als Gayle von ihr sprach.

Sie stellte sich dem kleinen Grüppchen vor, das sich um sie versammelt hatte, und fragte nach ihren Tickets, um zu überprüfen, daß sie alle für die Kunststunden bezahlt hatten.

»Ticket?« fragte sie mich.

»Nein, tut mir leid, ich bin keine Kursteilnehmerin«, sagte ich. »Ich bringe nicht einmal ein Strichmännchen zustande.« Vielleicht weil ich immer gedacht hatte, ich sähe aus wie eines.

Ginger hatte Verständnis. »In der Kunst geht es nicht um Perfektion«, sagte sie mit einem kehligen Lachen. »Es geht darum, sich selbst auszudrücken, seine Emotionen auf Leinwand oder Karton oder Zeichenpapier zu bringen. Wenn ich arbeite, lasse ich das Bild *mir* sagen, was ich tun soll. Manchmal verwende ich Menschen in meinen Bildern – sogar Strichmännchen –, und manchmal radiere ich sie wieder aus. Ich glaube, daß es in der Kunst im wesentlichen um Hinzufügen und Entfernen geht. Man muß erst die Lebensmittel hereinholen, bevor man den Müll hinausträgt, wissen Sie?«

Nein, das wußte ich nicht. Aber ich mochte Ginger Smith Baldwin auf der Stelle und dachte, warum habe ich in der Schule keine Kunstlehrerin wie sie gehabt?

Ich fragte mich, ob Ginger wohl einen PR-Agenten hatte und ob sie vielleicht in Erwägung ziehen könnte, Kundin bei Pearson & Strulley zu werden. Ich nahm mir vor, ihr einen meiner berühmten »Köderbriefe« zu schreiben, wenn ich wieder in New York war. Ich war sicher, daß ich sie zumindest in einer Wochenendsendung von »Today« unterbringen konnte.

Die Bootsfahrt zur Isle de Swan dauerte etwa fünf Minuten. Als das barkassenartige Boot an der kleinen Pier anlegte, half ein Bataillon Haitianer uns zweihundert Passagieren vom Boot und zeigte uns, wo es zu den Stränden ging. Außerdem gab es in der Mitte der Insel ein paar Läden, eine Art karibisches Einkaufszentrum. Jeder Laden verkaufte im Grunde das gleiche – einheimisches Kunsthandwerk, wie zum Beispiel hölzerne Voodoo-Masken, leuchtend bunte Keramik und allerlei Gebatiktes.

Gingers Gruppe zog in Richtung Nordwesten zu einer zerklüfteten Landzunge, die eine Aussicht aufs Meer und auf eine andere kleine Insel namens Bird Heaven, »Vogelhimmel«, bot. Und Albert fühlte sich tatsächlich wie im Himmel, als er einen rosaroten Löffelreiher erspähte.

Jackie und ich winkten Pat, Albert, Gayle und den anderen zum Abschied zu und machten uns auf den Weg zu einem Strand namens Jewel Cove, wo man Windsurfausrüstungen und alles fürs Schnorcheln mieten konnte – was Jackies Vorstellung vom Himmel gleichkam. Ich ließ mich in einen Liegestuhl fallen, der im Schatten einer großen Palme stand, während sie nach dem Zuständigen für die Wassersportarten suchte. Es war ungefähr elf Uhr. Fast schon Zeit für die nächste Mahlzeit.

Ich unterdrückte meine Hungergefühle, streckte mich mit meinem Spionagethriller lang aus und suchte zuerst den Strand und dann das Wasser nach Sam ab. Ich sah ihn nicht. Statt dessen entdeckte ich das frischgebackene Pärchen Henry und Ingrid, die im Meer herumtollten wie Delphine, und Skip Jamison, der in seinem hautengen, schwarzen Bikini-Slip knöcheltief im Wasser stand und eine Geist/Körper-Erfahrung mit seinen Tischgenossinnen Donna und Tori erlebte. Außerdem sah ich Dorothy Thayer, die ein paar von den Croissants dabeihatte, die beim Frühstück gereicht wurden, kleine Stückchen davon abriß und sie sowohl an die Möwen als auch an ihren Ehemann Lloyd verfütterte. Und dann war da noch Lenny Lubin, draußen im Wasser, mitten unter all den Schwimmern, wo er immer wieder auf ein Windsurfbrett kletterte und wieder herunterfiel. Armer Kerl. Seine Surfkünste waren ebenso erbärmlich wie sein Karaokegesang.

Während ich Lenny dabei zusah, wie er sich lächerlich machte, fiel mir wieder ein, daß Lenny gestern abend, als Sam und ich die Disco verlassen wollten, auch Anstalten machte, zu verschwinden: um in seine Kabine zu gehen und anstelle seines Smokings etwas anderes anzuziehen, wie er uns erklärt hatte. Mir kam der Gedanke, daß es Lenny gewesen sein könnte, der das Telefongespräch mit dem Exmann geführt hatte, der seine Exfrau tot sehen wollte. Er hatte die Gelegenheit, wie es immer in diesen Fernsehkrimis heißt. Aber die hatte auch Skip. Und vermutlich Hunderte anderer Männer auf dem Schiff. Selbst Henry, der Ingrid ohne weiteres kurz allein gelassen haben könnte, um schnell in seine Kabine zu gehen und seine Pillen zu nehmen, hätte die Gelegenheit gehabt. Und was war mit Albert, der auf der Überfahrt zur Insel beiläufig bemerkte, daß er am Abend zuvor früh schlafen gegangen sei, genauer gesagt um Viertel nach neun? Er entsprach zwar nicht gerade meinem Bild von einem Killer, aber was hatte ich schon für Erfahrung mit Killern?

Jackie kam zurück, um mir zu berichten, daß sämtliche Wassersportausrüstungen bereits ausgeliehen seien und sie daher schwimmen ginge.

»Du bist immer noch ziemlich schwach, vergiß das nicht«, warnte ich sie.

»Elaine«, knurrte sie. »Ich bin nicht den ganzen weiten Weg aus dem eisigen Norden hierher gekommen, um mir das Wasser nur *anzusehen*!«

Sie ging zum Meer, tauchte hinein und schwamm fast eine halbe Stunde lang. Als sie wieder an unseren Liegestühlen auftauchte, wirkte sie völlig fertig.

»War es wirklich nötig, heute auf Esther Williams zu machen?« sagte ich. »Du siehst nicht gerade toll aus.«

»Ehrlich gesagt fühle ich mich auch nicht gerade toll«, gab sie zu. »Eigentlich fühle ich mich ziemlich mies. Ich glaube, ich habe Fieber.«

Ich streckte die Hand aus und befühlte ihre Stirn. Sie hatte eindeutig Fieber.

»Das war's. Wir fahren zurück aufs Schiff«, sagte ich und stopfte meine Sachen in die Tragetasche.

»Scheiße«, schimpfte sie. »Ich habe diesen Urlaub wirklich gebraucht, Elaine. Du weißt gar nicht, wie sehr.«

Ihre Unterlippe bebte.

»Was ist denn?« fragte ich.

»Nichts. Ich hasse Gejammer«, sagte sie und versuchte das abzuschütteln, was sie plagte.

»Es ist doch kein Gejammer, wenn du es mir erzählst. Du erzählst es mir nur einfach.«

Sie lächelte schwach. »Es ist diese ganze Geschichte mit Peter«, sagte sie. »Wie er mich wegen des Gartencenters unter

Druck gesetzt hat. Was mich wirklich wurmt ist, daß er den ganzen Betrieb zu seinem Königreich machen will. Ich schwöre dir, er ist zu einem beschissenen kleinen Yuppie geworden, der eine Fliege und Hosenträger anzieht und mit seinem BMW zu Besprechungen in die Stadt fährt.«

»Besprechungen? Mit wem?«

»Keine Ahnung. Wir reden ja kaum noch miteinander. Vielleicht bespricht er sich mit plastischen Chirurgen, weil er sich den Pimmel vergrößern lassen will.«

Ich lachte. »Du bist sogar noch krank, wenn du krank bist, Jackie.«

Ich tätschelte ihr die Hand. Ihre Haut fühlte sich heiß und feucht an, obwohl sie fröstelte.

»Weißt du, ich will dich ja nicht unterbrechen, wenn dir nach Reden ist, aber Henry Prichard ist nicht der einzige, der Antibiotika nehmen sollte«, legte ich ihr nahe. »Der Schiffsarzt könnte dir etwas geben, dann ginge es dir bald wieder besser und du könntest den Urlaub richtig genießen.«

»Na gut, in Ordnung. Du hast wahrscheinlich recht«, meinte sie. »Dann gehe ich eben zu dem verdammten Arzt.« Sie wollte aufstehen, war aber so schwindlig, daß sie auf den Liegestuhl zurückfiel.

»Paß mal auf«, sagte ich besorgt. »Ich sehe zu, daß ich Pat finde, erzähle ihr, was wir vorhaben, und dann gehen wir schnurstracks zum Arzt, okay?«

»Dann verpaßt du aber das Beach-Barbecue«, sagte Jackie.

»Ich werd's überleben«, sagte ich und hoffte tatsächlich, daß ich es überleben würde. Ich hoffte, daß wir es alle drei überleben würden.

Ich stapfte zu dem Strand hinüber, wo die Mitglieder von Gingers Malkurs eifrig die Szenerie interpretierten; manche benutzten Buntstifte, andere Pinsel. Albert, so sah ich, bemühte sich um die Wiedergabe des Storchs, den er durch sein Fernglas drüben auf Bird Heaven gesehen hatte. Die Zeichnung sah genauso aus wie meine Strichmännchen.

»Entschuldigen Sie die Störung«, sagte ich zu allen und kniete mich dann neben Pat. Ihr Werk war abstrakter als das Alberts. Es waren mehrere blaue Linien und rosarote Schnörkel, und es erinnerte mich an Lucy Koveckys Zeichnungen, die mit Magneten am Kühlschrank befestigt waren.

Ich erzählte Pat, daß Jackie Fieber hatte und ich mit ihr aufs Schiff zurückfahren würde, um sie zum Arzt zu bringen.

»Ich sollte wohl mitkommen«, meinte sie und legte ihre Stifte beiseite.

»Ich glaube, ich werde allein damit fertig«, sagte ich. »Du bleibst hier und bist kreativ.«

Sie kicherte und flüsterte mir dann zu: »Albert sagt, ich hätte das Zeug zu einem richtigen Renault.«

»Renoir«, verbesserte ich sie. »Renault ist eine Automarke.«

»Das war ihm wohl nicht klar«, meinte sie. »Wenn ich es nicht besser wüßte, Elaine, würde ich sagen, daß er mich ziemlich ins Herz geschlossen hat. Stell dir vor.«

»Stell dir vor«, sagte ich lächelnd.

»Dummerweise möchte ich aber, daß Bill derjenige ist, der mich ins Herz schließt«, seufzte sie. »Doch in der Zwischenzeit ist Albert ein netter Gefährte. Wir gehen nach dem Malkurs zusammen wandern. Natürlich nur, wenn du nicht meine Hilfe brauchst.«

»Ich bin zwar bestimmt keine Florence Nightingale, aber ich kann Jackie zumindest zum Schiff zurückbringen«, versicherte ich ihr. »Viel Spaß.«

»Den hab' ich.«

Ich brachte Jackie zu der Barkasse und half ihr an Bord. Wir mußten fünfzehn Minuten in der heißen Sonne ausharren, während die Besatzung weitere Passagiere an Bord bugsierte. Als wir endlich ablegten, waren wir vollbesetzt.

Das war's also mit der Isle de Swan, dachte ich, als wir von der Insel wegtuckerten. Ich hoffte, daß wir in San Juan, unserem nächsten Halt, mehr Glück hätten und ich dort zumindest wieder mit meinem Koffer vereint würde.

Wir waren noch mehrere hundert Meter von der *Princess Charming* entfernt, als dort die nächste Barkasse ablegte und etwa zweihundert Passagiere auf die Isle de Swan hinüberbrachte, gerade rechtzeitig zum Mittagessen.

»He!« rief jemand vom anderen Boot herüber, als es unseres passierte.

Ich drehte mich nach der Stimme um und entdeckte Sam, der an der Reling stand und uns zuwinkte.

»Wo fährst du denn hin?« schrie er und sah enttäuscht aus, weil wir in entgegengesetzte Richtungen fuhren.

»Jackie fühlt sich nicht wohl, deshalb gehen wir zum Arzt«, rief ich ihm zu.

»Ich kann dich nicht hören!« rief er.

»Jackie fühlt sich nicht…« Ich unterbrach mich, als mir klar wurde, daß er mich über die Dieselmotoren der beiden Boote, die Steel Drums und das Stimmengewirr der vielen Menschen niemals würde verstehen können. »Wir sehen uns beim Abendessen«, brüllte ich und winkte ihm zum Abschied, erfüllt von dem Gefühl, eine Gelegenheit verpaßt zu haben. Ich hatte immer gedacht, der Spruch von den zwei Schiffen, die in der Nacht aneinander vorüberziehen, sei nichts als romantischer Schwachsinn, aber in diesem Moment klang er mir wirklich in den Ohren. »Adieu!« rief ich und hängte mich dabei über die Reling. »Bis heute abend!«

»O Mann«, murmelte Jackie und schüttelte den Kopf in meine Richtung. »Ich hatte also recht in bezug auf dich und diesen Knaben.«

Ich ließ den Kopf sinken und nickte wie ein ertapptes Kind.

»Du bist absolut scharf auf ihn, stimmt's?« fragte sie ungläubig.

»Ich glaube schon, Jackie«, gestand ich ein. »Gott steh mir bei, ich glaube schon.«

11

Ich hatte erwartet, daß die Krankenstation des Schiffs eine bescheidene kleine Angelegenheit wäre, so ähnlich wie in den Ferienlagern in meiner Jugend – ein weißer Raum, der nach medizinischem Alkohol roch und mit ein paar wackeligen Stühlen, einer Waage, Zungenspateln und Heftpflastern ausgestattet war. Aber die Krankenstation der *Princess Charming* ähnelte eher der Mayo-Klinik – einem Großstadtkrankenhaus auf dem neuesten Stand der Technik mit Untersuchungsräumen, Operationssälen und einer komplett eingerichteten Apotheke.

»Ich habe das Gefühl, wir sind in die Dreharbeiten zu ›Die Queen Elizabeth‹ geraten«, sagte Jackie, als wir uns inmitten dieses medizinischen Wunderlandes wiederfanden. Überall waren Leute – leidende Menschen, die in dem großen Wartezimmer auf Stühlen und Sofas saßen. Krankenschwestern eilten geschäftig umher, fühlten Pulse und maßen Temperaturen, holten Erkundigungen über Versicherungen ein; Besatzungsmitglieder jeden Alters und mit den verschiedensten Unpäßlichkeiten kamen herein, um sich behandeln zu lassen und/oder ein Schwätzchen zu halten. Selbst Captain Solberg, unser furchtloser Herr und Meister, kam vorbei, »um das Prozac-Rezept abzuholen«, wie er ganz selbstverständlich sagte, nachdem er mich zögerlich begrüßt und sich Jackie vorgestellt hatte.

»Das ist also die Erklärung«, murmelte ich, als er wieder außer Hörweite war.

»Welche Erklärung?« fragte Jackie.

»Warum er so unbeteiligt war, als ich ihn heute morgen aufgesucht habe. Er ist einfach deprimiert.«

»Du hast ihn heute morgen aufgesucht? Warum?« wollte Jackie wissen, als wir auf die Anmeldung zugingen. Ich schnappte nach Luft, als ich sah, daß vierundzwanzig Patienten vor ihr auf der Liste standen. Die Schwester, auf deren Namensschild »Wendy Wimple, R. N.« stand, teilte uns mit, daß wir wahrscheinlich zwei Stunden warten müßten.

Guter Gott, dachte ich. Wenn man in ein Restaurant geht und gesagt bekommt, daß man zwei Stunden warten muß, kann man wenigstens an der Bar etwas trinken.

»Also, warum hast du nun heute morgen den Captain aufgesucht?« wiederholte Jackie, als wir angemeldet waren und Platz genommen hatten. Ich war dankbar dafür, daß sie bei ihrem hohen Fieber noch klar denken konnte.

»Ach, es ging nur um ein Problem, das ich mit einem der männlichen Passagiere hatte«, sagte ich und hielt mich an meinen Entschluß, weder ihr noch Pat von dem Mordkomplott zu erzählen. »Ich fand, ich sollte den Betreffenden melden.«

Sie rollte mit den Augen. »Da haben wir es wieder«, seufzte sie. »Elaine und ihre Intrigen und Verschwörungen.«

Wir saßen eine halbe Ewigkeit gemeinsam in diesem Wartezimmer, und ich begriff allmählich, warum solche Räume Wartezimmer hießen. Ich betrachtete die anderen Wartenden um mich herum. Soweit ich sah und hörte, litten sie unter allem möglichen, angefangen bei Sonnenstich und Lebensmittelvergiftung bis hin zu Herzkrankheit und Nierenversagen. Ich sage Ihnen, der Raum war voller körperlicher Wracks, und Jackie war eines von ihnen. Mit der Zeit stieg ihr Fieber immer weiter an, Schüttelfröste wechselten sich mit Schweißausbrüchen ab, und sie hatte nicht einmal mehr die Kraft, mich aufzuziehen. Außerdem zeigte sie keinerlei Interesse daran, mich über Sam auszufragen, wofür ich dankbar war. Allerdings mußte ich zugeben, daß ein ganz winzig kleiner Teil von mir ihr böse war, weil sie mich von ihm fernhielt.

Irgendwann rief die Schwester den Namen eines weiteren Patienten auf, der nicht Jackie war, und führte den Betreffenden in die Untersuchungsräume. Ich sah auf die Uhr und stellte fest, daß wir nun schon länger als zwei Stunden hier warteten. Ich ging zur Anmeldung und fragte, wie lange es noch dauern würde, bis Jackie an der Reihe wäre.

»Es sind noch sieben Patienten vor ihr«, sagte Schwester Wendy munter. »Ich würde sagen, daß es ungefähr noch eine Stunde dauert, bevor der Arzt Zeit für sie hat.«

»*Der* Arzt? Sie meinen, es gibt nur einen? Für diese ganzen Leute?«

»Momentan ist nur einer hier«, bestätigte Wendy, deren Umgangsformen ebenso gestärkt und steif waren wie ihre weiße Tracht. »Der zweite Arzt ist woandershin gerufen worden.«

»Dann rufen Sie ihn zurück«, verlangte ich. »Je früher, desto besser.«

Ich sah zu Jackie hinüber, die just diesen Moment gewählt hatte, um in ein Delirium zu verfallen. Plötzlich stöhnte sie auf, schwenkte die Arme durch die Luft und sprach in einer seltsamen Mischung aus Urlauten und iambischem Pentameter.

»Sehen Sie denn nicht, daß meine Freundin Hilfe braucht?« schrie ich und schlug mit der Faust auf den Schreibtisch. »Sie ist ja schon im Fieberwahn!«

»Woher wollen Sie wissen, daß es vom Fieber kommt?« fragte die Schwester mit geschürzten Lippen. »Wir hatten heute schon mehrere psychiatrische Fälle.«

»Hören Sie mal, Fräuleinchen. Ich weiß nicht, wo Sie ihre Ausbildung zur Krankenschwester gemacht haben, aber man braucht kein medizinisches Genie zu sein, um zu erkennen, daß die Frau da drüben«, ich zeigte auf Jackie, »krank ist. *Körperlich* krank. Und wenn Sie sie jetzt nicht augenblicklich zum Arzt hineinbringen, werde ich …«

»Werden Sie was?«

»Dann werde ich … werde ich …« Ich war mit meiner Weisheit am Ende. Wir waren hier nicht in Manhattan, wo an jeder Ecke ein Krankenhaus war, also hatte ich im Grunde kein Druckmittel. Und selbst wenn ein anderes Krankenhaus schwimmend zu erreichen gewesen wäre, hätten wir auch erst dorthin gelangen und Jackie anmelden müssen, und die Warterei hätte von vorn angefangen.

»Dann werde ich … dann werde ich dem Chefredakteur von *Away From It All*, der verbreitetsten Reisezeitschrift in den Staaten, davon berichten«, stieß ich hervor. »Ich arbeite in der Public-Relations-Branche. Ich kann ohne weiteres durchsickern lassen, daß man, wenn man als Passagier auf der *Princess Charming* das

Pech haben sollte, krank zu werden, lieber seinen eigenen Arzt mitbringen sollte, weil man sonst…«

Ich brachte meinen Satz nicht zu Ende, da mitten in meiner Tirade der Arzt erschien.

»Gibt es ein Problem, Wendy? Ich konnte den Aufruhr den ganzen Flur hinunter hören«, sagte er, wobei er besorgt, aber nicht verärgert wirkte.

Noch ein Skandinavier, dachte ich, während ich ihn betrachtete. Er war stämmiger als Captain Solberg – im Grunde richtig pummelig –, aber blonder, heller, sanfter. Vielleicht war es seine Stimme, die eine gewisse Fürsorglichkeit und eine Art Mitgefühl erahnen ließ. Sie war leise und tief, ohne autoritäre Schärfe.

»Es tut mir leid, Doktor…«

»Johansson«, sagte er und schüttelte mir die Hand, nachdem er seine weißen Latexhandschuhe abgestreift hatte. »Dr. Per Johansson.«

»Angenehm«, sagte ich. »Es tut mir leid, daß ich so mit der Krankenschwester gesprochen habe, aber meine Freundin dort drüben«, ich zeigte erneut auf Jackie, »wartet nun schon seit über zwei Stunden auf Sie, und ihr Zustand wird immer schlimmer.«

»Was hat sie denn für Symptome?« fragte er, während sämtliche anderen Patienten im Wartezimmer höchst interessiert lauschten. Sonst gab es ja nicht viel Unterhaltung; das Zeitschriftensortiment war nicht das beste.

»Tja«, begann ich. »Es hat gestern am frühen Morgen mit Magenkrämpfen angefangen und…« Ich hielt inne. »Am besten hole ich sie gleich mal her«, sagte ich.

Bevor Doktor Johansson flüchten konnte, lief ich zu Jackie hinüber, zerrte sie zur Anmeldung, stellte sie hin wie eine Schaufensterpuppe und sagte: »Sie sehen es doch, Doktor. Sie ist ein ganz krankes Tier.«

Dr. Johansson sah verwirrt drein. »Tier?«

»Ach«, sagte ich lächelnd. »Nein, ich weiß schon, daß Sie kein Tierarzt sind.« Dann zögerte ich ein oder zwei Sekunden. »Sie *sind* doch kein Tierarzt, oder?« Bei Schiffsärzten wußte man ja nie.

Er lächelte mich an, nahm es mit Humor und sagte, er sei keiner.

Ich nickte erleichtert. »Meine Freundin hat hohes Fieber. Fühlen Sie mal.«

Ich nahm eine von Dr. Johanssons Händen und legte sie auf Jackies Stirn. »Spüren Sie's?«

Er zog eine Augenbraue hoch und sah die Schwester ziemlich streng an. »Bringen Sie sie ins Untersuchungszimmer, Wendy. Sofort.«

»Ja, Doktor.« Wendy nahm Jackies einen Arm, Dr. Johansson den anderen, und so führten sie meine Freundin gemeinsam davon, den Flur hinunter.

Da ich am Verhungern war und vermutete, daß die Untersuchung eine Weile dauern würde, ging ich auf einen schnellen Happen zum Glass Slipper hinauf. Aber inzwischen war es halb vier, und das Café war geschlossen.

»Wie wär's wenigstens mit einem Brötchen und Butter?« bettelte ich einen Hilfskellner an, der einen der Tische abwischte. »Bitte.«

Er grinste und dachte vermutlich, ich sei eine dieser unersättlichen, oral fixierten Personen, die keine fünf Minuten ohne einen Happen auskommen. Ich griff in meine *Princess-Charming*-Tasche, klappte meine Brieftasche auf und reichte ihm einen Fünf-Dollar-Schein, das kleinste, was ich bei mir hatte. Sein Grinsen verschwand, er verschwand nach hinten in die Küche und kam mit Pastrami auf Roggenbrot und einem Glas Eistee zurück. Ich dankte ihm, setzte mich an den Tisch, den er gesäubert hatte, und aß und trank, während er weiter wischte.

Gegen vier Uhr sah ich vom Glass Slipper aus zu, wie die *Princess Charming* den Hafen der Isle de Swan verließ. Nächster Halt war San Juan um ein Uhr am nächsten Nachmittag. Irgendwie fand ich die Vorstellung tröstlich, daß wir uns einer größeren Stadt näherten – der Hauptstadt eines Landes mit richtigen diplomatischen Beziehungen zu den Vereinigten Staaten, einem Ort, an dem man unter mehreren Krankenhäusern wählen konnte. Da ich noch mehr Trost benötigte, dachte ich an Sam und fragte mich, wie er den Nachmittag auf der Insel verbracht hatte, fragte mich, was es für ein Gefühl sein würde, ihn beim Abendessen wiederzusehen. Ich konnte es kaum erwarten.

Ich ging wieder zur Krankenstation zurück. Jackie war immer noch bei Dr. Johansson, erklärte mir Schwester Wimple, und so setzte ich mich hin, griff nach einer drei Jahre alten Ausgabe von *People* und wartete. Ich versuchte mich in eine Geschichte über Oprah Winfreys neueste Diätabenteuer zu vertiefen, als Pat auftauchte – voller Schürfwunden und blauer Flecken und humpelnd!

Ich sprang auf und eilte zu ihr hinüber. Sie war nicht allein; Albert Mullins hielt sie am linken Ellbogen.

»Was ist denn passiert?« fragte ich.

»Ich hatte einen kleinen Unfall«, sagte sie und verzog vor Schmerz das Gesicht. Auf ihrem Kinn prangte eine böse Schnittwunde. Ihr rechter Arm war aufgeschürft und blutete. Und ihr rechter Knöchel war dick geschwollen.

»Was für einen Unfall?« fragte ich und richtete die Frage an Pat und Albert zugleich. »Als ich euch beide zuletzt gesehen habe, wart ihr in Gingers Kunstunterricht und habt euch schöpferisch betätigt.«

»Ja, und das war auch eine rundum erfreuliche Erfahrung«, erklärte Albert, »besonders erfreulich dank der wundervollen Gesellschaft Ihrer Freundin.«

»Prima. Und was ist nach dem Kunstunterricht passiert?« sagte ich ungeduldig.

Pat wollte schon antworten, doch ihr verletztes Kinn machte es ihr offensichtlich schwer, den Mund zum Sprechen zu bewegen, und so sprang Albert für sie ein.

»Wir haben das Mittagessen verspeist, das wir mitgenommen hatten«, berichtete er. »Hühnerbeine in einer ziemlich scharfen Soße mit…«

»Vergessen Sie das Menü, Albert. Ich will etwas über den Unfall hören«, sagte ich.

»Ja, ja. Natürlich«, sagte er rasch. »Nach dem Essen beschlossen Pat und ich, uns ein bißchen auf der Insel umzusehen – ich hätte so gerne einen Haubenkranich zu Gesicht bekommen, wissen Sie –, und so haben wir eine kleine Wanderung nach Süden unternommen, zu Elizabeth's Refuge.«

»Wohin?«

»Elizabeth's Refuge, ein sehenswerter Ort auf der Insel. Es steht im Prospekt, Elaine.«

»Ich habe den Prospekt nicht gelesen, Albert.«

»Also gut. Erlauben Sie, daß ich es Ihnen erkläre. Damals, als Columbus und seine Leute die Westindischen Inseln in Besitz nahmen, geriet eines ihrer Schiffe in einen heftigen Sturm und wurde an den Strand einer Insel gespült, die heute Isle de Swan heißt. Eine Einheimische namens Elizabeth war Besitzerin einer steineren Taverne, die genau an diesen Felsen lag, wo das Schiff auf Grund lief. Der Legende zufolge rettete sie ganz allein den Kapitän des Schiffs sowie seine Mannschaft, und danach wurde ihre Taverne in Elizabeth's Refuge umbenannt. Heute ist das Gebäude natürlich verfallen, aber es ist immer noch ein faszinierendes historisches Denkmal für den Mut und die Tapferkeit…«

»Der Unfall, Albert. Kommen Sie zum Unfall.«

»Ja, der Unfall.« Er sah Pat mit einer Mischung aus Schuldbewußtsein und Mitgefühl an und fuhr fort. »Wir stiegen die ziemlich steilen und schmalen Steinstufen hinab, die von dem Gebäude wegführten, als eine große Gruppe anderer Touristen auf dem Weg nach oben war. Pat ging direkt vor mir – ich hatte sie die ganze Zeit im Blick, das versichere ich Ihnen –, aber entweder wurde sie durch die Leute in der Gruppe abgelenkt und achtete nicht darauf, wohin sie trat, oder sie wurde versehentlich von einem angerempelt. Es waren ziemlich viele, wissen Sie. Auf jeden Fall hat sie sich dabei den Knöchel verstaucht, weil sie eine Stufe übersehen hat, und ist auf den harten Stein gefallen. Ich fühle mich schrecklich schuldig, ganz ehrlich. Zuerst diese peinliche Geschichte mit dem Drink, den ich ihr auf die Bluse gekippt habe, und jetzt dieser bedauerliche, leicht zu verhindernde Sturz, während sie sich in *meiner* Obhut befand! Ich habe allmählich das Gefühl, daß Ihre Freundin bei mir nicht sicher ist.«

Das Gefühl habe ich auch allmählich, dachte ich und fragte

mich, ob es auch nur im entferntesten möglich war, daß Albert der Killer und Pat sein potentielles Opfer war. Was, wenn er versucht hatte, sie umzubringen und es verpfuscht hatte? Er war schließlich ein totaler Stümper. Man konnte sich ohne weiteres vorstellen, daß er Mist gebaut hatte. Außerdem war er *wirklich* ungeschickt; das hatte er in seiner aufwühlenden Entschuldigung wegen des Malheurs mit dem Miami Whammy selbst gesagt. Er hätte Pat die Stufen hinabschubsen können – versehentlich natürlich – und sich dann zu sehr geschämt haben, um es zuzugeben. Und Pat selbst war auch nicht unbedingt Connecticuts Antwort auf Ginger Rogers. Bei ihrem Merengue-Unterricht am Tag zuvor war sie dem Tanzlehrer so oft auf die Zehen getreten, daß er sie dem Hilfslehrer übergeben hatte, auf dessen Zehen sie anschließend trat. Ich reagierte vermutlich übertrieben, so wie Jackie und Pat es schon immer von mir behaupteten.

Plötzlich stöhnte Pat vor Schmerz auf, als müßte sie uns daran erinnern, daß sie auf der Suche nach ärztlicher Hilfe in die Krankenstation gekommen war, und nicht, um Albert und mir beim Plaudern zuzuhören.

Ich schrieb ihren Namen auf Schwester Wimples Anmeldeblatt – es standen sechsundzwanzig Namen vor ihr – und half ihr dorthin, wo sie sich setzen konnte.

Ich werde Sam nie wiedersehen, dachte ich. Pat würde noch wesentlich länger warten müssen als Jackie, so daß ich das Abendessen ebenso verpassen würde wie das Mittagessen.

»Ich glaube, wir kommen jetzt allein zurecht«, erklärte ich Albert. »Sie brauchen nicht hierzubleiben.«

»Aber ich fühle mich verpflichtet, an Pats Seite zu bleiben, bis wir erfahren, wie schwer ihre Verletzungen sind«, protestierte er.

»Pat wird Sie anrufen«, sagte ich, »sobald sie sich dazu imstande fühlt.«

»Wie Sie wünschen«, sagte er, verbeugte sich und stellte Pats *Princess-Charming*-Tasche, die er für sie getragen hatte, auf den Fußboden. Dann nahm er ihre linke, unversehrte Hand und preßte seine Lippen darauf. »Ich wünsche Ihnen eine möglichst rasche Genesung.«

»DnkeAlbt«, sagte Pat, deren verletztes Kinn sie zwang, so zu sprechen, als wäre ihr der Kiefer zugenäht worden.

»Nichts zu danken, meine Liebe«, sagte er und ging.

Ich wandte mich an Pat. »Hat er dich diese Treppe hinuntergestoßen?«

»Albt?«

»Ja, Albert. Er hat doch gesagt, du seist vielleicht ›angerempelt‹ worden.«

Pat schüttelte vorsichtig den Kopf. »Vlleicht. AbernichvnAlbt.«

»Woher willst du das wissen? Er hat gesagt, er sei direkt hinter dir gegangen. Wäre es nicht möglich, daß er derjenige war, der dich gestoßen oder angerempelt hat. Um dir weh zu tun.«

»WrumsolltAlbtsowastun?«

»Ich weiß nicht.« Ich saß da und dachte über die derzeitige Beziehung von Pat und Bill nach, versuchte mir vorzustellen, weshalb ein Mann von Bills Intelligenz jemanden wie Albert anheuern sollte, um seine Exfrau zu ermorden. Schließlich fragte ich: »Du hast Jackie und mir erzählt, daß Bill dich angerufen hat, bevor wir zu der Kreuzfahrt aufgebrochen sind. *Warum* hat er dich sprechen wollen?«

»ErhatgesagtihmfehlndieKinder.«

»Aber er sieht die Kinder doch regelmäßig.«

»Weißich.«

»Hat er sonst noch etwas gesagt?«

Sie nickte. »Hauszugroß.«

»Er hat gesagt, das Haus in Weston sei zu groß?«

Sie nickte wieder.

»Dieser Schweinehund. Was erwartet er denn von dir? Daß du mit den fünf Kindern in eine winzige Wohnung ziehst? Damit er keine Hypotheken mehr bezahlen muß?«

»Kannichredn. Tutweh.«

»Tut mir leid.« Ich drückte ihren unversehrten Arm. »Hör mal, Jackie muß jede Minute da rauskommen, und wenn sie beim Arzt fertig ist, frage ich ihn, ob er dich als nächste drannimmt. Er scheint ein sehr netter Mann zu sein.«

»Albtauch.«

»Das Urteil über Albert ist noch nicht gefällt, Pat.«

Sie wollte mir gerade widersprechen, als Doktor Johansson erschien. Er kam direkt auf uns zu, warf einen raschen Blick auf Pat und fragte: »Was ist mit ihr passiert?«

Ich erklärte es ihm.

»O je«, sagte er mitfühlend, nahm Pats verletzten Knöchel in seine großen, erfahrenen Hände und untersuchte ihn rasch. »Wir müssen ihn röntgen, aber ich glaube, es ist nur eine Verstauchung. Wir machen die Wunden sauber, vereisen den Knöchel, und dann ist sie im Handumdrehen wieder wie neu.«

Ich atmete erleichtert auf. Ein Problem erledigt, eines noch offen. »Und wie geht's Jackie?« fragte ich Doktor Johansson.

Er runzelte die Stirn und sagte: »Wir haben ihr etwas Blut und eine Urinprobe abgenommen und eine Kultur angelegt, um festzustellen, ob es eine bakterielle Infektion ist, aber ich will sie auf jeden Fall über Nacht hierbehalten. Vielleicht sogar zwei Nächte.«

»Hierbehalten? Sie haben Betten?«

Doktor Johansson lächelte. »Kommen Sie. Ich zeig's Ihnen.«

Er wies Schwester Wimple an, Pat in einen der Untersuchungsräume zu bringen, während er mich hinter die Kulissen der Schiffsklinik führte. »Hier können wir operieren«, sagte er, als wir an einem der Operationssäle vorbeikamen. »Wir können alles machen, von Eingriffen am offenen Herzen bis hin zum Einrenken eines gebrochenen Beines. Der andere Arzt ist plastischer Chirurg. Deshalb ist er heute nachmittag auch nicht hier; er hat heute morgen vier Gesichter geliftet.«

Ich schüttelte erstaunt den Kopf. Nie wäre ich auf die Idee gekommen, daß Leute Kreuzfahrten machten, um sich liften zu lassen. Aber schließlich wäre ich auch nie auf die Idee gekommen, daß Kreuzfahrtschiffe Krankenhäuser an Bord hatten.

»Das ist das Labor«, sagte Doktor Johansson stolz, als wir an einem Raum vorbeikamen, in dem vier weißbehandschuhte und weißbemäntelte Techniker gebückt über irgendwelchen Glasröhrchen saßen. »Und da sind die Krankenzimmer.« Er blieb stehen, als wir zu dem Teil der Klinik kamen, wo sich mehrere Einbettzimmer befanden, von denen die meisten belegt waren. In einem der Zimmer lag Jackie, eine Infusionsnadel im Arm und in ein weiß-blau getupftes Nachthemd gehüllt.

»Kann ich mit ihr reden?« fragte ich.

»Natürlich. Wir behalten sie nur aus Vorsicht hier«, sagte Doktor Johansson beruhigend. »Bis wir herausgefunden haben, was ihr fehlt. Aber ermüden Sie sie nicht. Sie ist sehr geschwächt.«

»Das tue ich nicht«, versprach ich. »Und vielen Dank, Doktor. Vielen herzlichen Dank.«

»Gern geschehen«, sagte er. »Aber jetzt gehe ich lieber und werfe einen Blick auf Ihre andere Freundin.«

Ich nickte und fragte mich, wie *ich* es geschafft hatte, unversehrt zu bleiben, und wie lange mein Glück anhalten würde.

12

»Jackie? Kannst du mich hören? Ich bin's, Elaine«, flüsterte ich, als ich neben ihrem Bett stand.

»Natürlich kann ich dich hören. Ich bin krank, nicht taub.«

Ich lächelte. »Du hast mir da draußen im Wartezimmer einen ganz schönen Schrecken eingejagt«, gestand ich ihr. »Aber es scheint dir schon besser zu gehen. Vielleicht versteht dieser Dr. Johansson ja sein Handwerk.«

»Er ist sehr gründlich, das kann ich dir sagen. Er hat mir eine Million Fragen gestellt – ob ich vielleicht verdorbene Meeresfrüchte gegessen hätte, von einer Zecke gebissen wurde oder Kontakt mit irgendwelchen giftigen …«

»Giftigen was?« unterbrach ich sie. Könnte Jackie vergiftet worden sein? Hatte ihr Henry Prichard etwas in den Drink getan, als sie gerade nicht hinsah? War *er* der Mann am Telefon und *sie* die Exfrau, die er im Auftrag des Exmannes umbringen sollte? Meine Gedanken überschlugen sich mal wieder.

»Giftigen Substanzen«, fuhr sie fort. »Ich habe ihm gesagt, daß ich in einem Gartencenter arbeite, wo man gelegentlich schon mal mit giftigen Chemikalien zu tun hat. Wie gesagt, Dr. Johansson ist äußerst gründlich.«

»Das freut mich«, sagte ich und zwang mich in die Realität zurück.

»Und weißt du, was?« sagte sie. »Er ist Sportfan.«

»Jackie, woher weißt du das schon wieder?«

»Weil ich *ihm* ein paar Fragen gestellt habe. Zum Beispiel, woher er stammt und wie er dazu kam, Schiffsarzt zu werden, das Übliche eben. Er ist Finne, ist in Helsinki geboren und aufgewachsen, hat in London Medizin studiert, ist seit etwa zehn Jahren geschieden und hat beschlossen, die Stelle bei Sea Swan Cruises anzunehmen, als ein Freund von ihm, der vorher als Arzt hier gearbeitet hat, in den Ruhestand ging.«

Ich lachte. »Klingt ganz danach, als hätte nicht nur Dr. Johansson eine Untersuchung vorgenommen. Hast du vielleicht auch noch herausgefunden, daß er sich für Baseball begeistert?«

»Doch nicht Baseball, Elaine. Er ist aus Finnland, Mensch. Er fährt Ski.«

»Tja, es freut mich zu hören, daß ihr beide Ski fahrt«, sagte ich. »Dann habt ihr ja etwas, worüber ihr reden könnt, wenn er dir das Krankenhausnachthemd hochhebt und dir das eiskalte Stethoskop auf die Brust drückt.«

Sie lächelte.

»Er hat gebeten, nicht zu lange zu bleiben«, fiel mir wieder ein. »Ich sollte lieber gehen.«

Jackie nickte trübsinnig. »Es ist einfach nicht zu fassen, daß mir das ausgerechnet im Urlaub passieren muß.«

»Ich weiß«, sagte ich, nahm ihre Hand und tätschelte sie. »Aber es kommen auch noch andere Ferien, andere Reisen, die wir zusammen unternehmen. Wir können hinfahren, wohin wir wollen, und tun, was wir wollen.«

»Das klingt wie aus einem Lied von den Mamas and Papas. Sechziger Jahre. Peter mochte den Song.«

»Wie schön für Peter.« Könnte *Peter* Henry Prichard angeheuert haben, damit er Jackie umbringt? fragte ich mich. Damit sie seinen Plänen mit dem Gartencenter nicht mehr im Weg stand?

Ich mußte damit aufhören. Ich machte mich nur selbst verrückt. Ich beschloß, mich in San Juan – sowie ich meinen verirrten Koffer wiederhatte – mit den dortigen Behörden in Verbindung zu setzen. Vielleicht waren sie eher geneigt, Maßnahmen zu ergreifen, als es Captain Solberg gewesen war.

»Das wichtigste ist jetzt, daß du wieder gesund wirst«, sagte ich zu Jackie.

»Du hast recht. Aber denk ab und zu an mich, wenn du mit Pat am Feiern bist.«

»Ich glaube nicht, daß Pat der Sinn nach Feiern steht«, sagte ich und erzählte Jackie vom Mißgeschick unserer Freundin auf der Isle de Swan. »Jedenfalls nicht heute abend.«

»Die arme Pat«, sagte sie. »Grüß sie schön von mir, ja?«

»Mach' ich. Sie kommt dich bestimmt morgen früh besuchen. Sie muß nur die nächsten Stunden ruhen.«

Jackie lächelte.

»Was?« fragte ich.

»Nachdem Pat und ich außer Gefecht sind, sitzen heute abend zwei alleinstehende Frauen weniger am Tisch. Was bedeutet, daß du Sam für dich allein haben wirst. Halt dich ran.«

Kingsley half mir, Pat in ihre Kabine zu bringen und aufs Bett zu legen, nachdem Dr. Johansson ihren Knöchel bandagiert, ihre Wunden gesäubert und verbunden und ihr eine anständige Dosis Valium verabreicht hatte. Ich gab Kingsley meinen letzten Fünf-Dollar-Schein und schickte ihn weg.

»Wie fühlst du dich?« fragte ich Pat, als wir allein waren.

»Ein bißchen benebelt«, sagte sie, benebelt genug, daß die Wunde am Kinn sie beim Sprechen nicht mehr schmerzte.

»Gut. Wie wär's, wenn ich dir beim Ausziehen helfe, dich zudecke und du die Schmerzen einfach wegschläfst?«

Sie sah mich mit leicht getrübtem Blick an. Dann streckte sie die linke Hand aus und strich mir das Haar aus dem Gesicht, genau wie meine Mutter es getan hatte, als ich noch klein war.

»Ich hab' dich lieb, Elaine«, sagte sie.

»Ich hab' dich auch lieb, Pat«, sagte ich, während ich versuchte, ihr zuerst das T-Shirt über den Kopf und dann die Shorts über ihren verstauchten Knöchel zu ziehen. »Sag's mir, wenn ich dir weh tue, ja?«

»Ich hab' dich lieb, Elaine«, sagte sie noch einmal.

»Ich hab' dich auch lieb, Pat«, wiederholte ich ebenfalls und zog sie weiter aus. Sie war von dem Valium dermaßen betäubt, daß sie mir noch ein paarmal erzählte, wie lieb sie mich hatte. »Ich weiß, Pat. Ich weiß«, antwortete ich jedesmal.

»Nein, das weißt du nicht«, sagte sie schläfrig, als ich sie zudeckte. »Ich traue mich nie, das zu sagen, was ich wirklich auf dem Herzen habe. Bin immer zu schüchtern gewesen. Aber du bist mir eine wunderbare Freundin gewesen, Elaine, eine wunderbare Freundin. Du bist so gewandt und klug bei allem und auch noch so hübsch. Das wollte ich dir sagen. Ich bewundere dich und hab' dich lieb.«

Ein Kloß, so groß wie ein Fleischklops, wuchs in meiner Kehle. Ich war zutiefst gerührt von Pats Erklärung, Valium hin oder her. Ich beugte mich hinab und gab ihr einen Kuß auf die Wange.

»Ich habe Bill seit Ewigkeiten nicht mehr gesagt, daß ich ihn liebe«, seufzte sie, während ihre Augenlider bebten und sich dann schlossen.

»Ich bin sicher, er hat es gespürt«, sagte ich leise und machte ihre Nachttischlampe aus.

»Ich liebe Bill«, sagte sie und schlief ein.

»Ich weiß«, sagte ich und machte die Tür hinter mir zu.

Es war sechs Uhr, als ich endlich wieder in meiner Kabine ankam – nur noch eine halbe Stunde bis zum Abendessen. Ich überlegte, ob ich Harold im Büro anrufen sollte, nahm aber an, daß er sich mittlerweile auf dem Nachhauseweg befand. Außerdem erwog ich, Leah anzurufen, um zu erfahren, wie es meinen Kunden mit ihren diversen juristischen Problemen ging, beschloß aber, daß ich meine Zeit besser nutzen konnte, indem ich duschte, mich anzog und mich für Sam schönmachte.

Ich wusch mir die Haare und fönte sie rasch, trug Make-up auf und zog meinen hoffentlich letzten Einkauf von Perky Princess an: einen zu kurzen weißen Rock und einen pfirsichfarbenen Strickpulli mit zwei goldenen Palmen, auf jeder Brust eine. Sehr stilvoll. Da heute im Speisesaal karibischer Abend war und man uns aufgefordert hatte, entsprechend gekleidet zu erscheinen, nahm ich an, daß meine Kluft auch nicht geschmackloser sein würde als die der anderen.

Ich betrat den riesigen Speisesaal und fühlte mich ganz nackt ohne Jackie und Pat an meiner Seite. Mit klopfendem Herzen näherte ich mich Tisch 186, aber Sam war wie üblich noch nicht da.

»Hallo, allerseits«, sagte ich und setzte mich auf den freien Stuhl neben Kenneth Cone, der eine weiße Hose und ein in lebhaften Farben gemustertes Hemd anhatte und sein braunes Haar nach der neuesten Mode zurückgekämmt trug. Sein Teint war inzwischen tief bronzefarben.

»Elaine«, sagte er und beäugte meine Palmen. »Kommen Jackie und Pat noch?«

»Nein. Sie fühlen sich beide nicht wohl«, erklärte ich. »Jackies Virus hat sie inzwischen auf die Krankenstation gebracht, und Pat hat sich heute auf der Insel den Knöchel verstaucht. Sie liegt in ihrer Kabine.«

»So ein Pech«, sagte Gayle in einem Ton, der nicht gerade von Aufrichtigkeit zeugte. Sie steckte in einem kecken, kleinen Kostüm in Pink und Grün, das eher nach Palm Beach als nach Karibik aussah. Ihr Schmuck war heute abend aus massivem Silber.

»Ja, allerdings«, stimmte Dorothy zu. »Es will doch niemand so weit weg von zu Hause gesundheitliche Probleme haben.«

»Was ist los, Dorothy« fragte Lloyd. Er und seine Frau waren im Partnerlook gekleidet: Isle-de-Swan-T-Shirts und Jeans. Dorothys Jeans saß perfekt, Lloyds hingegen reichte ihm bis fast unter die Achseln.

Dorothy wiederholte für ihn, was ich über Jackie und Pat gesagt hatte, und was Gayle über Jackie und Pat gesagt hatte.

»Richten Sie ihnen aus, sie sollen schnell wieder ge-

SUND WERDEN«, brüllte Lloyd in meine Richtung. Es war die erste nette Äußerung, die er in drei Tagen von sich gegeben hatte.

»Von uns auch«, sagte Brianna und stieß Rick mit dem Ellbogen in die Seite, woraufhin er ein nicht direkt von Herzen kommendes »Ja, genau« brummte. Brianna trug ein T-Shirt mit der Aufschrift CARIBBEAN QUEEN. Auf Ricks T-Shirt stand SCHWEINCHEN DICK. Ich hätte ihn nicht treffender beschreiben können.

Schließlich kam Sam angeschlendert und entschuldigte sich wie immer für seine Verspätung. Er trug die Khakihosen vom ersten Abend und dazu ein leuchtendblaues Hemd, das perfekt zu seinen Augen paßte. Er hatte sich auf der Insel einen ganz schönen Sonnenbrand geholt, und die Röte auf Nase und Wangen ließ ihn jünger wirken, wie einen kleinen Jungen.

»Heute die Sonnencreme vergessen?« spöttelte ich.

»Leider ja. Ich bin erst so spät losgekommen, daß ich mich beeilen mußte, um das Boot noch zu erwischen. Deswegen habe ich wohl die Sonnencreme vergessen und andererseits die Gelegenheit verpaßt, den Nachmittag mit dir zu verbringen. Warum bist du denn so früh wieder zurückgefahren?«

Ich erzählte ihm die traurige Geschichte.

»Sollen wir nach dem Essen bei Jackie vorbeischauen?« fragte er und wirkte ehrlich besorgt um sie und Pat.

Ich schüttelte den Kopf. »In der Klinik ist nur bis sechs Uhr Besuch erlaubt. Aber wir können sie morgen früh besuchen. Nach dem Joggen?«

»Abgemacht.« Sam griff unter den Tisch und drückte liebevoll meine Hand. Meine Wangen wurden ebenso rot wie seine.

In diesem Moment erschien Ismet und nannte uns die Spezialitäten. Seine persönliche Empfehlung war der karibische Hummer mit weißem Reis und Saubohnen.

Rick beugte sich vor und sagte – laut genug, daß wir alle es hören konnten – zu Brianna: »Hat Ishmael gerade gesagt, daß sie uns Schweinefutter vorsetzen wollen? Für das viele Geld, das ich für diese Hochzeitsreise ausgebe?«

»Saubohnen sind ein typisches Gericht der Karibik, Sir«, sagte Ismet und blieb trotz Ricks Rüpelhaftigkeit höflich. »Sie unterscheiden sich nicht sehr von den Bohnen, die Sie in Amerika haben.«

«Ich hasse Bohnen«, knurrte Rick. »Und Karotten auch.«

»Dann nimm doch den Hummer ohne Gemüsebeilage, Zuckerschneck«, schlug Brianna taktvoll vor. Anscheinend war sie wieder dort, wo sie in Ricks Augen hingehörte: in der Rolle des braven Frauchens.

»Ja, das mach' ich auch«, sagte Rick zum Kellner. »Bringen Sie mir einen Hummer mit Pommes frites, okay, Ishmael?« Ismet nickte, während er die Bestellung auf seinem kleinen Block notierte. »Und vergessen Sie das Ketchup für die Pommes und die Tartarensoße für den Hummer nicht, ja?«

Sam drückte mir erneut die Hand, als wollte er sagen: »Von welchem Planeten kommt der denn?« Ich erwiderte seinen Händedruck, als wollte ich sagen: »Ich habe keine Ahnung, aber es ist mir auch egal, weil ich bei dir bin.« Ich war so hingerissen, es war grauenhaft.

Beim Essen, während wir alle im Zweikampf mit unserem Hummer lagen, Fischstückchen durch die Gegend flogen und leere Schalen klapperten, plauderte Sam mit Dorothy, und ich redete mit Kenneth und Gayle – oder versuchte es zumindest. Die Cones und ich hatten im Grunde wenig gemeinsam. Neben der Tatsache, daß sie verheiratet und wohlhabend waren, während ich alleinstehend war und für mein Geld arbeiten mußte, besaß ich auch kein architektonisch bedeutsames 550-Quadratmeter-Haus, das ich gerade renovierte. Ich hatte auch noch nie von ihrem Innenarchitekten gehört – trotz Gayles beharrlich wiederholtem Hinweis, daß seine Arbeiten jedes Jahr mehrmals in *A.D.* veröffentlicht würden –, und ich interessierte mich auch nicht im entferntesten für die Herausforderung, die es bedeutete, ein Haus mit Artikeln von *Sharper Image* durchzustylen. Irgendwann erzählte Gayle etwas von Zahnschnitt-Ornamenten, und ich konnte nur noch an Zähne und Zahnsteinentfernung und viele, viele Betäubungsspritzen denken.

Schließlich gab ich meine Bemühungen um Gayle auf – oder sie ihre um mich – und versuchte, Kenneth aus der Reserve zu locken. Was ich als erstes von ihm erfuhr, war, daß ihre Ehe deshalb wie am Schnürchen lief, weil sie beide ihre Rolle perfekt beherrschten: seine war es, zu arbeiten; ihre war es, Geld auszugeben. Er erzählte mir, daß er mehrere Jahre lang als Börsenmakler bei einer der großen Firmen gearbeitet hatte – bei Bear Sterns oder Goldman Sachs, ich weiß es nicht mehr – und so erfolgreich gewesen war, daß er beschlossen hatte, seine eigene Investment-Firma aufzumachen, zunächst als Teilhaber und dann allein.

»Und es macht Ihnen nichts aus, allein zu arbeiten?« fragte ich, da ich wußte, daß es mir äußerst schwerfallen würde, von einer riesigen Organisation wie Pearson & Strulley in ein Büro zu wechseln, in dem ich ganz allein saß.

»Nein, ich bin kein großer Freund von Betriebsweihnachtsfeiern und dergleichen«, sagte er. »Mir macht das Handeln Spaß. Ich bin am glücklichsten, wenn ich kaufe und verkaufe, den Markt beobachte und das Spiel spiele.«

Tolles Spiel, dachte ich, und mußte an den Börsenkrach von 1987 denken.

»Und natürlich mache ich Gayle glücklich«, fügte er hinzu und nickte zu seiner Frau hinüber, die mit gezierten Bewegungen versuchte, Reis und Bohnen davon abzuhalten, von ihrer Gabel zu rutschen, während sie diese zum Mund führte. »Sie ist ein bißchen anspruchsvoll, aber man muß sie einfach lieben.«

Nein, Freundchen. *Du* liebst sie, sagte ich mir im stillen und stellte mir die Rechnungen vor, die Gayle jeden Monat anhäufte.

»Haben Sie keine Kinder?« fragte ich.

Kenneth schüttelte den Kopf. »Wir haben drei Shih-Tzus.« Er zog ein Foto von den Hunden aus seiner Brieftasche und reichte es mir. Ich nickte und sagte: »Ahhh, sind die süß«, wie es eben von einem erwartet wird, wenn einem jemand ein Foto von jungen Hunden oder kleinen Kindern zeigt. »Gayle wollte sie unbedingt haben, also sollte sie sie haben«, erklärte Kenneth, als er das Bild wieder in die Brieftasche steckte. »Es sind Vorzeigehunde. Natürlich nicht ganz billig.«

»Natürlich nicht.«

»Aber wenigstens muß ich sie nicht auf Nobeluniversitäten schicken«, kicherte Kenneth.

»Das ist allerdings eine Ersparnis«, stimmte ich zu.

»Auf jeden Fall sind sie Gayles Lieblinge. Und wenn sie glücklich ist, bin ich auch glücklich.«

Ich sah zu Gayle hinüber, betrachtete ihren Schmuck, ihre Kleider, ihr perfekt frisiertes rotes Haar und dachte bei mir, was für ein Jämmerling Kenneth doch war. Er schuftete sich zu Tode, damit er seine Frau mit Geld und Hunden versorgen konnte. Und was sprang für ihn dabei raus? Jedenfalls kein Sex, nachdem was Gayle über ihre unterschiedlichen Schlafgewohnheiten erzählt hatte. Respekt auch nicht; sie nahm den Mann kaum wahr. Was dann, fragte ich mich. War es die Geschichte mit der Trophäe? War ihr anspruchsvolles Wesen das strahlende Zeugnis seiner Gerissenheit in Börsengeschäften? Seinen Fähigkeiten als Versorger? Seine Männlichkeit? Aber wer konnte schon in Männer hineinsehen?

Ich musterte Sam, während Kenneth sich seinem Hummer widmete. Ich versuchte, mir Sam und seine Verlobte – Jillian – in einer Beziehung wie der von Kenneth und Gayle vorzustellen und schaffte es nicht. Sam war tiefgründiger als all dieser Glitzerglanz, viel bodenständiger. Jackies Bemerkung, daß Männer kein Innenleben hätten, war falsch. Sam Peck hatte ein Innenleben. Da war ich mir sicher.

Nach dem Essen zogen alle paarweise ab, womit natürlich Sam und ich füreinander übrigblieben.

»Also? Worauf hast du Lust?« fragte er, als wir vor dem Speisesaal standen, während uns ein Geiger mit Serenaden umschmeichelte.

»Was steht denn zur Auswahl?« fragte ich. Es war erst halb neun. Zu früh, um schlafen zu gehen.

Sam zog das Blatt mit dem abendlichen Unterhaltungsprogramm aus seiner Hosentasche, faltete es auseinander und las es mir vor. »Nun, da wäre einmal die Show. Heute abend spielt eine fünfzehnköpfige Big Band im Stil von Glenn Miller.«

»Was gibt's sonst noch?« fragte ich. Ich hatte schon so viele Versionen von »In the Mood« gehört, daß es mir für den Rest meines Lebens reichte.

»Dann gibt's ›Pyjama Bingorama‹, wo der schickste Schlafanzug fünfhundert Dollar gewinnt, auszugeben in den Boutiquen auf der Isle de Swan.«

»Das kommt wohl nicht in Frage. Weiter.«

»Zwei Karate-Cracks zeigen ihre Kunst, ein Vortrag über zollfreien Einkauf in San Juan und ein Ping-Pong-Turnier.«

»Davon reizt mich eigentlich nichts.«

»Man kann natürlich auch einen Mondscheinspaziergang auf dem Promenadendeck machen.«

»Würde dich das nicht langweilen? Ich meine, nachdem wir das schon gestern abend gemacht haben?«

»Du bist nicht langweilig, Slim. Vertrau mir.«

»Ich vertraue nie Leuten, die sagen … «

»Gehen wir«, sagte Sam, packte meine Hand und führte mich hinauf aufs Promenadendeck.

Es war eine herrliche Nacht – mondhell, sternenklar, warm, duftend. Während die *Princess Charming* in südlicher Richtung auf Puerto Rico zufuhr, rollte unter uns sanft das Meer, wie ein fliegender Teppich, der uns tiefer in die Karibik brachte. Sam und ich schlenderten über das Deck, Seite an Seite, bis wir am Heck des Schiffs angekommen waren, wo wir an derselben Stelle stehenblieben wie am Abend zuvor und die Reling umfaßten. Beide blickten wir hinab in das aufschäumende Kielwasser und schwiegen, hypnotisiert von den Geräuschen und Strudeln, die das Wasser erzeugte.

»Man vergißt leicht, wie hoch oben man hier ist«, sagte ich schließlich und blickte Sam an. Der Wind blähte sein weites blaues Hemd wie ein Segel.

»Vierzehn Stockwerke hoch steht im Prospekt«, sagte er. »Du hast doch keine Höhenangst, oder?«

»Nicht so sehr wie du Flugangst«, konterte ich.

Weder lächelte Sam, noch entgegnete er etwas. Er wandte nur

seine Aufmerksamkeit wieder der See zu, als hätte ich die Bemerkung überhaupt nicht gemacht. Vielleicht mag er es nicht, wenn man Witze über seine Flugangst macht. Oder vielleicht mag er mich nicht. Zumindest nicht so sehr, wie ich gehofft hatte.

Seine Miene war eindeutig ernst geworden, sein ganzer Körper war angespannt. Ich fragte mich, was ihm durch den Kopf ging, während er zusah, wie die Wellen gegen den Schiffsrumpf schwappten.

»Stimmt was nicht?« fragte ich, da ich wissen wollte, was Sams Stimmungsumschwung verursacht hatte. Noch wenige Augenblicke zuvor war er unbeschwert und herzlich gewesen.

Er schüttelte den Kopf, starrte aber weiterhin aufs Meer, steif und regungslos, und schob sich nur hin und wieder die Brille auf der Nase zurecht.

Gut. Plötzlich will er also nicht mehr reden, dachte ich und vermutete, daß Sams Schweigen nur eine Art Eisenhans-Manier war, eine Art Kommunikation mit der Natur.

Und dann dröhnte Captain Solbergs Stimme aus dem Lautsprecher und riß Sam aus seiner trüben Stimmung .

»Guten Abend, meine Damen und Herren«, sagte der Captain. »Hier ist der Neun-Uhr-Wetterbericht und Neues über unsere aktuelle Position. Die Temperatur beträgt knapp 28 Grad, der Himmel ist klar – ideal für diejenigen unter Ihnen, die sich gern die Sterne ansehen. Wir fahren mit etwa zwanzig Knoten in südlicher Richtung und rechnen damit, zur vorgesehenen Zeit in San Juan anzulegen: morgen nachmittag um ein Uhr. Ich wünsche Ihnen allen eine sichere und angenehme Nacht.«

»›Sicher‹ ist genau der Punkt«, murmelte ich und mußte wieder an den Killer und sein bedauernswertes Opfer denken.

»Was hast du gesagt?« fragte Sam. »Was ist sicher?«

»Nicht so wichtig«, sagte ich. »Nur, daß ich mich bei dir sicher fühle. Selbst in dieser Höhe.«

Er lächelte mich an, und seine düstere Stimmung schwand.

»Slim?« fragte er.

»Mhm?«

»Hättest du was dagegen, wenn ich dich küsse? Ich dachte,

diesmal frage ich lieber, nach dem Erlebnis gestern abend vor dem Aufzug.« Sein Tonfall war wieder spöttisch und sorglos. Ich war erleichtert. Was auch immer ihn belastet hatte, es war offenbar nicht ich gewesen.

Ich atmete tief ein. Diesmal war ich darauf vorbereitet, daß Sam mich küßte. »Nein. Ich hätte überhaupt nichts dagegen«, flüsterte ich.

Sam drängte sich gegen mich. Er hob mein Kinn ein wenig an, so daß ich ihm den Mund entgegenreckte, und senkte sein Gesicht herab. Weiter. Weiter. Und weiter. Er *war* ein gutes Stück größer als ich, aber es schien eine Ewigkeit zu dauern, bis seine Lippen endlich die meinen berührten. Und während sein Mund den quälend langsamen Abstieg zu meinem vornahm, fragte ich mich unablässig: Wird seine Brille uns beim Küssen stören? Oder meine Nase? Wird er mir die Zunge in den Mund stecken? Und lasse ich das zu? Es war schon so lange her, seit ich einen Mann geküßt hatte, daß ich mich nicht mehr erinnern konnte, wer was tun mußte. Aber schließlich fiel mir alles wieder ein.

Sams Lippen waren butterweich, saftig und fleischig. Er muß meine wohl auch in Ordnung gefunden haben, denn wir haben uns auf diesem Promenadendeck, unter Mond und Sternen und Himmel, zwei geschlagene Stunden lang geküßt! Nie hätte ich gedacht, daß Küssen so aufregend sein könnte. Doch das war es – aufregender als alles, was ich je zuvor in meinem Leben getan hatte. Sam und ich klammerten uns aneinander – Nasen, Münder, Lippen, Zungen, alles bewegte sich wie in einem perfekt choreographierten Ballett.

»Elaine«, murmelte er in einer der seltenen Pausen. Das reine Nennen meines Namens in genau diesem Moment – er hatte das Gesicht in meinen Haaren vergraben, direkt neben meinem rechten Ohr – versetzte mich geradezu in ein Fieber, und als Antwort darauf küßte ich ihn mit einer Wildheit, die mich selbst überraschte.

»Ja«, murmelte ich zurück. »O ja.«

Damit nicht der Eindruck entsteht, wir hätten nichts anderes getan als uns geküßt, muß ich der Vollständigkeit halber zugeben, daß auch eine Menge gegenseitiges Betasten mit im Spiel war, nachdem wir unsere anfängliche Schüchternheit abgelegt hatten. Wir berührten und streichelten uns und preßten uns aneinander, ohne einen Gedanken daran zu verschwenden, wer womöglich zusehen, es mißbilligen oder seine voyeuristische Freude daran haben könnte.

Deshalb finden also alle Sex so umwerfend, dachte ich irgendwann – wie sich herausstellen sollte, genau in dem Moment, als Sam sich von mir löste.

»Wir müssen eine Entscheidung treffen«, sagte er mit rauher Stimme.

»Was für eine Entscheidung?« fragte ich atemlos.

»Wir können nicht die ganze Nacht hier bleiben, Slim«, sagte er. »Die Frage ist: Wollen wir, daß es in einer Kabine weitergeht, oder wollen wir uns fürs erste beherrschen und uns etwas aufheben, auf das wir uns freuen können?«

Er will wissen, ob ich bereit bin, mit ihm zu schlafen, dachte ich, und ich fand, es war eine hervorragende Frage. Einerseits war ich ja nicht mehr die Jüngste, und solche Gelegenheiten boten sich nicht jeden Tag. Andererseits war dies erst der dritte Abend unserer Kreuzfahrt. Sam und ich hatten noch ein paar Tage, um uns näher kennenzulernen. Wir konnten *langsam* zu einer tieferen sexuellen Beziehung übergehen, abwarten, bis wir beide sicher wußten, daß es das war, was wir wollten, vermeiden, daß wir etwas taten, was wir später bereuen könnten.

Ja, beschloß ich und brachte mein Äußeres in Ordnung – meine Haare, meinen Pulli und meinen Rock. Wir sollten abwarten. Uns in Selbstbeherrschung üben. Noch einen Tag oder so warten, bevor wir uns sozusagen hineinstürzten. Schließlich lebten wir in den neunziger Jahren. Da fiel man nicht mehr so ohne weiteres in die Betten.

Ich gab Sam einen Kuß auf die Wange und sagte: »Heben wir es uns auf.«

Er nickte schweren Herzens, versuchte jedoch nicht, mir meine Entscheidung auszureden.

Es ist richtig, so zu handeln, sagte ich mir, als ich versuchte, zur Ruhe zu kommen. Sam läuft dir nicht davon; er sitzt noch vier Tage auf diesem Schiff fest. Es wird ihn nicht umbringen, noch ein bißchen länger zu warten. Und mich auch nicht.

VIERTER TAG:
Mittwoch, 13. Februar

13. Kapitel

Das erste, was ich tat, als ich an jenem Mittwoch morgen aufwachte, war zum Spiegel zu eilen und mein Gesicht anzustarren, insbesondere den Mund. Ich studierte ihn, fuhr mir mit den Fingern über die Lippen und versuchte, die prickelnden Gefühle wiederaufleben zu lassen, die Sams Küsse in meinem ganzen Körper ausgelöst hatten, versuchte, den Abend in irgendeine Perspektive zu bringen. Die Tatsache, daß ich über vierzig Jahre alt geworden war, ohne je ein solches Vergnügen kennengelernt zu haben, betrübte mich gewaltig. Etwas so Bedeutendes versäumt zu haben, durch all diese Wochen und Monate und Jahre getrottet zu sein, ohne einen Mann kennenzulernen, bei dem ich auch nur Lust verspürt hätte, ihn so zu küssen, wie ich Sam geküßt hatte, war tragisch. Aber nun hatte ich einen solchen Mann kennengelernt. Ich hatte entdeckt, worum die anderen einen solchen Wirbel machten. Endlich hatte ich mit dem Rest der Welt gleichgezogen. Ich war so glücklich, daß ich allen Ernstes zu weinen anfing.

Viel Zeit zum Weinen blieb mir allerdings nicht, weil ich in fünfzehn Minuten mit Sam zu unserem Vier-Meilen-Lauf auf dem Promenadendeck verabredet war. Danach wollten wir Jackie besuchen.

Ich hatte auf der Krankenstation angerufen, als ich am Abend zuvor in meine Kabine zurückgekommen war, um nach ihr zu fragen, und die Schwester – Gott sei Dank nicht Schwester Wimple – hatte mir berichtet, daß »das Gesamtbefinden der Patientin« sich gebessert hätte; daß Jackie zwar nach wie vor Fieber hätte, aber ruhig schliefe; und daß Dr. Johansson nach dem Abendessen nach ihr gesehen hätte und mit ihren Fortschritten zufrieden sei.

Was Pat anging, so klopfte ich leise an die Kabinentür, als ich zu meiner Verabredung mit Sam um halb acht unterwegs war, aber es kam keine Antwort. Ich nahm an, daß sie immer noch vom Valium außer Gefecht war.

Ich eilte zum Aufzug hinüber, wobei mir einfiel, daß ich völlig vergessen hatte, mir die Haare zu kämmen, als ich Skip Jamison dort stehen sah.

»Sie sind aber früh auf«, bemerkte ich, während sich zwei ältere Frauen mit Lockenwicklern zu uns vor die Aufzugstür stellten.

»Heute ist das Treffen mit den Leuten von Crubanno Rum«, erklärte Skip. »Sobald wir in San Juan sind, schalte ich auf meinen Werbeagenturmodus um. Muß auf Touren kommen, mein Hirn umpolen, verstehen Sie?«

»Klar«, sagte ich, und mir fiel ein, daß Crubanno ja seinen Firmensitz in San Juan hatte. »Haben Sie vor, die ganze Zeit mit den Mitarbeitern von Crubanno zu verbringen und nach Schauplätzen für Fotos zu suchen?«

»Sie haben's erfaßt. Heute ist nichts mit Spiel und Spaß. Nicht für moi.«

»Nichts als Arbeit Arbeit Arbeit.«

»Sie haben's erfaßt. Ich werde mich garantiert nicht einmal annähernd so amüsieren wie Sie gestern abend. Mann, Sie und Mr. Albany sind ja richtig aufs Ganze gegangen.«

»Was haben Sie gesagt?«

»He, Sie brauchen sich nicht zu genieren. Ich finde es echt cool, wie Sie in der einen Minute dieses total zickige Manhattan-Ding ausstrahlen und dann plötzlich voll aufdrehen, wenn ein Typ Sie heiß macht. Sie und Mr. Albany sollten sich nächstes Mal auf Video aufnehmen. Da brennt der Videorekorder ab, stimmt's?«

Es war nicht nur die vertrauliche Art, die mich ärgerte, oder die Tatsache, daß jemand Sam und mich beim Knutschen gesehen hatte. Wir waren ja nicht gerade diskret gewesen. Nein, es störte mich, daß *Skip* uns gesehen hatte; daß er immer da zu sein schien, wo ich auch war; daß er wie mein Schatten am Aufzug auftauchte, am Pool herumlungerte und umherschlich, andauernd umherschlich.

»Hören Sie, ich freue mich für Sie, Elaine«, sagte er, als wir im Aufzug standen und nach unten fuhren. »Sie tun genau das, was Sie tun sollten.«

»Was ich tun sollte?«

»Ja. Sie sollten das Beste aus diesen letzten paar Tagen machen.«

»Das Beste… aus diesen letzten paar Tagen machen?« stammelte ich, während sich ein dünner Streifen Schweißperlen über meiner Oberlippe bildete.

»Ja, aus den letzten Tagen der Kreuzfahrt. An Ihrer Stelle würde ich sie zu den verflucht besten Tagen meines Lebens machen.«

Die Frauen mit den Lockenwicklern runzelten die Stirn über Skips saloppe Ausdrucksweise. Ich runzelte auch die Stirn, aber aus einem anderen Grund. Ich war so von Sam erfüllt gewesen, daß ich den Killer tatsächlich ein paar Stunden lang vergessen hatte. Doch nun fragte ich mich: War Skip wirklich Art Director oder war das nur eine Tarnung? Konnte ein Art Director von einer großen Werbeagentur zugleich ein Auftragskiller sein? Hatte Eric, mein doofer, anal fixierter, verklemmter Exmann, allen Ernstes Skip engagiert, damit er mich umbrachte?

Nein, sagte ich mir, als ich auf dem Promenadendeck aus dem Aufzug stieg. Wenn Eric mich hätte umbringen wollen, hätte er es schon vor Jahren getan. Und damit nicht genug: Er hätte es selbst getan. Eric fiel es schwer, Dinge zu delegieren.

Sam wartete bereits auf mich.

»Guten Morgen«, sagte er, zog mich an sich und küßte mich.

Mein Gott, es geht schon wieder los, dachte ich und merkte, wie meine Beine nachgaben. »Wir sind schamlos«, sagte ich, während ich zwischendurch nach Luft schnappte. »Mitten am hellichten Tag.«

»Möchtest du aufhören?« fragte Sam, während er mich weiterhin küßte.

»Nein«, sagte ich und vergrub meine Lippen in seinen.

Als wir das nächste Mal eine Atempause einlegten, machte Sam eine Bemerkung über mein ungekämmtes Haar.

»Es sieht gut aus so«, meinte er. »Wild. Ungezähmt.«

»Oh, bitte. Es sieht genauso aus, wie es immer aussieht, wenn ich weder dazu komme, es zu waschen noch es zu kämmen. Es ist so viel Arbeit, es zu pflegen, daß ich es eigentlich in die Reinigung geben sollte.«

Sam lachte und zog mich wieder in seine Arme. Wir hielten uns noch ein paar Minuten lang fest, bis ich mich losmachte.

»Hör mal, ich bin genauso begeistert von dieser ganzen Küsserei wie du«, sagte ich, »aber ich habe heute noch ein paar andere Dinge zu erledigen. Ich muß vier Meilen laufen, in meinem Büro anrufen, Jackie auf der Krankenstation besuchen, nach Pat sehen, San Juan besichtigen, mein verlorengegangenes Gepäck wiederfinden, aufs Polizeirevier gehen…«

»Aufs Polizeirevier? Wieso denn das?«

Verdammt. Das war mir herausgerutscht. Ich hatte nicht vorgehabt, Sam von dem Mordkomplott zu erzählen. Nicht, wenn ich es nicht einmal meinen Freundinnen erzählt hatte.

»Ich meine aufs Postamt, nicht aufs Polizeirevier«, sagte ich und schlug mir gegen die Stirn, als hätte ich einfach die beiden Behörden verwechselt. »Ich will ein paar Postkarten aufgeben. Du weißt schon.«

»Aber dazu mußt du doch nicht zum Postamt in San Juan gehen. Es gibt auch eines auf dem Schiff. Auf Deck 5.«

»Oh. Na, da kann ich mir ja einen Gang sparen. Danke.«

»Keine Ursache.«

Sam wollte mich gerade noch einmal küssen, als ich mich losmachte und fragte: »Darf ich aus deinem Verhalten schließen, daß du zu einer Entscheidung gekommen bist? Daß ich der ›Fund‹ des Jahrhunderts bin und keine Nervensäge?«

»Es heißt, daß ich einer Entscheidung immer näherrücke«, sagte er.

»Wann glaubst du, daß du es sicher weißt?«

»Bald.« Er griff schon wieder nach mir.

Auf schüchtern machen kann ich auch, sagte ich mir, als ich mich seinem Griff entzog, ihm zuwinkte, losrannte und ihn einfach stehenließ.

Wir liefen unsere vier Meilen, frühstückten rasch und gingen dann zur Krankenstation hinunter, um Jackie zu besuchen, oder vielmehr, ich besuchte Jackie, während Sam draußen wartete. Wir waren zu dem Schluß gekommen, daß sie vielleicht bei ihrer schweren Krankheit nicht auf Besucher eingestellt war, die sie kaum kannte. Schließlich hatte sie Sam erst einmal gesehen.

Als ich in ihr Zimmer kam, saß sie aufrecht im Bett, blätterte eine Ausgabe von *Better Homes & Gardens* durch und murmelte, daß sie fände, die Pachysandra auf einer der Abbildungen sähe verwelkt aus.

»Irgend etwas verrät mir, daß du dich besser fühlst«, sagte ich lächelnd, nachdem ich sie begrüßt hatte.

»Wesentlich«, sagte sie. »Per versteht wirklich was von seinem Handwerk.«

»Per?«

»Dr. Johansson.«

Ich zog eine Augenbraue hoch. »Wir sprechen unseren Arzt also bereits mit dem Vornamen an, ja?«

»Das tun wir. Er ist ein toller Typ. Wir haben uns gestern abend phantastisch unterhalten.«

»Ach ja. Die Schwester hat mir schon erzählt, daß er gestern noch nach dir gesehen hat.«

»Ja, er war noch mal hier, und wir haben miteinander geplaudert. Ich habe erfahren, daß er amerikanischer Staatsbürger ist, weil seine Exfrau Amerikanerin ist. Er hat vor, auf dem Schiff aufzuhören und eine Praxis in den Staaten zu eröffnen. Er hat mich gefragt, woher ich käme, und ich habe ihm einen Vortrag über Bedford gehalten, der von einem Immobilienmakler hätte sein können – wie gut die Schulen seien, wie originell das Dörfchen wäre und wie nah es bei New York City sei, ohne daß man direkt dranhinge. Er hat mich gefragt, ob ich glaubte, daß es *ihm* in Bedford gefallen würde. Ich sagte, es sei gewiß nicht mit Helsinki zu vergleichen, aber es hätte seine charmanten Seiten.«

»Man kann nicht groß Ski fahren in Bedford«, wandte ich ein.

»Ich weiß«, sagte sie. »Ich habe ihm erzählt, daß die einzigen

Skischanzen in Westchester County schlecht gemachte Nasenkorrekturen sind. Das fand er äußerst witzig.«

Ich schüttelte erstaunt den Kopf. »Als ich dich gestern besucht habe, hat Dr. Johansson gesagt, du seist sehr schwach und ich solle dich nicht überanstrengen. Wie kam es dann, daß er so viel Zeit bei dir verbracht hat?«

»Er ist der Arzt. Ich nehme an, er hielt es für unbedenklich. Er hat mir Antibiotika gegeben, dazu Tylenol gegen das Fieber, und jetzt bin ich schon fast wieder wie neu.«

»Jackie, das ist ja toll«, sagte ich erleichtert. »Weiß er, was dir fehlt?«

»Er sagt, er glaubt, daß es mehrere Sachen auf einmal seien: ein Magenvirus und eine Mittelohrentzündung, die von der Nebenhöhlenentzündung kommt, die ich zu Hause nie auskuriert hatte. Ich bin immer noch ziemlich ausgetrocknet und muß noch einen Tag oder so intravenöse Flüssigkeit zugeführt bekommen. Aber dann geht's mir wieder gut. Dank Per.«

»Was meint *Per* denn, wann du die Krankenstaion verlassen kannst? Oder möchte er dich auf unbestimmte Zeit hierbehalten, damit er dich besser im Blick hat?« spöttelte ich. Ich war hocherfreut darüber, daß Jackie sich mit Dr. Johansson angefreundet hatte. Ich hatte ihn fast sofort ins Herz geschlossen.

»Ich hoffe, daß ich in sechsunddreißig Stunden hier herauskomme«, antwortete sie. »Warte mal: Das heißt, ich verpasse San Juan heute und St. Croix morgen, aber ich werde vermutlich unseren letzten Anlegehafen miterleben. Nassau, oder?«

Ich nickte. »Es tut mir wirklich leid für dich«, sagte ich. »Du mußt dich ein bißchen betrogen fühlen.«

»Das dachte ich auch zuerst, aber jetzt bin ich froh, daß es mir bessergeht«, sagte sie fröhlich. »So. Genug von mir. Hast du meinen Rat befolgt?«

»In bezug auf was?«

»In bezug auf Sam. Ich habe dir doch gesagt, daß du dich gestern abend auf ihn stürzen solltest. Hast du es getan?«

Ich lachte.

»Heißt das ja?« fragte Jackie.

»Es heißt ja«, gestand ich ein, »obwohl die zutreffendere Antwort lauten müßte, daß *wir uns* aufeinander gestürzt haben.«

Jackies Augen wurden ganz groß. »Du meinst, du und Sam habt miteinander geschlafen?«

»Nein. Wir kamen uns nahe, haben aber beschlossen zu warten«, sagte ich, wobei ich mich anhörte wie ein geiler, aber vernünftiger Teenager.

»Warten worauf, Herrgott noch mal?« wollte Jackie wissen. »Bis dein erstes Exemplar der Zeitschrift des Seniorenverbandes im Briefkasten liegt?«

»Es bleiben immer noch morgen oder übermorgen abend«, sagte ich.

»Sicher, aber wie wär's mit heute abend?« drängte sie.

Sie hatte nicht ganz unrecht.

Pat war wach und bei Bewußtsein. Sie hatte zwar immer noch Schmerzen und humpelte, war aber entschlossen, die Kreuzfahrt wie geplant weiterzumachen. Sie sagte, sie wolle sich den anderen Teilnehmern von Ginger Smith Baldwins Kunstsafari anschließen, wenn das Schiff in San Juan anlegte, selbst wenn sie im Rollstuhl fahren müßte.

»Ich möchte nicht, daß du mit Albert allein bist«, sagte ich in dem Wissen, daß er darauf bestehen würde, allzeit an Pats Seite zu sein.

»Warum denn nicht? Er ist sehr aufmerksam gewesen«, wandte sie ein.

»Laß ihn ein bißchen weniger aufmerksam sein«, riet ich ihr und sah vor mir, wie er sie in ihrem Rollstuhl von der Pier hinunterließ. »Was hältst du davon, die Kunstsafari heute ausfallen zu lassen und mit Sam Peck und mir auf Besichtigungstour zu gehen? Ich fände es schön, wenn du ihn ein bißchen besser kennenlernen würdest, Pat.«

»Elaine«, seufzte sie. »Bill ist der einzige Mann für mich. Das weißt du doch.«

Ich lachte. Pat konnte manchmal so naiv sein. »Nein, meine Liebe. *Ich* bin diejenige, die sich für Sam interessiert. Ich würde mich sehr freuen, wenn du ein paar Stunden mit uns verbringen würdest. Was meinst du?«

Sie gönnte sich ihre gewohnte Ewigkeit, um zu einer Entscheidung zu gelangen, und willigte dann ein, den Nachmittag mit uns zu verbringen, aber erst, wenn sie Albert angerufen und sich bei ihm entschuldigt hätte.

Gut, dachte ich. Sprich du nur mit Albert, während ich zur Polizei gehe.

Die *Princess Charming* lief um ein Uhr mittags in den Hafen von Puerto Ricos Hauptstadt ein. Ich verabredete mit Pat und Sam, daß wir uns um zwei vor Pats Kabine treffen würden, da mir dann eine Stunde bliebe, um Harold im Büro anzurufen, im Büro des Zahlmeisters nach meinem Koffer zu fragen sowie der hiesigen Polizei einen Besuch abzustatten.

Harold war nicht zu erreichen. Keine Überraschung. Der Zahlmeister hatte meinen Koffer tatsächlich ausfindig gemacht und würde ihn im Laufe der folgenden Stunde in meine Kabine bringen lassen. Große Überraschung.

Dann kam mein Abenteuer auf dem Polizeirevier.

Das erste, was ich tat, als ich das Polizeirevier betrat, war, den diensthabenden Beamten davon zu informieren, daß ich kein Spanisch sprach; daß ich Amerikanerin und mein Name Elaine Zimmerman war und daß ich in Schwierigkeiten steckte.

»Was für Schwierigkeiten?« fragte der Beamte, ein sympathisch aussehender Mann mittleren Alters names Ronald Morales.

»Ich bin Passagier auf der *Princess Charming*«, begann ich und nickte in Richtung des Jachthafens.

»Sind Sie beraubt worden, als Sie das Schiff verlassen haben?« fragte Officer Morales, griff nach Block und Stift und machte sich ein paar Notizen.

»Nein, nichts dergleichen«, sagte ich. »Es ist auf dem Schiff passiert. Auf hoher See.«

Er wirkte erleichtert darüber, daß ich nun nicht nach Amerika zurückfahren und mich über die Kriminalität in Puerto Rico beklagen und damit der Touristenindustrie des Landes herbe Einbußen bescheren würde. »Wenn Sie auf dem Schiff beraubt worden sind, fällt es nicht in meine Zuständigkeit«, sagte er. »Sie sollten mit Ihrem Captain reden.«

»Das habe ich ja versucht«, erklärte ich. »Am besten erzähle ich Ihnen mal, was passiert ist. Vielleicht überlegen Sie es sich ja dann anders und helfen mir doch.«

Officer Morales zuckte mit den Achseln, und so berichtete ich ihm von dem verhängnisvollen Telefongespräch.

Er lächelte. »Uns kommen viele Geschichten über die Passagiere auf diesen großen Kreuzfahrtschiffen zu Ohren. Man wird ein bißchen verrückt von den ganzen Drinks, was?«

»Tja, es gibt überall Leute, die sich mäßigen können, und Leute, die es nicht können, falls Sie das meinen«, sagte ich. »Aber das Telefonat, das ich mitangehört habe, klang nicht wie ein Gespräch zwischen zwei abgestürzten Betrunkenen.«

»Ich habe nicht die Männer gemeint, die Sie am Telefon gehört haben«, sagte der Polizist. »Ich habe Sie gemeint.«

»Mich?«

Erneutes Achselzucken.

»Hören Sie, ich trinke nicht«, sagte ich rechtfertigend. »Abgesehen vom Rotwein. Für mein Herz.«

»Sie haben ein Problem mit dem Herzen?« fragte Officer Morales.

»Nein, aber ich kriege noch eines, wenn niemand meine Geschichte ernst nimmt«, sagte ich. »Sie glauben mir das mit dem Killer nicht, stimmt's?«

»Das habe ich nicht gesagt. Ich habe nur gesagt, daß ich nichts für Sie tun kann.« Er hielt inne, und sein Gesichtsausdruck wurde etwas weicher. »Wenn der Mann, der Ihnen solches Kopfzerbrechen bereitet, die Dame hier in San Juan umbringt, kommen Sie wieder aufs Polizeirevier, okay?«

»Das werde ich tun, falls nicht ich die Dame bin«, sagte ich und ging zurück aufs Schiff.

14

»Wo bist du gewesen?« fragte Sam, als ich schließlich eine halbe Stunde nach der vereinbarten Zeit in Pats Kabine eintraf.

»Beim Auspacken«, log ich. »Jetzt wo ich alle meine Kleider habe, kann ich gar nicht fassen, wieviel Zeug ich in diesen Koffer gestopft habe. Nächstes Mal verreise ich mit leichtem Gepäck.«

»Wie gefällt dir Pats fahrbarer Untersatz?« fragte Sam stolz und nickte zu dem Rollstuhl hinüber, den er organisiert und in ihre Kabine hatte bringen lassen.

Ich betrachtete Pat, wie sie da auf ihrem Spezialstuhl saß, den verstauchten Knöchel bandagiert und auf einer der Fußstützen hochgelagert. Sie trug ein Batikkleid, das sie auf der Isle de Swan gekauft hatte, und mehrere Armreifen, die ebenfalls aus einer der dortigen Boutiquen stammten. Ihr ungezähmtes, gekräuseltes blondes Haar quoll unter einem breitkrempigen Strohhut hervor. Trotz ihrer Verletzungen sah sie zufrieden und entspannt aus, eine erprobte, wenn auch leicht angeschlagene Reisende.

»Du erinnerst mich an eine Königin auf dem Thron«, sagte ich.

»Ich fühle mich auch ein bißchen wie eine Hoheit«, gab sie kichernd zu. »Zuerst der Stuhl. Und dann die Blumen.«

»Blumen?« fragte ich.

Sie zeigte auf den riesigen, ausgesprochen protzigen Strauß auf ihrer Kommode. Ich begriff nicht, wie ich ihn hatte übersehen können, als ich den Raum betreten hatte. Ich sah zu Sam hinüber.

»Ich nicht«, sagte er kopfschüttelnd. »Ich bin ja ritterlich, aber nicht so ritterlich.«

»Sie sind von Albert«, erklärte Pat. »Der liebe Albert. Sie sind gekommen, nachdem ich ihm erzählt hatte, daß ich nicht auf die heutige Kunstsafari mitkommen würde.«

»Wie aufmerksam«, sagte ich. »Und so dezent.«

»Albert ist sehr geflissentlich«, sagte Pat.

»Beflissen«, korrigierte ich sie.

»Mit den Blumen kam eine reizende Karte«, fuhr sie fort. »›Ein Genesungsgeschenk für eine tapfere Dame‹ stand darauf.«

»An deiner Stelle würde ich mich vor Komikern hüten, die mir Geschenke machen«, sagte ich.

Sam lachte. Er hatte Albert kennengelernt.

»Das ist mein Ernst«, sagte ich. »Wir wollen doch nicht vergessen, daß vielleicht er es war, der dich gestern die Treppe hinabgestoßen hat.«

»Sie die Treppe hinabgestoßen hat?« fragte Sam und wandte sich dann an Pat. »Ist es so passiert?«

»Ich weiß nicht mehr genau, *wie* es passiert ist«, sagte sie. »Es kommt mir mittlerweile alles so verschwommen vor. Da war ein solches Gedränge.«

»Siehst du«, sagte ich. »Es hätte Albert sein können.«

»Elaine«, seufzte Pat. »Kein Mensch plant, mir etwas anzutun, und Albert schon gar nicht.«

»Hör mal, Pat. Tu mir einen Gefallen«, bat ich. »Bleib nie lange allein mit ihm, okay?« Im Laufe von nur vierundzwanzig Stunden hatte ich das Etikett »Auftragskiller« Skip, Henry, Lenny und Albert angeheftet. Langsam wurde es zu einer Manie.

»Tja, heute werde ich jedenfalls nicht mit ihm allein sein«, erwiderte Pat. »Als ich ihm gesagt habe, daß ich heute nicht an der Kunstsafari teilnehme, sagte er, er auch nicht. Statt dessen macht er den Ausflug nach El Yunque mit.«

»Nach El Waswie?« fragte ich.

»El Yunque ist ein Park von zwölftausend Hektar Fläche, der etwa fünfundzwanzig Meilen von hier entfernt liegt«, erklärte Sam. »Es ist der einzige tropische Regenwald, der zum nationalen Waldbestand der Vereinigten Staaten gehört, und er umfaßt zweihundertfünfzig verschiedene Baumarten, unzählige Wanderwege und ein Vogelschutzgebiet. Albert will vermutlich die Papageien sehen. Sie sind eine große Attraktion.«

Ich wandte mich zu Sam um. »Für jemanden, der noch nie zuvor eine Kreuzfahrt gemacht hat, bist du ja wirklich ein Experte.

Vielleicht solltest du lieber Pauschalreisen verkaufen als Versicherungen.«

»Das steht alles im Prospekt«, erinnerte er mich, »zu dessen Lektüre du dich noch nicht entschließen konntest. Dabei fällt mir ein.« Er sah auf seine Uhr. »Wollten wir heute nachmittag nicht auf Besichtigungstour gehen?«

Ich sah zu Pat hinüber. »Sollen wir unser Schicksal in die Hände dieses Mannes legen und uns von ihm die Stadt zeigen lassen?« fragte ich.

»Ja, los«, sagte sie begeistert.

Sam löste die Bremse an ihren Rädern, schob den Rollstuhl sachte durch die Kabinentür, und los ging's.

Wir beschlossen, unsere Besichtigungstour auf das alte San Juan zu beschränken, den bezaubernden, malerischen Teil der Stadt um den Hafen herum, wo sämtliche Kreuzfahrtschiffe anlegten. Bei den engen, gewundenen Sträßchen und den Unmengen von Touristen war es ein Abenteuer, Pat im Rollstuhl herumzufahren, doch wir schafften es, ohne Probleme die meisten Baudenkmäler und historischen Stätten zu erreichen. So besichtigten wir die Casa de los Contrafuertes (auch das Haus der Strebebögen genannt), ein Gebäude aus dem frühen achtzehnten Jahrhundert, in dem heute eine faszinierende Rekonstruktion einer Apotheke aus dem neunzehnten Jahrhundert untergebracht ist. Wir spazierten durch die Casa Blanca, das Haus, das 1521 für Ponce de León gebaut wurde, bevor er auf der Suche nach dem »Quell der ewigen Jugend« nach Florida aufbrach. Und wir besuchten die Kathedrale von San Juan, ein Bauwerk aus dem sechzehnten Jahrhundert, wo Leóns sterbliche Überreste in einem Marmorgrab ruhen. Ich hatte den Ausflug ungemein genossen, bis mich diese »sterblichen Überreste« zwangen, wieder an das Mordkomplott zu denken, diesmal mit mir selbst als Opfer. Es war nur folgerichtig: Sterbliche Überreste waren Erics Beruf.

»Bummeln wir doch ein bißchen durch die Läden«, schlug ich heiter vor und versuchte so, mich selbst aus meinen morbiden Überlegungen zu reißen.

Sam und Pat waren einverstanden, und so spazierten wir zur Fortaleza Street hinüber, der Antwort von Alt-San Juan auf die Worth Avenue. In dieser Straße wimmelte es von Läden, in denen vor allem Schmuck zu »Tiefstpreisen« an leichtgläubige Kreuzfahrtpassagiere angeboten wurde. Wir betraten einen davon, ein Geschäft mit dem sinnigen Namen »The Jewelry Store«, wo Pat eine goldenen Brosche in Form eines Hundes für Lucy erstand, die am Freitag zehn Jahre alt werden würde. Auch ich kaufte Lucy ein Geburtstagsgeschenk: ein herzförmiges Medaillon. (Meine Gefühle für Sam hatten mich zu einer sentimentalen Gans gemacht, von der Wirkung auf meinen Schmuckgeschmack ganz zu schweigen.)

Als wir unsere Einkäufe bezahlten, sah ich Lenny Lubin an einer anderen Theke stehen, wie er Dutzende von Goldkettchen anprobierte. Er hatte bereits so viele auf der Brust hängen, daß er wie ein überladener Weihnachtsbaum aussah.

Wir tauschten Begrüßungsfloskeln aus.

»Na so was. Wenn das nicht der Versicherungsvertreter und die drei Hübschen sind – bis auf eine«, sagte Lenny. »Und was ist mit unserer Hübschen hier passiert?«

»Ich bin gestern auf der Isle de Swan hingefallen«, erklärte Pat.

»Und da haben Sie sich Ihre süßen Spaziersäulen verletzt, was?« sagte er und beäugte Pats hochgelagertes Bein.

»Es tut nicht weh, solange ich im Rollstuhl sitze«, versicherte sie ihm. »Außerdem habe ich einen wunderbaren Fahrer.« Sie warf Sam einen anerkennenden Blick zu. Ich auch.

»Und was macht die andere?« wollte Lenny wissen.

»Der anderen Seite fehlt nichts, danke«, antwortete Pat.

»Nein, die andere *Hübsche*«, sagte Lenny. »Wie lang muß sie denn noch in der Klinik bleiben?«

»Woher wissen Sie denn, daß Jackie in der Klinik liegt?« fragte ich rasch. Ich wußte, daß *ich* es Lenny nicht erzählt hatte. Und ich nahm nicht an, daß Pat es ihm erzählt hatte.

»Irgend jemand auf dem Schiff muß es erwähnt haben. Ich hab's eben aufgeschnappt, weiter nichts.«

Vielleicht hast du ja Jackie nachspioniert oder uns allen dreien, dachte ich, als mir der Morgen wieder einfiel, an dem ich Lenny vor unseren Kabinen erwischt hatte, betrunken und angeblich erschöpft von seiner stürmischen Nacht mit dem Puppengesicht.

»Du weißt doch, daß die Leute auf Kreuzfahrten tratschen«, sagte Sam. »Auf einem Schiff gibt es nicht viel anderes zu tun, als zu klatschen. Und zu essen.«

»Ja, das würde ich gern«, sagte Pat.

»Was würdest du gern?« fragte ich.

»Essen«, sagte sie. »Es ist schon lange Mittag.«

»Wir könnten das kleine Café auf der anderen Straßenseite ausprobieren«, meinte ich. »Nur auf einen kleinen Imbiß, damit wir uns nicht den Appetit fürs Abendessen verderben.«

Sam nickte. »Lenny? Möchten Sie auch mitkommen?«

Lenny wirkte vollkommen verblüfft darüber, daß ihn tatsächlich jemand eingeladen hatte.

»Danke, aber nein danke«, antwortete er. »Ich muß noch dreizehn Läden abhaken.« Abhaken. Schon wieder so ein Wort.

Wir gönnten uns einen leichten Snack in einem hübschen kleinen Café im Obergeschoß einer Kunstgalerie. Das Essen war köstlich – wesentlich besser als auf der *Princess Charming* – und die Gesellschaft noch angenehmer. Sam und ich warfen uns bei jeder Gesprächspause sehnsuchtsvolle Blicke zu, und Pat saß strahlend dabei, weil ich so glücklich war. Das einzig Negative war, daß Henry Prichard – mit Ingrid – auftauchte und nur noch der Tisch neben unserem frei war. Ich hatte Henry nicht mehr im Verdacht, Jackie vergiftet zu haben, aber daß er zuerst so freundlich zu ihr gewesen war und sie dann komplett vergessen hatte, gefiel mir immer noch nicht.

Doch dann kam ein noch größerer Affront: Er hatte Pat und mich auch komplett vergessen.

Als Pat sich hinüberbeugte, um ihn zu begrüßen, nachdem er und Ingrid Platz genommen hatten, lächelte er, gab aber nicht zu erkennen, daß er einer von uns je zuvor begegnet war.

»Es war bei der Abfertigung in Miami«, erinnerte sie ihn. »Am Sonntag, als wir aufs Schiff gegangen sind.«

»Ja«, sagte ich. »Ich sprach gerade an einem der Münztelefone in der Schalterhalle, und sie haben an dem Apparat neben mir telefoniert. Wir haben unsere Anrufe etwa zur selben Zeit beendet und sind ins Gespräch gekommen. Fällt es Ihnen jetzt wieder ein?«

»Oh, sicher. Selbstverständlich«, sagte Henry und warf uns ein typisches Vertreterlächeln zu. Seine Zähne wirkten im Kontrast zu seiner gebräunten Haut ungemein weiß. »Die Sonne muß mein Gehirn zum Schmelzen gebracht haben oder so. Wie gefällt Ihnen die Reise?«

Es war eine völlig unpersönliche Bemerkung, ohne ein Wort darüber, wo denn Jackie sei oder warum Pat im Rollstuhl saß. Es war fast, als *wollte* sich der Mann nicht daran erinnern, daß er mit uns zu tun gehabt hatte – oder als wollte er nicht dabei *gesehen* werden, wie er mit uns zu tun hatte. Vielleicht wollte er nicht, daß es eine *Verbindung* gab. Vielleicht hatte er an jenem Tag in der Schalterhalle mit derselben Person telefoniert wie neulich abends auf dem Schiff: mit einem unserer Exmänner.

»War nett, Sie getroffen zu haben«, rief Pat ihm zu, als wir das Café verließen.

»Ganz meinerseits«, erwiderte Henry.

Ja, garantiert, dachte ich mir.

Wir kamen gegen fünf Uhr aufs Schiff zurück, rechtzeitig, um Jackie zu besuchen, zu duschen und uns zum Abendessen umzuziehen.

Sie war nicht allein, als wir ihr Krankenzimmer betraten, hatte aber auch keinen Besuch. Dr. Johansson hatte den weißen Vorhang um ihr Bett zugezogen und untersuchte sie.

Als er mit seiner Untersuchung fertig war, zog er den Vorhang beiseite und winkte uns herein. Jackie saß aufrecht im Bett. Sie hatte nach wie vor die Infusionsnadel im Arm, aber ihre Gesichtsfarbe war schon wesentlich gesünder, und ihre Augen wirkten klarer. Pat und ich sagten ihr, daß sie langsam wieder ganz wie die alte aussähe.

»Sei mal vorsichtig von wegen ›alt‹, ja?« bellte sie.

»Sie sind doch nicht alt«, mischte sich Dr. Johansson mit liebevollem Kichern ein.

»Es freut mich, daß es Ihnen bessergeht«, sagte Sam. »Jetzt können Sie bald wieder mit Ihren Freundinnen losziehen.«

»Ja, aber es ist gut zu wissen, daß *Sie* für mich einspringen, solange ich ausfalle«, sagte sie und warf mir einen wissenden Blick zu. »Per sagt, daß ich morgen hier rauskomme, wenn ich Glück habe. Aber ich soll in St. Croix nicht von Bord gehen, stimmt's Doc?«

Dr. Johansson schüttelte den Kopf. »Sie werden die Klinik verlassen, um sich auszuruhen«, schärfte er ihr ein. »Nicht um Besichtigungen zu machen. Wenn wir auf die Bahamas kommen, können Sie vielleicht wieder alles mitmachen.«

»Was hast du heute abend vor?« fragte ich Jackie. In den Krankenzimmern gab es kein Fernsehen.

»Ich werde meine ersten festen Speisen zu mir nehmen«, sagte sie. »Falls man Wackelpudding und Hühnerbrühe als feste Speisen bezeichnen kann. Dann kommt vermutlich die Schwester vorbei und nimmt mir ein oder zwei Röhrchen Blut ab. Und wenn ich ein richtig braves Mädchen bin, kommt Per mich besuchen und erzählt mir mehr über dieses Schiff. Er weiß unglaublich viel darüber.«

»Was weiß er denn so alles?« fragte ich mit geschärftem Interesse.

»Ja, erzähl es uns doch«, drängte Pat.

»Tja«, begann Jackie, »nachdem Per schon so lange auf der *Princess Charming* arbeitet, weiß er alle möglichen Banalitäten.« Dr. Johansson lächelte nachsichtig. »Habt ihr zum Beispiel gewußt, daß die Kühlanlage dieses Schiffs am Tag zwanzig Tonnen Eiswürfel produziert?«

»Nein«, sagte ich, enttäuscht darüber, daß die Informationen des Arztes nicht von etwas geschwätzigerer – sprich nützlicherer – Natur waren.

»Es stimmt aber. Und hier ist noch eine andere Tatsache, die euch umhauen wird«, sagte Jackie, nahm ein Blatt Papier von dem Tischchen neben ihrem Bett und las vor, was darauf stand. »Das Küchenpersonal bereitet jede Woche fünfundzwanzigtausend Gerichte zu, darunter drei komplette Mahlzeiten, sämtliche Speisen, die vom Kabinenservice gebracht werden, und die Mitternachtsbuffets.«

»Kreuzfahrtschiffe sind also wirklich schwimmende Cafeterias«, sagte ich.

Jackie ignorierte mich und las weiter vor. »Sie verbrauchen etwa neunzigtausend Eier, vierzigtausend Pfund Rindfleisch, dreizehntausend Liter Milch, hundertfünfundsechzigtausend Scheiben Brot, zweihundertdreißigtausend Tassen Kaffe und – stellt euch vor! – zwanzigtausend Piña Coladas!«

»Ja, und ich wette, Lenny Lubin trinkt allein schon neunzehntausend davon«, flüsterte ich Sam zu.

»Darüber hinaus«, unterrichtete uns Jackie, »müssen die Waschmaschinen an Bord mit ungefähr zweihundertneunzigtausend Wäschestücken fertigwerden – Bettlaken, Handtücher, Kissenbezüge, Tischdecken, Servietten und so weiter. Und das nur auf einer typischen einwöchigen Kreuzfahrt.«

An *dieser* einwöchigen Kreuzfahrt ist überhaupt nichts typisch, hätte ich Jackie und den anderen am liebsten gesagt. Wirklich rein gar nichts.

15

»Das ist also die *wahre* Elaine Zimmerman«, sagte Sam nachdenklich und beäugte mich, wobei sich sein Mund zu einem aufreizenden, angedeuteten Lächeln verzog.

»Keine Prachtstücke von Perky Princess mehr«, nickte ich triumphierend. Wie ich Sam zuvor angekündigt hatte, war ich heute, nachdem ich mein Gepäck wiederbekommen hatte, endlich wieder in meinen eigenen Kleidern auf der *Princess Char-*

ming: einem ärmellosen schwarzen Schlauchkleid und einem weißen doppelreihigen Blazer. Er trug ein marineblaues Jackett mit Messingknöpfen, eine Khakihose, ein hellblaues Hemd und eine blau-weiß gestreifte Krawatte. Wir waren ein schönes Paar, wenn ich selbst so sagen darf. Jedenfalls ein großes Paar.

Wir standen vor dem Crown Room, der Bar, die am ersten Tag unserer Kreuzfahrt als Sammelstation gedient hatte. Heute, an unserem vierten Abend an Bord, sollte in der Bar die Captain's Cocktail Party stattfinden, die zwar einerseits den Passagieren die Gelegenheit bot, Captain Solberg kennenzulernen und ihm die Hand zu schütteln, aber vor allem ein weiterer Trick war, mit dem wir dazu verleitet werden sollten, Drinks zu konsumieren. Sam und ich hatten beschlossen, vor dem Abendessen dort kurz vorbeizuschauen. Pat war von unserem Ausflug nach San Juan erschöpft und wollte in ihrer Kabine zu Abend essen.

»Du siehst umwerfend aus«, sagte Sam. »So umwerfend, daß ich glaube, ich werde…«

Er sprach seinen Satz nicht zu Ende. Statt dessen packte er mich und küßte mich. Ich leistete keinen Widerstand.

Ich hatte den ganzen Tag darauf gewartet, ihn zu küssen, und so spürte ich auch, wie begierig er war, mich zu küssen. In der Art, wie er mich anfaßte, steckte ein gewisser Hunger, eine Sehnsucht. War es möglich, daß er trotz seiner Attraktivität und der Tatsache, daß reisende Männer führend in der Praxis der schnellen Affäre waren, seit Jillian nicht mehr mit einer Frau zusammengewesen war? Hatte er auf mich gewartet, genau wie ich mein Leben lang auf ihn gewartet hatte?

»Sam. Wir stellen uns ja vor allen Leuten zur Schau«, lachte ich, als wir uns nach einer langen Umarmung voneinander lösten.

»Kann ich nicht ändern. Das ist heute die erste Gelegenheit, mit dir allein zu sein.« Er hielt mich auf Armeslänge von sich und ließ seine Blicke anerkennend über meinen Körper schweifen, während die Lust aus seinen Augen sprach. Ich fühlte mich – Gott stehe mir bei – wie verwandelt. Seit Sam begonnen hatte, mich mit Aufmerksamkeiten zu überschütten, kam ich mir selbst weicher und weniger spröde vor, als wären meine rauhen Kanten abgeschliffen, geglättet und geebnet worden. In seiner Gegenwart ging ich sogar anders, stand aufrechter da, ließ die Schultern nicht mehr nach vorne sinken und lächelte beim Gehen. Natürlich war mit ein Grund für meinen neuen, verbesserten Gang der, daß ich neben ihm weniger Komplexe wegen meiner Größe hatte. Sicher gab es zu Hause Männer, die größer waren als Sam, aber die spielten alle bei den New York Knicks.

»Sam, ich möchte mich bei dir dafür bedanken, daß du so nett zu Pat warst«, sagte ich. »Und zu Jackie auch.«

»Das war nicht schwer. Ich mag deine Freundinnen«, sagte er und hielt immer noch meine Taille umfaßt.

»Das freut mich«, sagte ich und dachte daran, wie wichtig es war, daß der Mann im Leben einer Frau ihre Freundinnen mochte. Und umgekehrt.

»Was hältst du davon, hier schnell eine Runde zu drehen, dem Captain die Hand zu schütteln und dann zum Abendessen zu gehen?« schlug Sam vor.

Bevor ich mich ablehnend zu der Idee äußern konnte, »dem Captain die Hand zu schütteln«, hatte Sam schon *meine* Hand ergriffen und mich in den Crown Room geschleppt. Dort wartete bereits eine kleine Schlange, um Captain Solberg zu begrüßen, und auf einmal standen Sam und ich auch in ihr.

»Wir wollen doch den Captain nicht wirklich *kennenlernen*, oder?« flüsterte ich. »Ich meine, stehst du etwa Schlange, um dem Lokführer eines Zuges, mit dem du fährst, die Hand zu schütteln? Oder gehe ich auf Cocktailpartys mit dem Fahrer des Hamptoner Busses?« Sam sollte nicht erfahren, daß ich Captain Solberg bereits kennengelernt hatte. Sonst hätte ich ihm nämlich erklären müssen, *warum* ich ihn kennengelernt hatte, und dazu war ich nicht bereit. Noch nicht. Nicht, bis ich mir sicher war, daß Sam mich im Gegensatz zu Pat, Jackie und dem Captain nicht für verrückt halten würde.

»Ach, komm schon«, lockte er mich. »Es wird bestimmt lustig, ein Gesicht mit der Stimme verbinden zu können, die jeden Abend um neun Uhr über die Lautsprecheranlage dröhnt.«

»Aber wir haben ihn doch schon auf dem *Princess-Charming*-Kanal gesehen«, wandte ich ein.

»Ja, aber du bist doch in der PR-Branche, Slim. Du arbeitest mit den Medien zusammen. Du weißt doch, daß Menschen in natura nicht so aussehen wie im Fernsehen. Es macht bestimmt Spaß, den Knaben aus nächster Nähe zu betrachten.«

Ich konnte es Sam nicht ausreden. Und ehe ich mich's versah, waren wir schon die nächsten, die Captain Solberg die Hand schütteln durften.

»Guten Abend. Ich hoffe, die Kreuzfahrt gefällt Ihnen. Vielen Dank, daß Sie mit Sea Swan reisen«, sagte der Captain mechanisch, nachdem Sam sich vorgestellt hatte.

»Ich amüsiere mich prächtig«, sagte Sam und schob mich ins Blickfeld des Captains. »Und meine Freundin, Elaine Zimmerman, auch.«

»Ah, Mrs. Zimmerman«, sagte Captain Solberg, der mich auf Anhieb erkannte. »Es geht Ihnen wesentlich besser, wie ich sehe. Keine Mörderjagden mehr auf dem Schiff?«

»Mörder?« fragte Sam und sah verblüfft drein.

»Das muß wohl ein sprachliches Problem sein«, sagte ich unbeschwert zu Sam. »Ich bin Captain Solberg gestern morgen vorgestellt worden und habe nebenbei bemerkt, daß es *mörderisch* sein muß, ein so riesiges Schiff zu leiten. Offenbar hat er den umgangssprachlichen Gebrauch dieses Wortes mißverstanden.«

Sam kaufte es mir ab, aber Captain Solberg bedachte mich mit genau demselben Blick wie an jenem Morgen in seinem Büro – als wähnte er sich in Gegenwart einer Geisteskranken. In diesem Moment wußte ich, daß ich bei ihm nun endgültig jegliche Glaubwürdigkeit verloren hatte, die ich vielleicht einmal besessen hatte. Anders ausgedrückt, wenn der Zeitpunkt käme, an dem ich *wirklich* seine Hilfe bräuchte, würde ich sie nie bekommen.

Sam und ich gingen rasch weiter, verließen den Crown Room und fuhren mit dem Aufzug zum Speisesaal hinunter. Wir hatten ganz vergessen, daß wir immer noch Händchen hielten und einander romantische kleine Albernheiten zumurmelten, als wir an Tisch 186 ankamen.

Unseren Tischgenossen fielen die Unterkiefer herunter, als wir uns auf die zwei leeren Stühle zwischen Kenneth und Rick setzten.

»SCHAU MAL! DIE GROSSE HAT JETZT EINEN LIEBHABER, DOROTHY«, sagte Lloyd auf so diskrete und taktvolle Weise, daß die Hälfte der Leute im Speisesaal sich umdrehte und uns anstarrte.

»Sie ist eine erwachsene Frau, Schatz. Was sie tut, ist ihre eigene Sache«, erwiderte ihm Dorothy und zwinkerte mir zu. Ich zwinkerte zurück.

»Ich freue mich ja so für Sie beide«, gurrte Brianna und stieß dann Rick an, der an einem harten Brötchen kaute. »Ist das nicht klasse mit Elaine und Sam, Zuckerschneck?«

Rick ignorierte sie, da er sich nicht in ein solch backfischhaftes Gespräch verwickeln lassen wollte.

Damit blieben Gayle und Kenneth, aber die gaben keinen Kommentar ab, vielleicht weil sie allen vermitteln wollten, daß sie viel zu abgeklärt und kultiviert waren, um sich darum zu scheren, wer sich auf irgendeiner Kreuzfahrt mit Mittelschichtspublikum in wen verliebte.

Gayle beschäftigte sich intensiv mit dem Verschluß an ihrer patriotischen Brosche: einer mit Rubinen, Diamanten und Saphiren besetzten amerikanischen Flagge. Sie erklärte, daß sie sich zum Tragen dieser Brosche entschlossen hätte, weil heute amerikanischer Abend war. Kenneth schien mehr daran interessiert zu sein, eine Rede über die Launen des Aktienmarktes vom Stapel zu lassen, obwohl er sich einen Augenblick Zeit nahm und fragte, wie es Jackie und Pat ginge.

»Viel besser, danke«, berichtete ich ihm. »Pat erholt sich von ihrem Sturz, und Jackie wird vermutlich morgen die Krankenstation verlassen.«

»Das sind ja gute Neuigkeiten«, sagte Kenneth, bevor er mit seinem Vortrag über Kaufs- und Verkaufsoptionen fortfuhr. Ich fand die Börse eines der langweiligsten Themen überhaupt, und so war ich froh, als Ismet erschien und uns die Spezialitäten nannte.

»Heute abend empfehle ich zu Ehren Ihres schönen Amerika das Brathühnchen mit Kartoffelpüree«, sagte Ismet und warf einen ängstlichen Blick auf Rick, der noch nie ein großer Freund der Empfehlungen unseres Kellners gewesen war.

Doch Rick überraschte uns alle, indem er Zustimmung äußerte, als er hörte, welche Spezialität Ismet heute anpries. »Endlich etwas, was ich essen kann«, knurrter er. Rick lebte in North Carolina, wo er vermutlich mehrmals pro Woche Brathühnchen mit Kartoffelbrei aß.

Sam und ich machten uns gar nicht erst die Mühe, die Speisekarte zu konsultieren. Wir bestellten auch das Hühnchen mit Kartoffelpüree, einfach um es schnell hinter uns zu bringen. Angesichts dessen, daß Sam mir unter dem Tisch das Bein streichelte und ich geradezu schnurrte, war offensichtlich, daß Essen das letzte war, wonach uns beiden der Sinn stand. Uns war schlicht und einfach nur nach Sex. Als das Dessert kam, bestanden keinerlei Zweifel mehr daran, daß *dies* die Nacht war, in der wir miteinander schlafen würden. Warum noch ein oder zwei Tage warten? dachte ich. Sam und ich waren Erwachsene. Alleinstehende, ungebundene Erwachsene. Wir müßten niemanden um Erlaubnis fragen. Es war völlig in Ordnung, daß wir zusammen schliefen. Und ich war ein Nervenbündel.

Ich weiß nicht mehr, wie das Essen schmeckte oder wieviel davon auf Lloyds dunkelblauem Sportsakko landete. Das einzige, was ich noch weiß, ist, daß ich wollte, daß das Essen schnell Geschichte würde, damit Sam und ich unsere eigene Geschichte schreiben könnten.

Endlich standen Rick und Brianna und Dorothy und Lloyd vom Tisch auf. Sam und ich wollten uns gerade auch entfernen, als uns Kenneth fragte, ob wir uns mit Gayle und ihm den Film um halb neun ansehen wollten. Wir lehnten dankend ab.

Sam nahm mich bei der Hand, und wir liefen schweigend durch die Schiffsflure. An der Schautafel des Fotografen vorbei. In den Aufzug. Auf Deck 7. Sams Stockwerk.

Mir klopfte das Herz so laut in der Brust, daß ich mich fragte, ob ich gleich eine Herzattacke bekäme.

Nein, schärfte ich mir ein. Du bekommst den Spaß deines Lebens.

Wir kamen an Sams Kabine an. Er machte die Tür auf, schaltete das Licht an und führte mich hinein.

Seine Kabine war exakt genauso groß und genauso eingerichtet wie meine. Sogar ein Rettungsboot vor dem Bullauge. Der einzige Unterschied zwischen den beiden Kabinen war der, daß seine nicht annähernd so ordentlich war wie meine. Es lag nicht nur daran, daß Kingsley ein wesentlich geschickterer Kabinensteward war als der, den man Sam zugeteilt hatte; es lag daran, daß Sam nicht so zwanghaft war wie ich. Ich hängte meine Kleider im selben Moment, wie sie meinen Körper verließen, auf Bügel (außer wenn sie in die Wäsche wanderten). Sams Kleider lagen dagegen überall herum. Die Shorts und das Hemd, die er auf unserer nachmittäglichen Besichtigungstour getragen hatte, lagen verknäuelt auf dem Fußboden; verschiedene Krawatten, die er wohl zuerst für das heutige Abendessen erwogen und dann wieder verworfen hatte, waren über den Lampenschirm drapiert; zwei noch feuchte Badehosen hingen über dem Knauf der Badezimmertür. Die Unordnung war eine ziemliche Überraschung für mich, da Sam in der Öffentlichkeit stets ordentlich und gepflegt erschienen war. Ich fragte mich, ob es noch andere Dinge an Sam Peck gab, die mich verblüffen würden.

»Ich schätze, Gordon hat hier noch nicht aufgeräumt«, sagte er. »Normalerweise verstaut er meine Sachen, wenn er kommt, um das Bett aufzudecken.«

»Denk dir nichts«, sagte ich, während Sam hektisch aufräumte. »Ich bin nicht hergekommen, um zu schauen, ob du auch immer ordentlich aufräumst.«

»Gut.« Sam warf den Rest seiner Klamotten unten in den Schrank und kam zu mir herüber. Er nahm mich fest in die Arme und drückte mich atemberaubend eng an sich. »Dann laß uns mal darüber reden, *warum* du gekommen bist, Slim.« Seine Stimme war tief und leise und aufreizend. »Ich war mir ehrlich gesagt nicht sicher, ob du es tun würdest. Nicht nach deiner Zurückweisung gestern abend.«

»Ich habe dich nicht zurückgewiesen«, sagte ich. »Ich dachte nur, wir sollten noch ein oder zwei Tage warten. Wir kennen einander kaum. Ich bin keine, die mit Fremden ins Bett hüpft.«

»Und bin ich jetzt, vierundzwanzig Stunden später, weniger fremd?«

»Nein, ich bin bloß gieriger.«

Er lachte.

»Ahnst du überhaupt, wie gut ich mich fühle, wenn ich mit dir zusammen bin?« fragte er und begann mich zu küssen – kleine Küsse auf Wangen, Stirn und Hals.

»Nein. Wie gut denn?« sagte ich überwältigt davon, daß das alles wirklich passierte.

»So gut, daß ich mit dir schlafen möchte, Slim. Beantwortet das deine Frage?«

»Ja«, stöhnte ich. »Ja.«

Sam nahm meine »Jas« als Stichworte, um mich langsam, Stück für Stück auszuziehen.

Ich fühlte mich vollkommen schutzlos, wie ich da vor ihm stand, in nichts als BH und Höschen. Der letzte Mensch, der mich in Unterwäsche gesehen hatte, war eine Verkäuferin bei Saks gewesen, die vor drei Wochen immer wieder in meine Umkleidekabine geeilt war und hektisch versuchte, mir ein »Kreuzfahrtoutfit« zu verpassen. Doch merkwürdigerweise schreckte ich nicht vor Sams Blick zurück, schämte mich nicht im mindesten, als er meinen Körper betrachtete. Ich *wollte*, daß er mich ansah, mich bewunderte, von mir erregt war. Allein die Vorstellung, *daß* ich ihn erregte, gab meinem Selbstbewußtsein ungemein Auftrieb.

»Du bist wunderschön«, murmelte er. »Wunderschön.«

Vor Erregung ganz schwindlig begann ich ihn – mit seiner Hilfe – auszuziehen. Und dann schlang ich die Arme um ihn und küßte ihn. Fest. Heiß. Gierig.

Sam war jetzt fast nackt, von der Unterhose abgesehen. (Es war ein Slip, keine Boxershorts, und, wie es in Liebesromanen immer so schön heißt, er »beengte« ihn.) Er streckte die Hand aus, schob mir einen BH-Träger von der Schulter und drückte die Lippen auf das Stück Haut, das er entblößt hatte. Ich hätte vor Lust beinahe geweint, da mir noch nie im Leben jemand die Schulter geküßt hatte.

Im Gegenzug strich ich mit den Händen über Sams behaarte Brust, knabberte an verschiedenen Stellen und streichelte ihn. Sam reagierte mit tiefem Stöhnen, durchsetzt von einem gelegentlichen »O Gott«.

Er hob meinen Kopf von seiner Brust, preßte seinen Mund auf meinen und küßte mich mit solcher Leidenschaft, daß wir beide ganz verblüfft davon waren.

Plötzlich lösten wir uns voneinander, als wäre uns gleichzeitig klar geworden, daß wir immer noch mitten im Raum standen, wo es doch ein einwandfreies Bett gab.

Sam nahm meine Hand und führte mich zum Bett.

Tja, jetzt passiert's, Mädchen, sagte ich mir im stillen und schluckte schwer. Gleich wirst du diesem exklusiven Club alleinstehender, berufstätiger Frauen mittleren Alters beitreten, die tatsächlich mit Männern vögeln, anstatt in Selbsthilfegruppen zu marschieren und darüber zu jammern, daß sie es nie tun.

»Ich möchte etwas sagen«, stieß ich hervor, kurz bevor wir am Bett ankamen.

»Sag bitte nicht, du hast es dir anders überlegt«, flehte Sam.

»Nein. Es ist… nichts dergleichen«, sagte ich zögernd. »Es ist…« Ich hielt inne, da ich nicht weiterwußte, so out war ich in Sachen Sex in den Neunzigern. Oder überhaupt Sex im zwanzigsten Jahrhundert.

»Sag schon. Was denn?« drängte Sam.

»Okay. Es ist schon ein Weilchen her, seit ich… Also, was ich meine, ist, daß ich es nicht für nötig gehalten habe… Worauf ich hinaus will, ist, daß ich nicht die Pille oder sonstwas nehme«, sagte ich schließlich, wobei ich besonderen Nachdruck auf »sonstwas« legte. Damit Sam auch garantiert begriff, was ich damit sagen wollte. Warum Geld für Verhütung oder Schutz vor sexuell übertragbaren Krankheiten ausgeben, wenn ich gar nicht mit von der Partie war, falls Sie wissen, was ich meine.

»Oh. Ist das alles?« Sam lachte und sah äußerst erleichtert aus.

»Ich habe mich durchaus auf heute abend vorbereitet, aber das habe ich komplett vergessen, als wir hier in Fahrt gekommen sind.« Er lachte noch einmal. »Ich bin froh, daß wenigstens einer von uns klar denkt. Ich gehe nur schnell ins Badezimmer und verpacke den Schlingel.«

»Verpacke den Schlingel?« Männer hatten ja so putzige Ausdrücke für ihre Geschlechtsorgane. »Ich warte.«

Sowie er aus dem Zimmer war, schärfte ich mir selbst ein, locker zu bleiben. Ich war so aufgeregt, weil ich gleich mit Sam schlafen würde, daß ich mich kaum im Zaum halten konnte. Ich hatte schon fast Schuldgefühle, weil ich so glücklich war, vor allem wenn ich an Jackie und Pat und ihre Probleme dachte – und wenn ich an die arme, nichtsahnende Exfrau dachte, die bald durch die Hände eines Killers dahinscheiden sollte. Das Leben war einfach nicht gerecht, oder?

Um ein wenig von meiner nervösen Energie abzubauen, während Sam im Bad war und sich »kondomisierte«, begann ich seine Kabine aufzuräumen, indem ich seine Kleidungsstücke aufhob und sie entweder aufhängte oder gefaltet auf den Stuhl legte. Ich war gerade dabei, seine zerdrückte Khakihose glattzustreichen und über einen Bügel zu hängen, als etwas aus der Hosentasche fiel.

Ich kniete mich hin, um es aufzuheben.

Es war Sams Brieftasche, ein butterweiches Modell von Mark Cross aus braunem Leder. Rasch überlegte ich, ob ich genug Zeit hätte, um sie einer unschuldigen kleinen Betrachtung zu unterziehen, bevor er wieder aus dem Badezimmer kam. Es interessierte mich nicht, wieviel Geld er dabeihatte, verstehen Sie; ich wollte wissen, ob er ein Foto von Jillian (immer noch) bei sich trug, und falls ja, wie sie aussah.

Ich kam zu dem Schluß, daß ich gerade genug Zeit hätte, um die Brieftasche durchzusehen, da Eric immer mehrere Minuten gebraucht hatte, um sich einen dieser Gummis überzustreifen.

Obwohl ich mich wie eine Hure fühlte, die einen Freier ausnimmt, klappte ich die Brieftasche auf. Enttäuschenderweise fanden sich keine Fotos der teuren toten Verlobten.

Na gut, dachte ich. Warum soll diese Fledderei völlig ergebnislos enden? Solange Sam noch im Bad ist, kann ich doch genausogut mal nachsehen, was für Kreditkarten er hat, nur zum Zeitvertreib.

Doch die erste Karte, die ich aus der Brieftasche zog, verschlug mir die Sprache. Es war eine SkyMiles-Karte. Für Mitglieder des Vielflieger-Programm von Delta-Airlines.

Ich hatte auch eine SkyMiles-Karte. Viele meiner Bekannten hatten eine. Aber Sam hatte mir erklärt, daß er tödliche Angst vorm Fliegen hätte und an dieser Kreuzfahrt nur teilnehme, weil es die einzige Möglichkeit für ihn war, in die Karibik zu gelangen. Was um alles in der Welt wollte er also mit einer Vielfliegerkarte?

Und dann stellte sich mir ein weiteres Rätsel: Der Name auf der SkyMiles-Karte war nicht Sam Peck. Er lautete Simon Purdys.

Simon Purdys?

Ich grübelte über diese Unstimmigkeit nach, ganz ruhig und vernünftig, und kam zu dem Schluß, daß Sam wahrscheinlich aus Versehen die Vielflieger-Karte eines Kollegen eingesteckt hatte. Oder vielleicht war die unabsichtliche Verwechslung hier auf dem Schiff passiert. Ja, es war ohne weiteres möglich, daß einer der Passagiere auf der *Princess Charming* Simon Purdys hieß und Sam in dem Gedränge in der Schalterhalle in Miami, als alle ihre Brieftaschen aufrissen und die Ausweise zückten, irgendwie zu der Vielflieger-Karte von Simon Purdys und Simon Purdys – sagen wir mal – zu Sams Mobil-Benzinkarte gekommen war. Es war doch möglich, oder nicht?

Als ich vorsichtig die anderen Karten in Sams Brieftasche durchging – American Express Gold, Master-Card, Visa, Blockbuster Video –, sah ich, daß auf allen Simon Purdys stand! Soviel zu versehentlichen Verwechslungen in der Schalterhalle.

Was wurde hier gespielt? Es gab doch sicher eine vernünftige Erklärung dafür. Sam wirkte auf mich nicht wie jemand, der anderen Passagieren die Brieftaschen stahl. Er war Versicherungsagent, kein Dieb. Er verdiente gut, hatte er mir erzählt. Außerdem war er Sam, der ehrliche Sam, ein anständiger Bürger, der Mann, mit dem ich gleich ins Bett gehen wollte.

Ich stöberte weiter in der Brieftasche herum, obwohl ich spürte, daß ich das nicht sollte, und entdeckte schließlich etwas wirklich Belastendes – das eine Stückchen Plastik, das ich nicht wegargumentieren konnte.

Es war Sams Führerschein. Oder vielleicht sollte ich lieber sagen, Simons Führerschein.

Da, in lebhaften Farben, auf der linken Seite des Dokuments, war eine Fotografie von Sam, auf der seine blauen Augen hinter der Brille hervorzwinkerten und sein braunes, welliges Haar glänzte. Auf dem Führerschein stand allerdings der Name Simon Purdys, zusammen mit einer Adresse, und zwar nicht in Albany, sondern in New York City. Zufälligerweise gerade zwei Häuserblocks von *meiner* Wohnung entfernt!

Kein Wunder, daß der Typ mir am ersten Abend beim Essen bekannt vorgekommen war, dachte ich. Mir war schwindlig und übel, und ich fühlte mich ganz schwach, als ich die Karten wieder in die Brieftasche stopfte und die Brieftasche zurück in Sams – Simons – Hosentasche. Kein Wunder, daß er auch *Skip* neulich am Pool bekannt vorgekommen war! Sam Peck war ein mieser Betrüger, ein kompletter Schwindel, ein Lügner!

Ich war am Boden zerstört und restlos schockiert. Nichts paßte zusammen. Gar nichts. Ich traute mich kaum, darüber nachzudenken. Aber ich *mußte* darüber nachdenken.

Ich hatte zwei Männer am Telefon belauscht, die den Mord an einer Frau auf diesem Schiff planten, aber ich hatte nie auch nur in Erwägung gezogen, daß ausgerechnet Sam dieser kaltblütige Killer sein könnte. Nie hatte ich den Gedanken an mich herangelassen, daß er mich nur deshalb umworben hatte, damit er den Auftrag leichter ausführen konnte, für den er engagiert worden war. Von *meinem* Exmann!

In diesem Moment brach meine ganze Welt zusammen, und Tränen, Wut und Angst erstickten mich beinahe. Während ich mich so schnell wie möglich anzog, versank ich in dem Gefühl, verraten worden zu sein. Mit einem Mal war ich wieder das täppische kleine Mädchen – das verlegene Kind, das seinen Vater liebte, obwohl der es wieder und wieder angelogen und schließlich doch verlassen hatte. Die Geschichte wiederholte sich erneut.

Simon Purdys ist also der Killer, dachte ich mit einem schrecklich leeren Gefühl in der Magengrube. Er ist derjenige, den Eric *bezahlt*, um mich loszuwerden.

Ich schüttelte ungläubig und blind vor Wut den Kopf, als ich versuchte, mich der Tatsache zu stellen, daß der Mann, mit dem ich soeben hatte schlafen wollen – der Mann, in den ich verliebt war –, geplant hatte, mich erst zu verführen, bevor er mir den Garaus machte! Wenn ich nur daran dachte, daß ich diesem Kerl vertraut hatte, diesem Lügner, diesem Scheusal! Schon der Gedanke, daß ich mit ihm gegessen und mit ihm gejoggt hatte, ihn mit meinen Freundinnen bekannt gemacht und mich von ihm küssen hatte lassen, war mir zuviel. Es war mir alles zuviel.

Meine Hand lag praktisch schon auf dem Knauf der Kabinentür, als Sam – oder wer immer er auch war – endlich aus dem Badezimmer kam. Er hatte sich ein weißes Badetuch um die Taille gewickelt, das seine Geschlechtsteile verhüllte, aber er hatte immer noch eine Erektion, wie ich unwillkürlich feststellte. Es sei denn, das, was unter dem Handtuch hervorstand, war eine Pistole. Eine Pistole mit aufgeschraubtem Schalldämpfer.

»Was machst du denn?« fragte er und täuschte einen betroffenen Gesichtsausdruck vor, als er sah, daß ich komplett angezogen und kurz davor war, aus seinem lauschigen Liebesnest zu flüchten.

»Ich verschwinde«, sagte ich mit tränenerstickter Stimme. *»Mr. Purdys.«*

Er wirkte verblüfft, ja sogar verletzt. »Woher weißt du... ich meine...« Pause. »Ich wollte nicht...« Er hielt inne. Was konnte er schon sagen? Ich hatte ihn in der Hand.

»Sag mir nur eines, Simon, oder wie zum Teufel du wirklich heißt«, sagte ich und wischte mir mit dem Handrücken Nase und Augen. »Bist du wirklich in der Versicherungsbranche?«

»Tja, nein«, gestand er verlegen.

»Schade«, sagte ich. »Sonst hättest du mir eine Lebensversicherung verkaufen und mich *dann* umbringen können.«

»Dich umbringen? Was redest du denn da, Slim?«

»Wie kannst du es wagen, mich so zu nennen«, fauchte ich. »Daß du mir einen Kosenamen gibst, wird nichts daran ändern, daß ihr beide, du und Eric, damit nicht ungestraft davonkommen werdet.«

»Womit?« fragte er. Seine Erektion bestand nun nur noch in der Erinnerung.

Ich warf einen letzten Blick auf seinen hochgewachsenen, mageren Körper und sein attraktives, verlogenes Gesicht.

»Damit, mich in dich verliebt zu machen«, sagte ich und fegte zur Tür hinaus.

FÜNFTER TAG:
Donnerstag, 14. Februar

16. Kapitel

Ich erwachte mit der grausamen Erkenntnis, daß wir den 14. Februar hatten. Valentinstag. Toll.

Ich war die halbe Nacht in meiner Kabine auf und ab gegangen, hatte versucht, alles, was Sam je zu mir gesagt hatte, unter diesen neuen Voraussetzungen durchzuspielen und zu ergründen. Als ob es für mein Ego nicht schon vernichtend genug wäre, daß mich mein Exmann so sehr haßte, daß er meinen Tod herbeisehnte, mußte ich nun auch noch mit der Tatsache fertig werden, daß der Mann, den ich liebte – der Mann, für den ich tatsächlich die kitschigste Valentinskarte ausgesucht hatte, die der Laden auf dem Schiff zu bieten hatte –, mir ebenfalls den Tod wünschte. Es war der absolute Tiefschlag.

Was für einen Bären haben Sie denn den anderen Passagieren aufgebunden?

Das hatte der Mann am Telefon (Eric) an dem Abend, als ich ihr Gespräch belauscht hatte, den Mann auf dem Schiff (Sam) gefragt.

Natürlich wußte ich jetzt genau, was Sam uns für einen Bären aufgebunden hatte: die ganze Geschichte, daß er Versicherungsvertreter sei und so große Angst vor dem Fliegen hätte, daß er eine Kreuzfahrt machen mußte. Was für eine Ratte.

Machen Sie die Augen auf und sehen Sie selbst, was für eine Nervensäge sie ist!

Auch das war etwas, das Eric im Laufe jenes Telefongesprächs gesagt hatte – eine Bemerkung, die Sam dann zu seinem Vorteil umgemünzt hatte, um mich zu verführen.

Ich weiß nicht, ob du eine Nervensäge bist oder der Fund des Jahrhunderts, Slim.

War nicht genau das der Spruch, den er zu mir gesagt hatte? Während er mir zwischendurch am Ohrläppchen knabberte?

Mein Gott, war das widerlich. Alle beide waren sie widerlich. Aber wissen Sie, was mich wirklich ärgerte? Daß Sam es fertigbrachte, ein solches Rührstück über seine arme, liebe, tote Verlobte zu erfinden. *Jillian.* Schnief, schnief. Also ehrlich. Fiel ich eigentlich auf alles herein?

Tja, sie werden jedenfalls nicht damit durchkommen – alle beide, das schwor ich mir. Mir war klar, daß ich mit der Erkenntnis, daß Sam nicht der war, der er zu sein vorgab, nicht zu Captain Solberg laufen konnte, schon gar nicht, nachdem der Captain uns erst am Abend zuvor Arm in Arm in dieser Begrüßungsschlange gesehen hatte. Außerdem wußte ich, daß es ebenso zwecklos war, mein Herz der Polizei in St. Croix auszuschütten, wo die *Princess Charming* binnen einer Stunde anlegen sollte. Sie würden mich genauso abwimmeln wie der Polizist in Puerto Rico. Nein, ich würde den Mund halten, mich zurückziehen, mir eine Pause gönnen.

Mir war nicht einmal danach, Jackie auf der Krankenstation zu besuchen oder nach Pat zu sehen. Ich konnte meinen Freundinnen nicht gegenübertreten. Nicht, wenn der Mann, von dem ich Ihnen erzählt hatte, daß ich völlig verrückt nach ihm sei, sich als mein Mörder in spe entpuppte. Es gab Erniedrigungen, die zu unaussprechlich waren, um sie selbst mit den engsten Vertrauten zu teilen.

Nein, ich würde mit niemandem reden. Ich würde den Tag in St. Croix verbringen und überlegen, die Situation durchdenken und meine nächsten Schritte beschließen.

Ich wusch mich und zog mich sorgfältig an, meine Art, mich von Schmerz und Leid abzulenken.

Und dann klingelte das Telefon in meiner Kabine.

Ich stand da wie gelähmt.

Es ist Sam, flüsterte ich. Ich weiß, daß er es ist.

Ich ließ das Telefon klingeln und klingeln und klingeln, obwohl sich ein leises Stimmchen in mir meldete und fragte, ob es nicht Dr. Johansson sein könnte, der mir mitteilen wollte, daß sich Jackies Zustand verschlechtert hätte; oder Leah, die anrief, weil sie nicht wußte, wie sie mit der schlechten Presse fertigwerden sollte, die meine Kunden sich mit ihren Skandalen selbst eingebrockt hatten; oder Pat, die anrief, um mir einen guten Morgen zu wünschen.

Nein. Es war Sam, das wußte ich instinktiv. Und er rief aus einem von zwei Gründen an: entweder, um mir noch mehr Lügen aufzutischen, oder um festzustellen, ob ich allein in meiner Kabine war, damit er kommen und mich umbringen könnte.

Das Telefon verstummte. Erleichtert atmete ich auf.

Ich war gerade dabei, mich zu schminken, als das Telefon erneut zu klingeln begann. Und wieder ließ ich es läuten.

Das passierte noch zwei- oder dreimal, bis ich es nicht mehr aushielt und den Hörer neben den Apparat legte.

Kurz nach neun, als das Schiff in Frederiksted anlegte, klopfte es an meiner Tür. Ich erstarrte, bis ich Kingsleys Stimme vor meiner Kabine hörte.

»Ich habe ein paar Mitteilungen für Sie, Mrs. Zimmerman«, rief er.

»Oh, danke, Kingsley«, sagte ich. »Würden Sie sie bitte unter der Tür durchschieben?«

»Kein Problem«, erklärte er und schob drei Umschläge unter meiner Tür durch.

Mit zitternden Händen machte ich einen nach dem anderen auf.

Im ersten stand: »Elaine. Bitte ruf mich an. Simon.«

Im zweiten hieß es: »Elaine. Ich muß mit dir reden. Um dir alles zu erklären. Simon.«

Und im dritten: »Slim. Vertrau mir. Sam.«

Ja natürlich, lachte ich vor mich hin. Ich vertraue dir, Sam. Du kannst ja nicht einmal von einer Nachricht zur nächsten beim selben Namen bleiben.

Ich knüllte die Zettel zusammen und warf sie in den Papierkorb.

Und dann nahm ich einen Bogen des *Princess-Charming*-Briefpapiers und schrieb selbst eine Nachricht: an Pat. Ich teilte ihr mit, daß ich allein auf Besichtigungstour gehen wolle und sie doch, wenn sie sich gut genug fühlte, mit Albert zu dem malerischen Fleckchen Erde gehen solle, das Ginger Smith Baldwin für die heutige Kunstsafari ausgewählt hatte. Ich erklärte ihr, daß ich Albert falsch eingeschätzt hatte, ihn nun nicht mehr verdächtigte und es vollkommen in Ordnung fände, wenn sie etwas mit ihm unternähme, und daß wir uns am Spätnachmittag treffen könnten, um Jackie aus der Klinik abzuholen. Außerdem schrieb ich ihr, daß ich sie lieb hätte. Für den Fall, daß mir in St. Croix etwas zustieß und dies die letzte Gelegenheit dafür war.

Ich steckte die Nachricht in einen Umschlag, schob ihn unter ihrer Kabinentür durch und ging an Land.

Die karibische Sonne war ebenso blendend wie die Steel Drums ohrenbetäubend. Ich schaute mich suchend nach einem Taxi um.

»Willkommen in St. Croix, der größten der amerikanischen Jungferninseln«, sagte eine lächelnde Einheimische und reichte mir einen Prospekt, in dem die Vorzüge von Cruzan Rum gepriesen wurden, einem Produkt der Insel, das dem Prospekt zufolge in einem von der bekannten Rumfachzeitschrift *The Washingtonian Magazine* durchgeführten blinden Geschmackstest »Bester« geworden war.

Ich lächelte ebenfalls und fragte die Frau, wo ich ein Taxi finden könne. Sie wies auf die Kleinbusse, die am Ende der Pier warteten. »Die fahren Ihre Ausflugsgruppe überallhin auf der Insel«, sagte sie fröhlich. »Zum Einkaufsbummel, zu Besichtigungen, ja sogar zur Cruzan-Rum-Fabrik.«

Ich bedankte mich und erklärte ihr, daß ich zu keiner Ausflugsgruppe gehörte.

Ihre Stirn legte sich in Falten. Ich bekam Schuldgefühle. Sie war so nett und hübsch, und jetzt hatte ich sie in Verlegenheit gebracht.

»Aber ich würde mir trotzdem gern Ihre hübsche Insel anschauen«, versicherte ich ihr, während ich einen Blick über die Pier auf die Strand Street warf, eine der sehenswertesten Straßen von Frederiksted. Sie war von farbenfrohen historischen Gebäuden gesäumt, von denen eines eine Filiale von Kentucky Fried Chicken beherbergte.

Ihre Miene hellte sich auf. »Sie könnten sich einer der anderen Gruppen anschließen«, meinte sie und nickte wieder zu den Kleinbussen hinüber. »Sonst müssen Sie extra bezahlen. Die Fahrer nehmen nicht gern Einzelpersonen mit.« Einzelpersonen! »Gehen Sie einfach hinüber und fragen Sie, welche Gruppe noch jemanden mitnehmen kann.«

»Das mach' ich«, sagte ich.

Ich eilte zu der Flotte von Kleinbussen hinüber, die zur Abfahrt bereitstanden und nur darauf warteten, im Lauf des Tages Hunderte von Passagieren der Kreuzfahrtschiffe zu den verschiedensten Zielen zu kutschieren. In meiner Eile hätte ich fast einen »Stelzenmann« umgestoßen – einen jener Einheimischen, die sich auf ein Paar Stelzen schwingen, bunte Kleider, einen Strohhut und eine Voodoomaske tragen, alle Welt auf dem Pier überragen und hervorragende Fotomotive für Touristen abgeben.

»Es tut mir sehr leid«, rief ich dem Mann zu, als er Hut und Maske zurechtrückte.

»Sie müssen aus New York sein«, murmelte er. »Ständig in Eile, diese New Yorker.«

Ich entschuldigte mich noch einmal und ging – nun etwas langsamer – auf die Taxis zu, und das Herz wurde mir schwer, als ich an Sam dachte und an den Morgen, als er *meine* Beine »Stelzen« genannt hatte und ich vor lauter Romantik fast in Ohnmacht gefallen wäre.

»Hat jemand noch Platz für eine Person?« rief ich den Fahrern zu. Sie ignorierten mich allesamt. Doch dann trat ein Mann hervor, der sich als Lully vorstellte und sagte, er könne mich in seiner Gruppe noch unterbringen. Zuerst hatte ich Zweifel, da Lullys »Kleinbus« ein heruntergekommener alter Ford Fairlane war, aber als ich sah, daß in dem Wagen nur zwei Leute saßen, ein Mann und eine Frau, stieg ich erleichtert ein.

»Und woher kommen Sie?« fragten der massige Mann und seine ebenso massige Frau gleichzeitg, während ich mich auf dem Rücksitz von Lullys Fairlane zu ihnen quetschte.

»New York«, antwortete ich den beiden. »Manhattan.«

»Tja, wie findest du denn das, Mutter?« sagte der Mann, stupste seine Frau an und wandte sich dann erklärend an mich. »Letzte Weihnachten sind wir nach New York hochgefahren, um zuzuschauen, wie dieser Riesenbaum vor dem Rockefeller Center angezündet wird. Und dann sind wir noch in die Radio City Music Hall gegangen und haben die Rockettes gesehen.«

Mutter legte bei der Erwähnung der sagenhaften Tanztruppe die Stirn in Falten und flüsterte mir zu, daß sie nicht besonders viel für deren Beinewerfen und die Kostüme übrig hätte, da beides in ihren Augen nicht besonders christlich sei. Ich sagte ihr, sie spräche mir aus der Seele.

Ich versuchte, mich mit Mutter zu verbünden, verstehen Sie, da mir klar war, daß sie, ihr Mann und ich die nächsten paar Stunden gemeinsam als Touristen in einem Auto ohne Klimaanlage verbringen würden, das dringend neue Stoßdämpfer brauchte.

»Mr. und Mrs. Frank Wicky aus Hattiesburg, Mississippi«, stellte der Mann sich und seine Gattin vor. »Erfreut, Ihre Bekanntschaft zu machen.«

Die Vorstellung, trübsinnig allein über die Insel zu schlurfen – oder schlimmer noch, Sam über den Weg zu laufen –, war nicht besonders anziehend. »Gleichfalls erfreut«, sagte ich zu den Wickys.

Lully fuhr uns zuerst nach Christiansted, da Mutter, auch Agnes genannt, der Ortsname besonders zusagte. Neben seinem geschäftigen und wunderschönen Hafen verfügte Christiansted auch über eine richtige »Innenstadt« mit Firmen und Behörden, eleganten Geschäften und reizenden Restaurants – alles Beispiele für die dänische Architektur der Insel. (St. Croix war zwar von Columbus entdeckt worden, der Italiener war, aber offensichtlich hatten in puncto Design die Dänen die Oberhand behalten.)

»Wollen wir nicht aussteigen und ein bißchen herumlaufen?« fragte ich die Wickys. »Und vielleicht einen Happen zu Mittag essen?«

»Wir essen nur auf dem Schiff«, vertraute mir Mutter Agnes an. »Da ist alles bereits bezahlt.«

»Außerdem«, meinte Frank kichernd, »können wir das, was wir sehen müssen, auch von hier aus sehen.«

Ja, sicher, dachte ich traurig. Einen Hafen vom Rücksitz eines Taxis aus oder durch das Bullauge einer der Schiffsbars zu betrachten war für viele Touristen eine sichere Methode, eine fremde Kultur zu erleben, aber nicht zu berühren und nicht berührt zu werden. Ich schluckte meine Tränen hinunter, als ich daran dachte, daß Sam und ich davon gesprochen hatten, uns St. Croix gemeinsam anzusehen, durch die Sträßchen zu schlendern, die Spezialitäten zu kosten und anschließend baden zu gehen. Als ich mir genauer ausmalte, was zwischen uns hätte sein können, brach es mir fast das Herz.

Von Christiansted aus fuhren wir nach Westen, an der Universität der Jungferninseln, dem Alexander-Hamilton-Flughafen und natürlich der Cruzan-Rum-Fabrik vorbei, bis wir schließlich wieder in Frederiksted ankamen. Die Wickys schüttelten mir die Hand und verabschiedeten sich. (Agnes fügte hinzu, daß es eine Freude sei, jemandem aus New York zu begegnen, der den Namen des Herrn nicht unnütz im Munde führe.) Und dann gingen sie wieder an Bord. Nach einer Weile wurde mir klar, daß sie es mir überließen, Lully zu bezahlen.

Während ich noch in meiner Tasche nach dem Geld suchte, sagte ich aus einer spontanen Laune heraus: »Lully, könnte ich Sie und Ihren Wagen noch eine halbe Stunde mieten?«

»Aber natürlich, Missus«, sagte er höflich. »Möchten Sie ein bißchen einkaufen gehen?«

Ich schüttelte den Kopf. »Ich möchte ein bißchen weinen gehen.«

Ich bat Lully, mich an das einsamste Stück Strand im Umkreis von zehn Meilen zu bringen. Er entsprach meinem Wunsch. Als wir dort ankamen, blieb er beim Wagen, während ich durch den Sand stapfte, so lange, bis ich eine Stelle fand, die mir gefiel.

Dort setzte ich mich im Schneidersitz hin, starrte auf das türkisfarbene Wasser und horchte auf die Geräusche der Wellen und der Möwen und das von weiter weg kommende Kreischen fröhlicher Kinder. Noch nie war ich so deprimiert gewesen.

Nachdem ich mich in Selbstmitleid gesuhlt hatte, stand ich dann doch irgendwann wieder auf, klopfte mir den Sand von den Beinen und sagte laut: »Vergiß dein gebrochenes Herz. Vergiß, daß du mit einem Mann verheiratet warst, der Mord für eine brauchbare Problemlösung hält. Vergiß das alles. Du bist eine tote Frau, wenn du nicht bei absolut klarem Verstand bleibst. Du hast dich ausgeweint. Jetzt trockne deine Tränen und geh wieder aufs Schiff.«

Ich befolgte meinen eigenen Rat. Dann putzte ich mir die Nase, rüstete mich für alles, was da kommen mochte, und wies Lully an, mich zur *Princess Charming* zurückzufahren.

17

Um halb drei kehrte ich in meine Kabine zurück, anderthalb Stunden bevor das Schiff von St. Croix ablegen und wieder Kurs nach Norden, Richtung Miami, nehmen sollte. Als ich die Kabine betrat, sah ich, daß noch mehr Umschläge unter der Tür durchgeschoben worden waren.

Ich war versucht, sie wegzuwerfen, ohne sie auch nur zu lesen, aber dann dachte ich mir, was soll's. Ich werde damit fertig.

Die Mitteilungen waren von Sam, und im Grunde sagte er mir in jeder nur, daß er eine Chance haben wolle, mir alles zu erklären, und daß ich ihm das zumindest schuldig sei.

Eine Mitteilung stammte von Pat, die mich darauf aufmerksam machte, daß Jackie um halb vier aus der Klinik entlassen würde und wir uns dort treffen sollen, um sie gemeinsam in ihre Kabine zu bringen.

Ich duschte rasch, zog mich um und fuhr mit dem Aufzug zur Klinik hinunter. Jackie sah um Klassen besser aus als am Tag zuvor. Sie war angezogen und saß auf dem Bett, als ich hereinkam. Pat war schon da, inzwischen wieder ohne Rollstuhl. Zu meiner Überraschung waren außerdem noch die Cones da.

»Wir haben kurz vorbeigeschaut, um zu sehen, wie es Jackie

geht«, erklärte Kenneth. »Wir haben ihr ein Genesungsgeschenk mitgebracht.«

Jackie hielt ein Schächtelchen von Little Switzerland in die Höhe, dem protzigen Schmuck-/Kristall-/Porzellan-/Parfüm-Laden, der nicht nur in St. Croix, sondern auch auf anderen Karibikinseln Filialen hatte.

»Zeig es Elaine«, forderte Pat sie auf, während ich noch dastand und mir dachte, wie großzügig wenn auch unangebracht es war, daß die Cones Jackie ein so teures Geschenk machten. Ich vermutete, daß ihre Prunksucht keine Grenzen kannte. Schließlich waren sie Jackie erst einmal begegnet, nämlich am ersten Abend der Kreuzfahrt, dem einzigen Abend, an dem sie mit am Eßtisch gesessen hatte.

Jackie nahm den Deckel ab und hob vorsichtig eine Kristallfigur in Form einer Gartenhacke heraus.

»Das ist aber hübsch«, sagte ich zu den Cones. »Und so aufmerksam.«

»Unsinn. Wir waren sowieso einkaufen«, sagte Gayle lässig. »Wir sind unsere Liste mit Leuten durchgegangen, denen wir ein Souvenir mitbringen müssen, und dabei fiel Kenneth ein, daß Jackie heute aus der Klinik entlassen würde – und daß sie Mitbesitzerin eines Gartencenters ist. Als wir diese entzückende kleine Gartenhacke sahen, setzten wir sie einfach mit auf unsere Einkaufsliste. Natürlich haben wir auch ein paar Sachen für uns selbst gekauft.«

Ich seufzte und dachte, wie leicht das Leben für Menschen wie Gayle und Kenneth Cone sein mußte. Täglich war Weihnachten.

»Ich finde, wir sollten Jackie und ihre Freundinnen jetzt allein lassen«, sagte Kenneth zu seiner Frau.

»Unbedingt«, stimmte Gayle ihm zu. »Ich muß in zehn Minuten zur Maniküre. Du auch, Kenneth.«

Er nickte, und sie zogen ab. Als sie weg waren, erfuhren Pat und ich erst einmal das Neueste über Jackies Zustand.

»Kein Fieber, keine Magenprobleme, kein gar nichts. Ich bin nur ein bißchen wackelig auf den Beinen«, erklärte sie uns.

»Wo ist denn Dr. Johansson?« wollte Pat wissen, deren Bein

weit weniger geschwollen war als noch am Vortag; mittlerweile humpelte sie mit Hilfe eines Stocks herum. Was die Verletzungen an Kinn und Arm anging, so wirkten sie zwar reichlich schaurig, schienen sie aber nicht zu stören. »Müßte er nicht hiersein, um dich zu entlassen?«

»Er hat mich bereits entlassen«, sagte Jackie. »Und offen gestanden wird mir seine Gesellschaft ganz schön fehlen. Er sagt, wenn ich mich den Rest des Tages in meiner Kabine ausruhe, kann ich morgen das Schiff unsicher machen und übermorgen an Land gehen, wenn wir in Nassau anlegen. Er hat mich eingeladen, dort mit ihm Mittagessen zu gehen, wenn ich mich gut genug fühle. Samstags hat er frei.«

»Jackie, du klingst ja ganz begeistert«, sagte ich. Ich freute mich, daß ihr Urlaub kein kompletter Verlust war.

»Apropos begeistert«, sagte sie mit einem wissenden Lächeln zu mir. »Wo ist den Clark Kent?«

Ich gab ihr keine Antwort, was sie zu der Annahme verleitete, ich hätte sie nicht verstanden.

»Komm schon. Ich meine den Herzensbrecher. Deinen Joggingfreund. Den Versicherungsagenten«, versuchte sie es noch einmal.

»Genau, Elaine. Ich dachte, du wolltest heute mit Sam auf Besichtigungstour gehen«, erinnerte sich Pat. »Ich war erstaunt, in deinem Briefchen zu lesen, daß du den Tag allein verbringen würdest.«

»Vielleicht ist Elaine losgezogen, um Sammylein ein Geschenk zum Valentinstag zu besorgen«, witzelte Jackie. »Oder vielleicht hat sie sich den Po tätowieren lassen. Mit seinem Namen. Das ist doch heutzutage bei Pärchen total angesagt, stimmt's?«

Pat wurde so rot wie das Bändchen an Jackies Geschenkschächtelchen von Little Switzerland. Ich wahrte meine ausdruckslose Miene. Ich wußte nicht, wie ich meinen Freundinnen erklären sollte, daß ich mich nicht mehr mit Sam traf, ohne in die Details zu gehen.

»Was ist denn los, Elaine?« wollte Jackie wissen. »Hast du dich mit Sam gestritten oder was?«

»Sagen wir einfach, daß ich meine Meinung über ihn geändert habe. Er ist ganz und gar nicht der, für den ich ihn gehalten habe.«

Jackie betrachtete mich skeptisch. »Für wen zum Teufel hast du ihn denn gehalten?«

»Ich möchte lieber nicht darüber sprechen«, antwortete ich. »Ehrlich gesagt wäre es mir am liebsten, wenn ihr seinen Namen nicht mehr erwähnen würdet.«

»Sicher. Klar. Wie du willst«, sagte Jackie, als sie merkte, daß ich es ernst meinte. »Paß auf. Da es ja wohl peinlich für dich und den alten Wie-hieß-er-doch-noch wäre, beim Abendessen am selben Tisch zu sitzen, nachdem ihr euch verkracht habt, und ich jetzt Gott sei Dank wieder unter den Lebenden bin, könnten wir doch alle zusammen heute abend in meiner Kabine essen, oder? Nur die drei blonden Mäuse, hm?«

»Klingt prima«, stimmte Pat zu.

»Klingt himmlisch«, sagte ich, erleichtert, daß ich nicht einmal in die Nähe von Tisch 186 würde gehen müssen.

Wir waren wieder auf See, unterwegs nach Nassau, und die See war rauher als bisher. Trotz der wiederholt gepriesenen Stabilisatoren des Schiffs schlingerte und rollte es und warf uns ziemlich heftig hin und her. Unverzagt bestellten Jackie, Pat und ich praktisch alles, was auf der Speisekarte für den Kabinenservice stand, und veranstalteten an dem Tisch, den Kingsley geschickt in Jackies Kabine manövriert hatte, ein ganz altmodisches Freßgelage.

»Sieht nach einer Party aus«, sagte er, als er die vielen Speisen und Getränke betrachtete, die wir bestellt hatten. Per hatte Jackie zwar geraten, keinen Alkohol zu trinken, da sie immer noch Medikamente einnahm, doch sie hatte sich einen Scotch bestellt und war entschlossen, jeden Schluck davon zu genießen. Pat und ich hatten uns für Wein entschieden – eine Flasche roten für mich, eine Flasche weißen für Pat.

»Es *ist* auch eine Party«, erklärte Jackie. »Und zwar nur für die holde Weiblichkeit. Wir wünschen keine Eindringlinge.

Also keine gemachten Betten, keine Anrufe, kein gar nichts. Okay?«

»Kein Problem«, meinte Kingsley. »Wenn sie den Tisch nicht mehr brauchen, schieben Sie ihn einfach vor die Tür.«

»Machen wir«, sagte ich. »Vielen Dank, Kingsley.«

Er winkte, hängte das »Bitte nicht stören«-Schild an Jackies Türknauf und ging.

»Guter Mann«, sagte ich und versuchte mir einzureden, daß sie nicht alle schlecht waren.

Jackie verputzte jeden Krümel ihres Essens und den größten Teil von meinem.

»Ich bin wieder gesund«, verkündete sie. »Per hat mich geheilt. Er ist ein medizinisches Genie.«

»Bill ist auch ein hervorragender Arzt«, warf Pat ein.

»Erzähl mal von deinem Tag mit Albert«, forderte Jackie sie auf, um Pat vom Thema Bill abzubringen. »Was habt ihr in St. Croix unternommen?«

»Tja, nach unserer Kunstsafari sind wir mit einem Taxi zum Ghut-Vogelschutzgebiet gefahren«, sagte sie.

»Warum überrascht mich das nicht?« sagte Jackie.

»Es liegt mitten in einem herrlichen Regenwald«, fuhr Pat fort, während ich abschaltete. Ich konnte mir einfach kein Interesse für die Tropenvögel abringen, die Albert entdeckte, oder für die Verzückung, in die er geriet, wenn er sie entdeckte. Und so hörte ich nur mit halbem Ohr zu und dachte in erster Linie über Sam nach oder versuchte, es zu unterlassen.

Unsere Party löste sich gegen neun Uhr auf. Ich hatte schon den Türknauf in der Hand – Pat richtete Jackie noch das Bett –, als ich unter der Tür einen Briefumschlag sah. Vermutlich eine weitere Nachricht von Sam, die der aufmerksame Kingsley hierhergebracht hatte, da er ja wußte, wo ich war. Ich bückte mich schnell und schob das Kuvert in die Tasche, bevor ich mich endgültig verabschiedete, und wankte durch das schlingernde Schiff den Flur hinunter zu meiner Kabine, wo ich gerade rechtzeitig ankam, um Captain Solbergs allabendlichen Wetterbericht zu hören. Ich hatte kaum die Kabine betreten, als es an der Tür klopfte. Ich vermutete, daß es Pat oder Jackie war, da wir uns soeben erst voneinander verabschiedet hatten.

Ich machte die Tür auf.

»Gib mir nur fünf Minuten, um es dir zu erklären. Nur *fünf* Minuten.«

Es war Sam. Mann, es ist wirklich ein Jammer, daß er ein Killer ist, dachte ich, als ich ihn ansah. Im Speisesaal war Country & Western-Abend gewesen, und so trug er Jeans und ein Jeanshemd. Das Blau ließ seine Augen noch faszinierender wirken. Es machte mich ganz wütend, daß ich ihn dermaßen attraktiv fand.

Ich versuchte, ihm die Tür vor der Nase zuzuknallen, aber er schaffte es ohne weiteres, mich daran zu hindern.

»Gut. Ich rufe nur schnell beim Sicherheitsdienst an«, sagte ich kalt und ging aufs Telefon zu.

»Slim, hör mal«, sagte er und folgte mir in die Kabine. »Ich finde wirklich, daß du jetzt übertreibst. Ich verstehe, daß du das Gefühl hast, belogen, irregeführt und hintergangen worden zu sein. Aber die Art, wie du mir aus dem Weg gehst und dich sogar weigerst, mit mir zu sprechen, ist ein bißchen …«

»Hallo?« sprach ich ins Telefon und ignorierte Sams Worte. »Ja. Ich möchte melden, daß ein Mann in meine Kabine eingedrungen ist und mich belästigt. Genau. Ich habe Kabine Nummer …«

Die Verbindung wurde unterbrochen. Sam hatte seinen Finger auf die Gabel des Telefons gelegt.

»Oh, du möchtest mich also gleich umbringen? Stimmt's?« sagte ich höhnisch.

»Dich umbringen? Was zum Teufel ist bloß in dich gefahren?«

Er schien von meiner Bemerkung ehrlich befremdet zu sein. Was nur ein weiteres Mal bewies, was für ein phantastischer Lügenbeutel er war – jedenfalls in meinen Augen.

»Nur fünf Minuten«, bettelte er. »Wenn du danach nicht mehr mit mir reden willst, schwöre ich, daß ich dich nie wieder belästigen werde.«

»Mich nie wieder belästigen? Was würde Eric wohl davon halten?« spottete ich.

»Eric? Dein Exmann? Was hat denn der damit zu tun?«

Mein Gott, war er gut. Vielleicht hätte er Schauspieler werden sollen, anstatt arme, schutzlose Ehegattinnen umzubringen. Mit seiner Unschuldsnummer hätte er einen Oscar gewinnen können.

»Fünf Minuten, Slim. Nur fünf Minuten«, flehte er erneut.

Ich war tatsächlich ein wenig neugierig, was er zu sagen hätte, wie er die Sache mit Sam Peck und Simon Purdys erklären würde, ganz zu schweigen von allem anderen.

»Fünf Minuten«, wiederholte er, da er merkte, daß er Erfolg hatte.

»In Ordnung«, sagte ich schließlich und ging das Wagnis ein. »Aber nicht hier.«

»Wo immer du willst.«

Ich überlegte. Ich hatte nicht vor, auch nur fünf Minuten allein mit diesem Mann zu verbringen. Es wäre viel zu riskant, das wußte ich. Die Frage war nur: Wo auf dem Schiff würde ich mich mit ihm sicher fühlen?

»Es muß an einem öffentlichen Ort sein«, sagte ich nachdenklich. »Wo *jede Menge* Leute sind.«

»Sag, wo«, verlangte Sam, dessen Selbstsicherheit zurückkam.

Ich ging zur Kommode hinüber, nahm den Veranstaltungskalender des Schiffs, überflog das Angebot und fand den idealen Ort für Sams Verteidigungsrede.

»Wir treffen uns in Her Majesty's Lounge auf Deck 3«, erklärte ich.

»Her Majesty's Lounge ist eine Piano-Bar«, erklärte Sam. »Da spielen heute zwei drittklassige Schlaftabletten. Ich bezweifle stark, daß eine Menge Leute dort sind.«

»Diesem Plan zufolge spielen sie heute abend nicht dort«, sagte ich. »Hier steht, daß die Leiterin der Schiffsgastronomie heute in Her Majesty's Lounge einen Vortrag hält – ein Ereignis, das sicher ein *sehr* breites Publikum anziehen wird.«

»Warum? Worum geht es denn in dem Vortrag?«

»Um Serviettenfalten.«

18

Ich bestand darauf, daß Sam und ich getrennt zu Her Majesty's Lounge auf Deck 3 fuhren. Nicht auszudenken, wenn wir in ein und denselben Aufzug gestiegen wären, er überfüllt gewesen und mein Körper zwangsläufig mit seinem in Berührung gekommen wäre.

Wie es das Schicksal so wollte, kam mein Aufzug ein paar Minuten früher auf Deck 3 an. Also marschierte ich schnurstracks zu Her Majesty's Lounge, die zu meinem Erstaunen umgeräumt worden war und nun einer Art Klassenzimmer ähnlicher sah als einer Bar, da mehrere Stuhlreihen vor einem Katheder standen. Es befanden sich an die fünfundsiebzig Personen im Raum, und bis auf drei Plätze war alles belegt. Rasch schnappte ich mir einen Stuhl und legte meine Tasche auf den daneben, um ihn für den Mann zu belegen, der engagiert worden war, um mich umzubringen.

Die Rednerin, sie hieß Ashley Bliss, erklärte gerade, daß die Kunst des Serviettenfaltens, obwohl sie vielleicht vertrackt wirken mochte, in Wirklichkeit erstaunlich leicht zu erlernen sei. Sie führte aus, daß es keine bessere Methode gäbe, für eine Essenseinladung die richtige Atmosphäre herzustellen, als eine der »weichen Sklupturen« zu modellieren.

»Wählen Sie die Faltung entsprechend der Stimmung, sage ich immer«, dozierte sie unbeschwert und begann sich an den Musterservietten zu schaffen zu machen, die auf ihrem Pult lagen. »Und vergessen Sie nie, daß Servietten aus Synthetikmaterial zwar vielleicht am einfachsten zu säubern sein mögen, aber sie bewahren keine Falte so, wie Leinen, Baumwolle oder selbst Mischungen aus Baumwolle und Synthetik es tun. Bevor wir jedoch heute abend richtig anfangen, möchte ich mit Nachdruck auf das Wichtigste verweisen – und zwar wirklich mit Nachdruck! Falten Sie ihre Servietten immer, *bevor* Ihre Gäste eintreffen, solange Sie noch Zeit haben, damit Sie nicht *nachher* unter *Druck* kommen!«

Alle klatschten Beifall, ich eingeschlossen. Es war ungemein packend, das kann ich Ihnen sagen.

Sam nahm just in dem Moment auf seinem Stuhl Platz, als Ashley die einfache Ringfaltung erläuterte.

»Wir können hier nicht reden«, sagte er und erntete prompt empörtes Zischen von den Leuten, die vor uns saßen.

»Wir werden eben flüstern müssen«, flüsterte ich und sah auf die Uhr. »Du hast um fünf Minuten gebeten. An deiner Stelle würde ich jetzt anfangen.«

Sam lächelte. »Du bist wunderschön, wenn du wütend bist.«

»Oh, bitte. Es reicht mit den Filmzitaten«, zischte ich und freute mich trotz allem über das Kompliment. »Jetzt sprich endlich, ja.«

Ich konnte Sam nicht einmal ansehen. So dicht neben ihm zu sitzen war schon anstrengend genug. Also konzentrierte ich meinen Blick auf Ashley, die gerade eine Serviette zu einem Dreieck faltete, dessen eine Spitze nach oben zeigte, und damit die zuvor besprochene Ringfaltung vorführte.

»Mein richtiger Name ist Simon Purdys, und ich wohne in Manhattan. Ecke 85. Straße und Third Avenue«, sagte Sam mit gedämpfter Stimme.

»Das weiß ich bereits«, fauchte ich. »Ich haben deinen Führerschein studiert, während du im Badezimmer warst…« Ich schüttelte den Kopf, als mir wieder einfiel, daß ich diesen mordlüsternen Irren in meinen geheiligten Tempel eingelassen hätte.

»Ich bin nicht in der Versicherungsbranche«, fuhr er fort, ohne sich mit der Frage aufzuhalten, warum ich seine Brieftasche durchwühlt hatte. »Ich bin Reisejournalist. Für die Zeitschrift *Away from It All*.«

Ich wieherte. »Und ich bin Textredakteurin beim *Playboy*.«

Meine Erwähnung des *Playboy* rief weiteres Zischen und einige giftige Blicke hervor.

»Es stimmt aber«, flüsterte Simon. »Ich schreibe für das Heft über Kreuzfahrten. Die letzten anderthalb Monate habe ich jede dämliche Kreuzfahrtlinie ausprobiert, die es gibt: Carnival, Royal Caribbean, Norwegian, Celebrity, was du willst. Sea

Swan ist mein letzter Auftrag. Anders ausgedrückt, Slim, ich bin geschäftlich hier auf der *Princess Charming*. Und wenn ich geschäftlich reise, benutze ich nie meinen eigenen Namen. Wenn die Leute, die Kreuzfahrten, Hotels oder Feriendörfer leiten, herausfinden, daß ich für eine Reisezeitschrift unterwegs bin, überschlagen sie sich, um mir ihren Luxusservice angedeihen zu lassen, und ich erfahre nie, wie es in Wirklichkeit ist. Also verwende ich Pseudonyme. Diesmal bin ich zufällig auf den Namen Sam Peck verfallen. Wie in Peck's Bad Boy. In deinen Augen habe ich dem bösen Buben alle Ehre gemacht, was?«

Ich antwortete erst nach einer Weile, da ich unbedingt Ashley zuhören wollte, wie sie die Meereswoge demonstrierte, eine Faltung, bei der die Serviette ein gerüschtes Aussehen bekam und damit, so sagte Ashley, für den Sonntagsbrunch geeignet war. Sprach dieser Simon Purdys die Wahrheit? fragte ich mich, wobei ich ihm zwar glauben wollte, mich aber davor fürchtete. War es möglich, daß er für *Away from It All* schrieb? Ich las die Zeitschrift ab und zu, hatte aber kaum je einen Blick auf die Autorennamen verschwendet. Ich hatte noch nie einen Kunden in der Reisebranche gehabt, und so hatte nie die Notwendigkeit bestanden, mit Reisejournalisten Kontakt aufzunehmen und sie zum Mittagessen auszuführen. Trotzdem, wenn dieser Kerl tatsächlich nur ein Reisejournalist war, der sich als Versicherungsagent tarnte, damit er von der Kreuzfahrtgesellschaft nicht wie ein VIP behandelt wurde, warum hatte er mir dann nicht die Wahrheit gesagt? Wir waren uns in derart kurzer Zeit so nahe gekommen. Warum, so fragte ich mich, hatte er mich nicht über seine wahre Identität informiert?

»Ich *wollte* es dir ja sagen«, erklärte er und las offenbar meine Gedanken. »Ich wollte dir gestern abend alles sagen. Nachdem wir miteinander geschlafen hatten.«

Das »miteinander schlafen« löste weiteres empörtes Zischen und giftige Blicke aus, vor allem bei Ashley.

»Ich muß das Paar in der letzten Reihe leider bitten, den Raum zu verlassen und seine Unterhaltung draußen fortzusetzen«, rief sie von ihrem Katheder aus.

»Komm schon, laß uns hier verschwinden«, sagte Simon, ergriff meine Hand und zog mich von meinem Stuhl hoch.

»Wenn Sie den Rest der Vorführung sehen möchten, schalten Sie einfach morgen früh um sechs auf dem Fernsehgerät in ihrer Kabine den *Princess-Charming*-Kanal ein«, schlug Ashley in versöhnlichem Ton vor. »Da wird mein gesamter Vortrag gesendet.«

»Okay. Und jetzt?« sagte ich, als wir draußen im Flur standen.

»Setz dich«, sagte Simon und wies auf den Fußboden.

»Hier?« fragte ich.

»Du wolltest an einem öffentlichen Ort reden. Tja, das hier ist ein Korridor. Korridore sind öffentliche Orte. Dutzende von Leuten werden an uns vorbeispazieren, und du wirst nie mit mir allein sein müssen. Und du wirst dir auch nicht das Kleid schmutzig machen müssen.« Er zog das Blatt mit den abendlichen Veranstaltungshinweisen aus seiner Hosentasche, faltete es auseinander, breitete es auf dem Boden aus und bedeutete mir, mich daraufzusetzen. Ich tat es. Er setzte sich neben mich – ein bißchen näher bei mir, als mir recht war.

»Also. Wo waren wir?« sagte ich und versuchte, möglichst ungerührt zu bleiben.

»Ich habe gerade davon gesprochen, wie ich dir erzählen wollte, daß ich als Reisejournalist für *Away from It All* arbeite…«

»Wenn du wirklich für *Away from It All* schreibst«, unterbrach ich ihn, »was sollte dann der ganze Stuß über deine beruflichen Konflikte? Du hast mir erzählt, du seist dir unschlüssig, ob du deinen Beruf wechseln sollst, weißt du noch? Oder hat das nur zu dem Schwachsinn von dem Versicherungsagenten mit Flugangst gehört?«

Er schüttelte den Kopf. »Das mit dem beruflichen Zwiespalt stimmt. Ich habe mir tatsächlich überlegt, die Branche zu wechseln. Eigentlich habe ich schon letztes Jahr bei der Zeitschrift aufgehört. Aber ich habe eine sehr überzeugende Redakteurin. Sie hat mir das doppelte Honorar angeboten, also bin ich zurückgekommen. Versteh mich nicht falsch – ich liebe das

Schreiben, und ich liebe das Reisen. Aber ich will auch ein Leben haben. Ich bin fünfundvierzig Jahre alt. Das Aufregende daran, jeden zweiten Monat in irgendein exotisches Land zu fliegen, hat sich abgenutzt. Im Grunde habe ich den Auftrag über die Kreuzfahrten nur zum Ausspannen angenommen – ein paar Wochen, in denen ich versuchen könnte, herauszufinden, was zum Teufel ich mit mir anfangen soll.«

»Wenn irgend etwas davon stimmt – und das ist immer noch ein ›Wenn‹«, sagte ich, »dann begreife ich aber trotzdem nicht, warum du *mir* nicht erzählt hast, wer du bist. Ich bin eine erwachsene Frau, ganz zu schweigen davon, daß ich in der PR-Branche bin und ziemlich intensiven Kontakt zu Journalisten habe. Ich wäre wohl kaum an die Lautsprecheranlage gegangen und hätte sämtlichen Leuten auf dem Schiff deine wahre Identität verraten, Herrgott noch mal.«

»Je näher wir uns gekommen sind, desto schwieriger wurde es für mich, es dir zu erzählen, Slim«, wandte er ein. »Ich hatte nicht vor, mich auf dieser Kreuzfahrt mit irgend jemandem einzulassen. Ich hatte vor, mich nie wieder mit jemandem einzulassen, wenn du die ehrliche Wahrheit wissen willst.«

»›Ehrliche Wahrheit‹ ist eine Redundanz, wie jeder *Journalist* wissen müßte«, sagte ich verschnupft. »Offen gestanden glaube ich, du würdest eine ehrliche Wahrheit nicht einmal erkennen, wenn sie dir ins Gesicht spränge.«

Er schob die Brille auf seinem Nasenrücken zurecht, als wäre man *ihm* ins Gesicht gesprungen. »Oh, okay. Ich glaube, jetzt kapiere ich«, sagte er und nickte.

»Was kapierst du?«

»Ich kapiere, warum du so zornig bist und so übertrieben reagierst. Du möchtest über Jillian Bescheid wissen. Ob ich sie auch erfunden habe.«

»Dieser Gedanke ist mir in den letzten vierundzwanzig Stunden allerdings gekommen«, erwiderte ich. »Wenn wir zusammen waren und du in eine deiner – wie soll ich es nennen? ›trübsinnigen Schweigephasen‹ abgeglitten bist, habe ich immer vermutet, es sei wegen Jillian. Weil sie dir fehlt. Weil sie zwei Wochen bevor ihr heiraten wolltet gestorben ist. Aber jetzt, wo sich deine ganze Geschichte als Schwindel entpuppt hat, wer weiß? Du hast mir nicht erzählt, *wie* sie ums Leben gekommen ist oder unter welchen Umständen. Also waren die trübsinnigen Schweigephasen vielleicht auch nur ein bißchen lebensechte Schauspielerei, damit du dich auf deiner x-ten Karibikkreuzfahrt nicht langweilen mußt. Vielleicht ist Jillian ja in Wirklichkeit eine dieser Zwillingsnichten, die du neulich beim Abendessen erwähnt hast. Oder vielleicht hat ›Jillian‹, wenn ich es mir recht überlege, nie existiert.«

Simon warf einen Blick zur Decke, bevor er antwortete, als hoffte er auf eine göttliche Eingebung. Dann sah er mir in die Augen. »Du hast dich gefragt, ob Jillian wirklich existiert hat, und ich habe mich gefragt, wie ich dir alles erklären soll.« Er hielt einen Moment inne. Ich rührte mich nicht. »Jillian Payntor hat mehr als nur existiert; sie war der Mittelpunkt meines Lebens, meine ganze Welt«, begann er und hielt erneut inne, um sich zu räuspern. »Sie war Anwältin bei der Staatsanwaltschaft von Essex County. Als ich sie kennenlernte, schwamm sie auf Erfolgskurs, hatte seit zwei Jahren keinen Fall mehr verloren. Niemand war erpicht darauf, ihr zu widersprechen – und ich schon gar nicht.« Er lächelte, offenbar in Erinnerung an ihre liebevollen Zankereien. »Sie war die Schwester eines befreundeten Kollegen«, fuhr er fort. »Eines Fotografen namens Jason Payntor. Jillian und ich waren die glücklichen Nutznießer seiner Verkuppelungsversuche.« Er lächelte erneut, diesmal zweifellos in Erinnerung an ihre erste Verabredung. »Weder sie noch ich waren auf der Suche nach einer ernsthaften Beziehung – ich war ständig auf Reisen, sie hatte mehr als ausreichend zu tun –, aber wir verstanden uns buchstäblich vom ersten Moment an. Keiner von uns beiden hat je in Frage gestellt, daß wir für den Rest unseres Lebens zusammenbleiben würden.«

Ungefähr so, wie ich dir gegenüber empfunden habe, dachte ich wehmütig.

»Sie gab ihre Eigentumswohnung in Montclair auf, zog zu mir in die 85. Straße und pendelte nach New Jersey«, erzählte Simon weiter. »Da ich nicht pendeln mußte, war mein Anteil an unserer Abmachung, daß ich das Essen kochte, wenn ich zu Hause war.«

Er hat ihr das Essen gekocht, überlegte ich und fragte mich, was wohl bei ihnen auf dem Speisezettel gestanden hatte. Eric hatte auch einmal für mich gekocht: Borschtsch. Ich bin allergisch gegen rote Bete, aber das hatte er vergessen.

»Wie lange habt ihr zusammengelebt, bevor ihr beschlossen habt zu heiraten?« wollte ich wissen, immer noch unsicher, ob ich ihm die Geschichte abkaufen sollte.

»Ein Jahr und drei Monate. Wir waren glücklich, Slim. Es war zwar höllisch schwer, unsere Zeitpläne aufeinander abzustimmen, aber wir haben es geschafft. Wir waren fest entschlossen, nicht zu einem dieser Karrierepaare zu werden, wo es heißt: ›Heute abend mit dir essen? Frag meine Sekretärin.‹ Wir waren uns so nahe, wie es zwei Menschen nur sein können.«

Ich nickte matt und mußte daran denken, daß Eric und ich uns so nahe waren wie zwei Menschen, die einander verklagen.

»Wir wollten im Mai heiraten«, berichtete Simon weiter, aber Jillian hätte bis Oktober keinen Urlaub für die Flitterwochen nehmen können, weil sie einen großen Fall zugeteilt bekommen hatte. Da wir unter keinen Umständen unsere Hochzeit verschieben wollten, beschlossen wir, die Sache umgekehrt anzugehen und die Hochzeitsreise *vor* der Eheschließung zu machen. Die Zeitschrift hat mich zehn Tage vor unserer Trauung auf die britischen Jungferninseln geschickt. Es erschien mir ideal, Jillian mitzunehmen.«

»Und was ist dann passiert?« fragte ich. Mittlerweile hing ich an seinen Lippen und haßte mich dafür.

»Es waren herrliche Tage«, sagte er, und seine Stimme wurde tiefer, leiser, sehnsuchtsvoller. »Jillian war eine ebenso begeisterte Seglerin wie ich. Gegen Ende unserer Reise wohnten wir in einem Hotel auf Virgin Gorda, haben eine 12-Meter-Schaluppe gechartert, uns vom Hotel ein Lunchpaket einpacken lassen und sind ausgelaufen.«

»Ich bin noch nie auf Virgin Gorda gewesen«, sagte ich, da ich mit einem Mal das Bedürfnis verspürte, mich selbst in die Geschichte einzubringen. »Soviel ich gehört habe, soll es sehr romantisch sein.«

»Es ist ein ganz besonderer Ort, ziemlich abgelegen und der letzte sichere Hafen, bevor man in die rauhen Gewässer des offenen Atlantiks kommt. Der North Sound ist ein Zufluchtsort für Seeleute, und die Insel selbst ist wirklich phantastisch – Hügel, Korallenriffe, Sandbänke und Inselchen, einfach alles außer Menschenmassen.«

»Vermutlich auch keine Kreuzfahrtschiffe«, sagte ich und versuchte mir Simon und seine Zukünftige im Paradies auszumalen. Vor allem wollte ich mir Jillian vorstellen können. Mir vorstellen, wie sie ihren verfrühten Tod gefunden hatte.

»Keine Kreuzfahrtschiffe«, bestätigte er mit einem schwachen Lächeln, bevor er mit seiner Geschichte fortfuhr. Daran, wie er die Augen schloß und tief ein- und ausatmete, merkte ich, daß er sich nun auf den schweren, den schlimmen Teil vorbereitete. »Jillian und ich waren beide erfahrene Segler, und so fuhren wir mit dem Boot ganz hinaus bis Anegada, der sogenannten ›Schiffbruch-Insel‹«, sagte er und rang mit sich. »Das Wetter war gut, als wir den Hafen verließen, und wir segelten problemlos hinüber.« Er unterbrach sich erneut, und ich sah, wie seine Kiefermuskeln mahlten. »Später am Nachmittag, als ich unten war und die Seekarten studierte, während Jillian am Ruder war, traf uns plötzlich eine heftige Sturmbö. Das Boot kippte, und bevor Jillian reagieren konnte, traf der Mast schon aufs Wasser.«

»Das Boot ist gekentert?«

»Nein. Es wurde ungefähr in einem Neunzig-Grad-Winkel auf die Seite gedrückt.«

»Mein Gott. Du mußt einen entsetzlichen Schreck bekommen haben.«

»Dafür war keine Zeit. Als ich quer durch die Kajüte, gegen die Küchenzeile, geworfen wurde, hörte ich Jillian schreien. Ich raste nach oben, aber sie war weg.«

»Weg? Was meinst du mit ›weg‹?« Mir begann selbst das Herz zu rasen, als ich versuchte, mir die Situation vorzustellen.

»Sie war über Bord gespült worden, Slim.« Die Worte kamen langsam, als brächte er sie kaum über die Lippen, als löste jedes einzelne einen so gewaltigen Schmerz aus, daß er nie wieder gelindert werden konnte. Ich hatte selbst meinen Teil an psychischen Leiden durchgemacht, aber ich hatte nie ein Trauma wie das erlitten, das Simon mir schilderte.

»Wenn sie doch nur einen Gurt getragen hätte«, murmelte er und schüttelte den Kopf. Ich wußte nicht, was im Jargon der Segler ein Gurt war, nahm aber an, daß er dazu diente, die Besatzung eines Boots an Bord zu halten.

»Aber sie war doch sicher eine gute Schwimmerin«, sagte ich, da ich annahm, daß Jillian in allem gut war.

»Wir steckten mitten in einem heftigen Sturm«, sagte er ungeduldig. »Die Wellen waren über drei Meter hoch. Da spielt es keine Rolle mehr, ob du schwimmen kannst oder nicht.«

»Tut mir leid.«

»Nachdem sich das Boot wieder aufgerichtet hatte, suchte ich das Wasser nach Jillian ab. Es kam mir wie eine Ewigkeit vor, bis ich sie endlich sah. Sie kämpfte verzweifelt darum, sich über Wasser zu halten. Ich war erleichtert, als ich sah, daß sie noch am Leben war, aber ich wußte, daß ich sie nur retten konnte, wenn ich mit dem Boot zu ihr kam. Während Wind und Regen um mich tosten, holte ich die Segel ein, die wie verrückt herumgeflattert waren. Dann warf ich den Motor an, vergaß dabei aber vollkommen, die Klüverschoten zu sichern, mit dem Ergebnis, daß sie sich in der Schiffsschraube verfingen. Kannst du mir folgen, Elaine?«

»Nicht ganz.«

»Das heißt, daß das Boot binnen einer einzigen Sekunde keine Segel und keinen Motor mehr hatte. Es lag wie tot im Wasser, vollkommen manövrierunfähig.«

»Manövrierunfähig«, nickte ich wie gebannt.

»Ich hielt weiterhin Ausschau nach Jillian, sah sie immer wieder in der Ferne und verlor sie dann wieder aus dem Blick. Die hohen Wellen trieben sie in die eine Richtung und das Boot in die andere, und ehe ich mich's versah, waren wir eine halbe Meile voneinander entfernt. Ich habe mich noch nie so machtlos gefühlt. Es war wie in einem dieser Alpträume, in denen man nie dahin kommt, wo man hin muß, ganz egal, was man tut.«

Ich nickte erneut, da ich solche Träume kannte.

»Ich kletterte wieder nach unten und rief über Funk Hilfe«, erzählte Simon rasch weiter, »obwohl ich verdammt gut wußte, daß selbst wenn der Bootsverleih ein Rettungsboot losschickte, es für Jillian zu spät kommen würde. Dann ging ich wieder auf Deck, suchte das Wasser nach ihr ab und war ganz beglückt, als ich sie schließlich entdeckte. Doch das sollte das letzte Mal sein, daß ich sie zu Gesicht bekam. Ich mußte tatsächlich dastehen und zusehen, wie Jillian Payntor, die von der Heiratsurkunde abgesehen in jeder Hinsicht meine Frau war, kleiner und kleiner wurde, bis ich sie nicht mehr erkennen konnte.«

Simon hatte noch mit sich gerungen, als die Geschichte sich ihrem unausweichlichen Ende näherte, doch nun weinte er offen, geräuschlos, und nahm die Brille ab, um sich die Augen zu reiben. Ich wußte nicht, was ich tun sollte, ehrlich nicht. Einerseits wollte ich ihn in die Arme nehmen und festhalten, wiegen und trösten und ihm sagen, daß alles in Ordnung sei, weil *ich* nun da war und ihn genauso lieben würde, wie Jillian es getan hat. Andererseits wollte ich aber in die Kabine zurückeilen, da mich nicht zum ersten Mal die Angst befiel, daß ich mich womöglich in Gesellschaft eines pathologischen Lügners sowie eines Auftragskillers befand, eines Soziopathen, der Geschichten erfand – je melodramatischer, desto besser –, weil er es einfach nicht lassen konnte.

»Ich hätte nicht panisch werden und den Motor anwerfen dürfen, bevor ich die Segel gesichert hatte. Ich hätte die Schiffsschraube nicht blockieren dürfen. Wir hätten nicht mit einem Boot hinausfahren dürfen, mit dem wir nicht vertraut waren. Hätte. Hätte. Ich *hätte* sie retten sollen, aber ich habe es nicht geschafft. Ich habe versagt, begreifst du das? Ich war in meinen gottverdammten Flitterwochen und habe die Liebe meines Lebens ertrinken lassen.«

Tja, damit war natürlich alles klar. Kein Mensch war ein *so* guter Schauspieler. Robert De Niro hätte nicht überzeugender sein können.

Ich gab mitten in diesem Korridor alle meine Widerstände auf, zog Simon an mich und hielt ihn fest, ganz zärtlich. »Es war nicht deine Schuld«, sagte ich und kämpfte gegen mein eigenes Schluchzen an, als ich ihm das dunkle Haar streichelte und seinen Rücken tätschelte. Es war schon schlimm genug, sich von dem Menschen verlassen zu fühlen, den man am allermeisten liebte, das wußte ich. Aber zu glauben, daß man selbst denjenigen hatte sterben lassen, daß man sein Leben hätte retten und sein Glück hätte bewahren können, war so qualvoll, daß ich es nicht nachvollziehen konnte. »Du hättest gar nichts tun können«, sagte ich leise. »Ich weiß, daß dir Jillian entsetzlich fehlt, aber sie ist durch einen Unfall ums Leben gekommen. Einen tragischen Unfall. Du hast dir nichts vorzuwerfen. Das mußt du doch wissen.«

»Ich hätte sie retten müssen«, sagte er und schüttelte den Kopf. »Ich war dafür verantwortlich.«

Warum war er dafür verantwortlich? wollte ich wissen. Weil er der Mann war, und Männer in dem Glauben erzogen werden, es sei ihre Aufgabe, Frauen zu retten? Er hatte gesagt, daß Jillian eine erfahrene Seglerin gewesen war, ganz zu schweigen davon, daß sie in ihrem Beruf sehr erfolgreich war. Sie mußte die Sturmbö kommen sehen haben und hätte ihn davor waren sollen. Warum war es *seine* Schuld, daß sie umgekommen war?

Ich holte ein Päckchen Taschentücher aus meiner Tasche. Ich reichte Simon einen Stapel und behielt ein paar für mich. Ein paar Minuten lang weinten wir gemeinsam. Die Leute, die durch den Flur gingen, verlangsamten ihre Schritte, wenn sie an uns vorbeikamen, wie Schaulustige bei einem Unfall. Eine Frau flüsterte ihrem Mann zu: »Wahrscheinlich sind sie beim Big Bucks Bingo zweite geworden.«

Das durchbrach die Trauer und den Schmerz, und Simon und ich mußten tatsächlich beide lachen.

»Wie singen sie immer in diesen Werbespots für Kreuzfahrten?« fragte er sarkastisch. »Selten so gelacht?«

Ich nickte und drückte seine Hand.

»Es tut mir leid, daß ich dir nicht gesagt habe, wer ich bin«, sagte er schließlich. »Aber ich hatte es fest vor. Gestern abend.«

»Ich glaube dir«, sagte ich. Und das tat ich auch. Fast.

»Das beruhigt mich«, sagte er matt. »Und jetzt kannst vielleicht du *mir* etwas verraten.«

»Sicher. Was denn?«

»Warum hast du gestern abend davon schwadroniert, daß dein Exmann und ich vorhätten, dich umzubringen?«

Ich schämte mich entsetzlich. »Ach, das«, sagte ich beiläufig. »Das muß von dem Medikament gekommen sein.«

»Medikament?«

»Ja. Ich hatte eine kleine Sonnenallergie, und deshalb habe ich gestern ein Antihistaminikum genommen, obwohl auf dem Beipackzettel steht, daß einer der Wirkstoffe bei manchen Leuten Wahrnehmungsstörungen auslöst.« Und ich hatte es gewagt, *Simon* der Lüge zu bezichtigen! »Vergiß es einfach. Ich wußte nicht, was ich geredet habe.« Ich war noch nicht bereit, ihm die Sache von dem Auftragskiller und der Exfrau zu erzählen. Erst wenn ich absolut, unerschütterlich und hundertprozentig sicher war, daß er nichts damit zu tun hatte.

»Was hältst du davon, wenn wir es dabei belassen?« Er streckte die Hand aus und half mir hoch. »Ich habe schon lange nicht mehr in dieser Form über mich gesprochen. Ich bin ganz schön erledigt.«

»Das verstehe ich«, sagte ich, denn ich war selbst ziemlich erschöpft.

Wir gingen zum Aufzug und warteten, bis er kam und uns zu unseren Kabinen brachte. Bevor er eintraf, sah Simon mich so gequält an, daß es mir fast das Herz brach. Er hob mein Kinn etwas an, studierte mein Gesicht und sagte: »Darf ich einen Vorschlag machen?«

»Sicher.«

»Ich würde sagen, wir sehen zu, daß wir uns ordentlich ausschlafen, und morgen früh fangen wir neu an. Das Schiff ist den ganzen Tag auf See und legt erst Samstag in Nassau an. Warum gehen wir nicht morgens wieder Joggen, verbringen den Tag gemeinsam und machen da weiter, wo wir aufgehört haben? Das würde mir wirklich gefallen, Slim. Und dir?«

»Also, ich hätte nichts gegen eine Nacht einzuwenden, in der ich alles, was du mir erzählt hast, verarbeiten kann, bevor ich in Schlaf sinke«, sagte ich und verfluchte mich selbst, weil ich das Wort »sinken« benutzt hatte.

»Du hast mich doch anscheinend gemocht, als ich Versicherungsagent war«, sagte er lächelnd. »Hast du vielleicht etwas gegen Reisejournalisten?«

»Nur, daß sie gratis an die schönsten Orte kommen, während wir anderen uns dumm und dußlig zahlen«, sagte ich. »Aber ich werde versuchen, meine Vorurteile unter Kontrolle zu halten.«

»Dafür bin ich dir dankbar.«

Dann kam der Aufzug. Wir drückten jeder auf den Knopf für sein Stockwerk. Als wir an seinem angekommen waren, küßte er mich auf die Wange und sagte gute Nacht.

»Nacht«, sagte ich und fuhr eine Etage höher auf mein Deck. Sowie die Aufzugtüren aufgingen, rannte ich den Flur hinunter zu meiner Kabine. Ich mußte einen Anruf tätigen. Einen ganz dringenden Anruf, der mir ein für allemal bestätigen würde, daß Simon Purdys der war, für den er sich ausgab.

Ich hatte bislang nicht viel Erfolg bei meinen Versuchen gehabt, Harold Teitlebaum zu erreichen. Doch diesmal war ich fest entschlossen, ihn an den Apparat zu bekommen – und zwar nicht, um ihn zur Schnecke zu machen, weil er Leah befördert hatte, sondern um ihn wegen Simon zu befragen. Harold war ein alter Hase im Public-Relations-Zirkus. Es gab keinen Menschen in den Medien, mit dem er nicht schon zu tun gehabt hätte. Wenn Simon Purdys für *Away from It All* schrieb, würde Harold ihn nicht nur kennen, sondern er wüßte auch alles über ihn, außer dem Mädchennamen seiner Mutter – und vielleicht wüßte er sogar den.

Ich nannte der Vermittlung meine Kreditkartennummer sowie Harolds Privatnummer und wartete, während ich die Daumen drückte, daß er zu Hause war. Nach ein paar Sekunden meldete er sich.

»Harold!« rief ich begeistert.

»Ich will nichts davon hören, Elaine«, sagte er, da er wahrscheinlich mit einer Strafpredigt wegen Leah rechnete. Harold kannte meine Strafpredigten und war meinen Anrufen bisher vermutlich deswegen aus dem Weg gegangen. »Ich habe hier ohnehin schon alle Hände voll zu tun.«

»Ich weiß. Ich weiß. Aber ich rufe gar nicht wegen Leah an. Jedenfalls heute nicht.«

»Was gibt es dann? Hast du dich in einen Bordcasanova verliebt und willst mir jetzt mitteilen, daß du deinen Job aufgibst und mit ihm nach Antigua durchbrennst?«

»Die *Princess Charming* legt nicht in Antigua an.« Tja, mit dem ersten Teil hatte er allerdings ins Schwarze getroffen. »Offen gestanden rufe ich an, um dich zu fragen, ob du jemanden von den Leuten kennst, die für *Away from It All* schreiben.«

»Elaine. Das versteht sich doch von selbst. Es gibt im ganzen Land keinen Journalisten, den ich nicht kenne.«

»Natürlich, Harold. Aber ich wollte wissen, ob du einen ganz bestimmten Journalisten kennst.«

»Wen denn?«

»Simon Purdys.«

Ich hielt den Atem an, während ich auf Harolds Antwort wartete.

»Sicher. Das ist doch dieser große Dunkelhaarige. Der, dessen Verlobte, die Juristin, bei einem Segelunfall ums Leben gekommen ist.«

Ich fing an zu lachen. Es war eine seltsame Reaktion, das gebe ich zu, angesichts dessen, daß an Jillians Tod überhaupt nichts witzig war. Ich ließ nur meine ganze Nervosität heraus, meine ganzen angestauten Ängste in bezug auf Simon. Und ich lachte, weil ich glücklich war. Der Mann, in den ich mich verliebt hatte, war also doch kein Killer.

»Elaine? Alles in Ordnung?« fragte Harold, als ich weiterlachte – für zehn Dollar die Minute.

»Alles bestens«, antwortete ich. »Endlich.«

»Hör mal, wegen der Geschichte mit Leah, sie hat mich wegen einer Beförderung bedrängt, und da das Mädchen dank dir weiß, was sie tut, habe ich mir gedacht, was soll's und…«

»Mir geht's bestens«, wiederholte ich. »Leah, die Beförderung, mir ist alles recht.«

»Da bin ich mir nicht so sicher. Du klingst nicht wie sonst«, sagte er. »Du klingst so entspannt. Für deine Begriffe.«

»Ich bin auch entspannt, Harold. Vor allem, seit ich mit dir gesprochen habe.« Ich lächelte. »Bis nächste Woche im Büro.«

Ich legte auf, schlang die Arme um mich selbst und tanzte in der Kabine herum, da ich mich restlos befreit fühlte. Simon hatte mich nicht belogen. Er war ehrlich und anständig und aufrichtig.

Trotzdem blieb da noch die Sache mit dem Mann auf dem Schiff, der *nicht* ehrlich und anständig und aufrichtig war – der echte Killer –, aber über den würde ich mir den Kopf nicht mehr zerbrechen.

Zum ersten Mal, seit wir Miami verlassen hatten, rechnete ich damit, eine Nacht fest durchzuschlafen. Ich zog mein Kleid aus und war gerade dabei, es in den Schrank zu hängen, als mir der Umschlag wieder einfiel, der unter Jackies Kabinentür durchgeschoben worden war, als Pat und ich dort mir ihr zu Abend aßen. Ich hatte ihn rasch eingesteckt, damit ich meinen Freundinnen nicht erzählen mußte, was sich zwischen Simon und mir abgespielt hatte. Aber jetzt, wo mit uns alles wieder in Ordnung war, da er kein Mörder und ich nicht sein geplantes Opfer war, zog ich das Briefchen aus der Tasche, faltete den Bogen *Princess-Charming*-Briefpapier auseinander und begann zu lesen.

Sam war Linkshänder, und seine Handschrift war leicht nach links geneigt, die Art von Gekritzel, die man kaum entziffern kann. Aber wer auch immer die Notiz geschrieben hatte, die ich momentan in Händen hielt, besaß eine ausgesprochen ordentliche, leserliche Schrift, in der jeder Buchstabe geschwungen und anmutig war, vor allem die großen S, die in einem kleinen Schnörkel endeten. Das hier war das Werk eines Kalligraphen –

oder zumindest von jemandem mit einer sehr schönen Handschrift. Man mußte kein Genie sein, um zu erkennen, daß es nicht von Simon stammte.

Das zweite, was mir an der Nachricht auffiel, war, daß es ein Kinderlied war – oder vielmehr eine sehr entstellte Version eines Kinderliedes. Ich las:

Drei blonde Mäuse.
Drei blonde Mäuse.
Schau, wie sie laufen.
Schau, wie sie laufen.
Sie gingen auf Kreuzfahrt und wollten viel Spaß
weit weg von zu Hause, wo's kalt war und naß
Aber *eine* von ihnen, die beißt bald ins Gras.
Arme blonde Mäuse.

SECHSTER TAG:
Freitag, 15. Februar

19. Kapitel

»Ich muß mit dir reden«, sagte ich zu Simon, als er um halb acht zu unserem Morgenlauf auf dem Promenadendeck auftauchte.

»Wir sind also nicht mehr wütend auf mich? Wir machen uns jetzt über mich lustig?« fragte er mit einem sardonischen Lachen.

»Ich mache mich über dich lustig?«

»Über all die Briefchen, die ich dir gestern vom Steward unter der Tür durchschieben habe lassen. In jedem stand ›Ich muß mit dir reden‹.«

»Es hat nichts mit diesen Briefchen zu tun«, sagte ich todernst. »Ich möchte mir dir über *dieses* Briefchen reden.«

Ich zog das schaurige Kinderlied aus meinen Joggingshorts und reichte es Simon.

Nachdem er die erste Zeile gelesen hatte, sah er mich an. »Drei blonde Mäuse? Ist das nicht der Spitzname, den ihr drei euch gegeben habt?«

»Genau. Lies weiter.«

Das tat er. Als er zu »Eine von ihnen, die beißt bald ins Gras« kam, sah er erneut auf. »Offenbar hat jemand auf diesem Schiff einen abartigen Humor. Wer hat denn das geschrieben?«

»Ich weiß es nicht, Simon, aber wer es auch ist, er ist von meinem Exmann angeheuert worden, und er wird mich umbringen, bevor das Schiff wieder in Miami ist.«

»Slim.« Er rollte mit den Augen und erinnerte mich dabei an Jackie, wenn sie mich mal wieder für die Theatralik in Person hielt. »Du mußt aufhören, diese Antihistaminika zu nehmen.«

»Ich nehme keine Antihistaminika. Das habe ich nur erfunden, weil ich dir nicht die Wahrheit sagen wollte.«

»Worüber?«

»Darüber, daß ich dachte, du bist der Killer und Eric hätte dich engagiert, damit du mich umbringst.«

Er starrte mich an. Viel zu lang starrte er mich an. Ich hoffte, er würde seine Zuneigung zu mir nicht in Frage stellen.

»Hör mal, ich muß unbedingt mit dir reden«, sagte ich, so ruhig ich konnte. »Könnten wir das Joggen heute morgen ausfallen lassen? Bitte?«

Er zuckte die Achseln. »In deiner oder in meiner Kabine?«

»In deiner. Der Killer hält sich vermutlich in meiner versteckt.«

»Okay. Das ist die Geschichte. Von Anfang an«, sagte ich, sobald wir in Simons Kabine angekommen waren. Er setzte sich aufs Bett. Ich ging auf und ab. Ganz unbewußt begann ich einzelne Kleidungsstücke aufzuheben, die auf dem Fußboden lagen.

»Ich hatte nicht mit Gesellschaft gerechnet«, entschuldigte er sich, unübersehbar amüsiert über meine Zwanghaftigkeit. »Aber weißt du, Slim, die Kreuzfahrtslinien sind immer auf der Suche nach Kabinenstewards. Vielleicht solltest du dich mal bewerben.«

»Vielleicht sollte ich das. Möchtest du jetzt die Geschichte hören oder nicht?«

»Ich möchte die Geschichte hören.«

»Gut. Am zweiten Abend der Kreuzfahrt, etwa gegen zehn, habe ich versucht, Harold Teitlebaum, meinen Chef bei Pearson & Strulley, anzurufen.«

»Weil du stocksauer warst, daß er deine Assistentin befördert hat, ohne dich vorher zu fragen?«

»Du hast ein gutes Gedächtnis.«

»Du sagst ja auch Dinge, die man nur schwer wieder vergißt. Oder vielleicht liegt es auch an der Art, *wie* du sie sagst.«

»Vielen Dank.« Ich nahm an, daß das ein Kompliment war. »Jedenfalls war es an diesem Abend stürmisch, wie du vielleicht auch noch weißt.«

»Weiß ich. Das Schiff hat geschlingert und gerollt.«

»Genau. Der Fernseher in meiner Kabine hat nicht funktioniert, und ich habe mich schon gefragt, ob auch das Telefon ausfallen würde. Es ging zwar, aber die Telefonleitungen waren durcheinandergeraten, und schließlich hörte ich ein Gespräch zwischen zwei Männern mit an, von denen sich einer hier an Bord und der andere auf dem Festland befand und die mir beide unbekannt waren. Zumindest dachte ich das.«

»Aber du kanntest sie doch?«

»Darauf komme ich gleich. Zuerst konnte ich lediglich feststellen, daß es Männer waren. Die Verbindung war so miserabel, daß ihre Stimmen ganz verzerrt waren – die eine setzte auch immer wieder aus. Doch je länger sie redeten, desto offenkundiger wurde es, daß der Mann auf dem Schiff von dem Mann an Land dazu engagiert worden war, dessen Exfrau umzubringen, die Passagierin auf dem Schiff ist.«

»Sag das noch mal.«

»Die beiden Männer haben einen Mord geplant, Simon. Der Kerl an Land wollte, daß der Kerl an Bord seine Ehefrau umbringt – und zwar bevor die *Princess Charming* wieder in Miami anlegt.«

»Das ist ja unglaublich«, sagte Simon, rückte seine Brille zurecht und betrachtete mich genauer. »Und was hast du dann gemacht?«

»Ich habe im Büro des Zahlmeisters angerufen, um die verworrenen Telefonleitungen zu melden. Dann bin ich schnurstracks zu Captain Solberg marschiert. Ich habe ihm erzählt, daß eine Frau an Bord seines Schiffes zum Opfer eines Auftragskillers werden soll.«

»Und was hat er gesagt?«

»Er hat gesagt, ich soll ein Beruhigungsmittel nehmen.«

»Nein, im Ernst. Wie hat er reagiert?«

»Das ist mein Ernst. Mit dem Knaben zu verhandeln war reine Zeitverschwendung. Ich habe ihm erklärt, daß auf *seinem* Schiff ein Verbrechen begangen werden soll, und er hat gesagt, er könne nichts unternehmen, es sei denn, das Verbrechen sei bereits begangen worden. Und dann hat er mir empfohlen, Bingo spielen zu gehen.«

»Herrgott. Jetzt verstehe ich auch, warum er diesen Witz über Mörder gemacht hat, als wir bei der Captain's Cocktail Party in der Begrüßungsschlange standen. Er hat dir vermutlich kein Wort geglaubt.«

»Genausowenig wie die Polizei in Puerto Rico. Aber du glaubst mir die Geschichte doch, Simon?«

»Sicher. Das einzige, was ich nicht begreife, ist, weshalb du angenommen hast, daß Eric und ich die Männer seien, die du am Telefon belauscht hast, und daß du diejenige wärst, der wir nach dem Leben trachten.«

»Es ist mir äußerst unangenehm, das zuzugeben, aber ich neige zu vorschnellen Schlüssen, vor allem wenn es sich um mich handelt. Das ist eine Marotte von mir. Allerdings nur eine ganz kleine Marotte.« Ich hielt es für angebracht, ehrlich zu Simon zu sein, aber ich wollte ihn natürlich nicht abschrecken.

»Das erklärt, warum du gedacht hast, *du* wärst die Exfrau, die die Männer umbringen wollen. Es erklärt aber nicht, warum du *mich* für den Killer gehalten hast. Ich habe dich ja nicht gerade bedroht, oder?«

»Nein, du hast mich umgarnt.«

»Ach, dann ist ja alles sonnenklar.« Sein Tonfall troff von Sarkasmus.

»Du hast mich umgarnt und versucht, mich allein zu erwischen«, fuhr ich fort. »Aber erst als ich auf die nicht unbedeutende Tatsache stieß, daß Sam Peck in Wirklichkeit Simon Purdys war, kam ich zu dem Schluß, daß du der Killer sein mußtest. Ich dachte, dieser Kerl reist unter falschem Namen und verbringt eine Menge Zeit mit mir. Ich habe zwei und zwei zusammengezählt und dich für schuldig befunden.«

»Ich weiß nicht, ob ich zu demselben Urteil gekommen wäre.«

»Überleg doch mal. Ich hatte doch keine Ahnung, daß du unter falschem Namen für *Away from It All* unterwegs bist. Ich war nichts als eine arme, ahnungslose dumme Gans, die sich schon am ersten Abend in dich verliebt hat.«

Die Worte waren heraus, bevor ich sie wieder einfangen konnte, und ich war so verlegen, daß ich am liebsten meinen

Kopf in Simons grünem Polohemd vergraben hätte, dem Hemd, das ich zusammengelegt hatte und gerade in seine Kommodenschublade legen wollte.

Er zog mich neben sich aufs Bett und küßte mich. Es war ein langer, leidenschaftlicher Kuß, und obwohl ich ihn wirklich genoß, wußte ich nicht, ob es ein Ich-habe-mich-auch-in-dich-verliebt-Kuß war oder ein Trostpreis.

»Mach weiter mit deiner Geschichte«, forderte er mich auf, nachdem wir uns voneinander gelöst hatten.

»Die Geschichte. Genau«, sagte ich und sammelte mich. »Nachdem ich herausgefunden hatte, daß du Reisejournalist bist und kein Auftragskiller, nahm ich an, daß es wohl eine andere Exfrau auf dem Schiff sein müsse, die in großen Schwierigkeiten steckt. Aber dann habe ich dieses Briefchen gelesen.« Ich faltete das Blatt mit dem Kinderlied auseinander, las es noch einmal und schüttelte vor Zorn und Unglauben den Kopf. »Ich sage dir, Simon«, erklärte ich wütend, »wenn Eric sich allen Ernstes einbildet, er könnte mich aus dem Weg räumen, während ich im Urlaub bin, dann…«

»Brr. Brr. Brr. Woher weißt du, daß Eric hinter dem Briefchen steckt?«

»Er ist der einzige Exmann, den ich habe.«

»Nein, ich meine: Was macht dich so sicher, daß *du* die blonde Maus bist, von der in dem Lied die Rede ist?«

»Die Tatsache, daß die Nachricht unter *meiner*…« Ich verstummte, da mir einfiel, daß das Briefchen unter *Jackies* Tür durchgeschoben worden war.

Ich erzählte es Simon mit zitternder Stimme. »Mein Gott«, sagte ich, und die Lage wurde nun klarer und noch tödlicher. »*Jackie* ist die Exfrau, hinter der der Killer her ist. Dieser niederträchtige Peter will sie umbringen lassen. Ich hatte schon so eine Ahnung, daß irgend etwas faul war an…«

»Nicht so hastig«, unterbrach mich Simon. »Euer Kabinensteward wußte, daß ihr alle drei zusammen in Jackies Kabine zu Abend eßt. Es war kein Geheimnis. Es ist mehr als wahrscheinlich, daß derjenige, der den Zettel geschrieben hat, ebenfalls wußte, daß ihr alle zusammen dort wart, da er euch bestimmt beobachtet. Der Reim kann auf jede von euch gemünzt sein. Der Umschlag war doch nicht adressiert, oder?«

»Nein.«

»Also wissen wir nicht mit Sicherheit, hinter wem er her ist«, bekräftigte Simon. »Das einzige, was wir mit Sicherheit sagen *können*, ist, daß er eindeutig hinter *einer* von euch her ist.«

Ich flog in seine Arme, warf ihn dabei längs aufs Bett und raubte ihm vermutlich auch noch die Atemluft.

»Sollen wir Jackie und Pat davon erzählen?« fragte ich. »Bis jetzt habe ich zu keiner von beiden auch nur ein Wort verlauten lassen. Jackie ist gerade erst aus der blöden Klinik entlassen worden und hat sich auf dieser Reise noch keine fünf Minuten amüsiert. Und Pat? Wie in aller Welt wird sie es verkraften, daß möglicherweise ihr teurer Bill sie ermorden lassen will? Sie glaubt ja wirklich, daß sie eines Tages wieder zueinanderfinden! Und nicht nur das – Gewalt, oder auch nur die Rede davon, ist ihr ein Greuel.«

Simon schüttelte den Kopf und schien tatsächlich ratlos zu sein, wie man mit der Situation umgehen sollte. Oder sah ich da einen Anflug von Angst in seinen Augen? Um mich. Um uns.

Wir setzten uns auf dem Bett auf.

»He«, sagte ich. »Keine Panik, bitte. Du bist der einzige auf dem Schiff, der die Geschichte gehört hat und sie glaubt, der einzige, auf den ich mich jetzt verlassen kann. Du mußt mir dabei helfen, Jackies Leben oder Pats Leben oder, Gott bewahre, meines zu retten.«

Ich wußte sehr gut, was ich da verlangte. Ich wandte mich an einen Mann, der sich die letzten zwei Jahre damit gequält hatte, daß er nicht in der Lage gewesen war, das Leben seiner Verlobten zu retten, bedrängte jemanden, der bereits unter den zermürbenden Schuldgefühlen eines Überlebenden litt, sich an einer weiteren Rettungsaktion zu beteiligen. Aber das ausschlaggebende Wort hier war »beteiligen«. Ich wünschte mir, daß meine Last mit mir teilte, nicht daß er sie mir abnahm. Ich wollte alles mit Simon teilen, weil ich ihn liebte. Und, ob er es nun wußte oder nicht, ob er bereit war, es zuzugeben oder nicht, er liebte mich auch. »Wir werden zusammen das Mordkomplott aufklären. Es wird nicht allein deine Aufgabe sein, die Angelegenheit zu bereinigen, du bist nicht verantwortlich dafür.«

»Ich sollte aber dafür verantwortlich sein«, verlangte Simon und kehrte damit die Art von Macho-Verhalten heraus, die abzulegen ich ihm bereits gestattet hatte. Warum können Männer nicht begreifen, daß sie den Karren nicht allein aus dem Dreck ziehen? Daß es nicht ihr angeborenes Recht ist, den Karren aus dem Dreck zu ziehen?

»Simon, ich…«

»Paß mal auf, Slim. Du warst ausgesprochen amüsant und unterhaltsam, als du die Geschichte mit dem Killer erzählt hast, aber wir wissen doch beide, daß mit dem Kerl, der diesen Zettel geschrieben hat, nicht zu spaßen ist. Ich will nicht, daß dir auf dieser Kreuzfahrt etwas zustößt, klar?«

Ich nahm ihn fest in die Arme. »Mir wird auf dieser Kreuzfahrt rein gar nichts zustoßen«, sagte ich entschlossen. »Wie auch? Ich habe einen berühmten Reisejournalisten an meiner Seite.«

»Einen berühmten Reisejournalisten – ja, und wie berühmt«, spöttelte er. »Als ich dir meinen richtigen Namen genannt habe, hattest du noch nie von mir gehört.«

»Ich weiß«, sagte ich entschuldigend und wollte zu einer längeren Erklärung ansetzen. Aber Simon fiel mir ins Wort.

»Wenn wir diesen Killer ausschalten wollen, sollten wir uns bald ans Werk machen«, sagte er. »Wir haben nur noch zwei Tage auf dieser Kreuzfahrt. Wir sollten also keine Zeit verlieren.«

»Du hast recht«, stimmte ich zu.

»Fallen dir irgendwelche Männer ein, die du bislang kennengelernt hast, irgendein Kerl an Bord, der um dich oder deine Freundinnen herumgeschlichen ist oder sich verdächtig benommen hat?«

»Es gibt ein paar, die immer wieder auftauchen. Das könnte natürlich auch ein Zufall sein, aber bei einem Schiff dieser Größe ist es schon unheimlich, wie oft ich manchen Knaben begegne. Was Pat und Jackie betrifft, kann ich nichts sagen. Keine Ahnung, wer sich in ihrer Nähe herumgetrieben hat. Aber mit irgend etwas müssen wir ja anfangen.«

Ich schilderte ihm kurz Henry Prichard, Albert Mullins, Lenny Lubin und Skip Jamison. Er hörte mir zu und sagte dann: »Kannst du dir irgendeine Verbindung zwischen einem dieser Männer und Eric, Peter oder Bill vorstellen? Irgend etwas, was sie mit einem eurer Exmänner in Zusammenhang brächte?«

»Nicht auf Anhieb, aber ich werde darüber nachdenken, wenn ich mit Jackie und Pat beim Frühstück sitze«, sagte ich.

»Gut. Und während du damit beschäftigt bist, werde ich ein paar Anrufe machen und überprüfen, ob diese Männer wirklich die sind, als die sie sich ausgeben. Über eure Exmänner mußt du mich informieren. Was für Menschen sie sind, was für Freunde sie haben und was sie in ihrer Freizeit machen.«

»Ich sage dir alles, was mir einfällt«, versicherte ich und sah Simon mit einer Mischung aus Liebe und Dankbarkeit an. Natürlich hätte ich auch *selbst* diese Anrufe erledigen können, die er nun machen würde. Ich war den größten Teil meines Erwachsenenlebens allein gewesen und ziemlich gut zurechtgekommen, trotz meiner »Macken«. Ich war eine Frau der Tat, eine, die anpackte, ein Erfolgstyp. In den sechs Jahren seit meiner Scheidung hatte ich mein Geld selbst verdient, mir ein hübsches kleines soziales Netz aufgebaut und sogar gelernt, wie man einen Reifen wechselt. Ja, ich hatte meine Launen, meine Ängste und meine Einsamkeit, aber ich hatte mein Leben im Griff und war, wenngleich nicht überschäumend glücklich, so doch zufrieden gewesen. Ich hatte jedenfalls nicht damit gerechnet, mich zu verlieben, nicht einmal einen Gedanken daran verschwendet. Meine Zukunft war voll verplant: Ich würde mich intensiv meiner Arbeit widmen, mit meinen Freundinnen in Urlaub fahren, mir die Oscarverleihung im Fernsehen anschauen und dergleichen mehr. Aber wissen Sie, was? Es war jetzt *besser*, seit Simon Purdys in mein Leben getreten war. Viel besser. Ich wäre eine hemmungslose Lügnerin, wenn ich behaupten würde, einen Mann zu haben, den ich anhimmeln, dem ich vertrauen und mit dem ich nasse, genußvolle Küsse austauschen konnte, sei nicht mindestens fabelhaft, herrlich und ein Wunder.

Ja, ein Wunder, dachte ich, als wir uns aufmachten, einen Mord zu verhindern. Genau das war es.

20

Ich holte Jackie und Pat und schlug vor, im Glass Slipper zu frühstücken.

»Trinken wir doch jede eine Bloody Mary, um meine Erholung zu feiern«, sagte Jackie, nachdem wir uns durch die Schlange gekämpft hatten, die am Buffet anstand, einen Tisch direkt neben der Küche zugewiesen bekommen hatten und von einem Kellner gefragt worden waren, ob wir etwas trinken wollten. An diesem Morgen war viel Betrieb im Glass Slipper. Da der Urlaub sich dem Ende zuneigte, waren viele Passagiere besonders früh aufgestanden, damit sie sich eine schöne, herzhafte Mahlzeit einverleiben und einen Liegestuhl am Pool ergattern konnten.

»Ich glaube, ich verzichte auf die Bloody Mary und trinke Kräutertee«, sagte ich, da ich einen klaren Kopf behalten wollte.

»Ach, laß doch mal locker, Elaine«, sagte Jackie. »Es macht nicht so viel Spaß, wenn wir uns nicht alle zudröhnen. Stell dir nur vor: wir drei, besoffen wie ein Trupp Matrosen.«

Ich lachte. »Macht ihr zwei nur. Ich bleibe beim Tee.«

»Was ist denn los? Kam heute morgen in den Nachrichten ein Beitrag über die Gesundheitsrisiken von Tomatensaft?« fragte mich Jackie. Es war herzerfrischend zu sehen, daß sie wieder ganz die alte war.

»Eigentlich ging es in dem Beitrag eher um das Stück Sellerie, das zum Umrühren in den Tomatensaft gesteckt wird«, konterte ich. »Den neuesten Forschungen zufolge besteht das Risiko, daß sich beim Hineinbeißen in ein solches Stück Sellerie eine Faser derart zwischen den Zähnen verfängt, daß man sie nicht einmal mit Zahnseide wieder herausbekommt.«

Jetzt mußte ich lachen. »Pat? Was meinst du? Möchtest du mit einer Bloody Mary mit mir anstoßen?«

»Das wäre deliriös«, antwortete sie.

»Falsch. So schlimm ist Wodka nun auch wieder nicht«, wandte Jackie ein.

»Ich glaube, sie meinte deliziös«, erklärte ich. »Stimmt's, Pat?« Sie nickte.

Der Kellner, ein pummeliger junger Mann mit einem langen dunklen Zopf wartete unser Hin und Her geduldig ab, schrieb schließlich unsere Getränkebestellungen auf einen Block und ging.

»Also«, sagte Jackie und wandte sich zu mir. »Nun laß mal hören, was mit dir und Sam Peck eigentlich los war, Elaine. Ist dir jetzt danach, darüber zu reden?«

»Offen gestanden kann ich euch zu meiner Freude berichten, daß Sam und ich«, ich mußte mir in Erinnerung rufen, daß er für die beiden nach wie vor *Sam* hieß, »unsere Differenzen beigelegt haben und uns wieder treffen.«

»Elaine! Das sind ja wundervolle Neuigkeiten«, sagte Pat und klatschte in die Hände. »Er macht einen so netten Eindruck. Auf jeden Fall war er an dem Tag, als wir in Puerto Rico unterwegs waren, sehr freundlich zu mir.«

»Er *ist* auch nett«, stimmte ich zu.

»Und er hat einen sehr netten Hintern«, warf Jackie ein. »Dann ist es also Liebe, oder was?«

»Ich kann nicht für ihn sprechen, aber wie ich dir bereits auf der Rückfahrt von der Isle de Swan im Boot gesagt habe, habe ich noch nie solche Gefühle für jemanden entwickelt.«

»Guter Gott. Jetzt ist sie wirklich ausgerastet«, sagte Jackie und stieß Pat an. »Wann soll die Hochzeit sein?«

Ich schnaubte, aber insgeheim fragte ich mich das gleiche, obwohl mich momentan eher beschäftigte, was für Erkenntnisse Sams Telefonate zutage gefördert hatten und ob uns irgend etwas davon auf die Spur des Killers bringen würde.

Ich wehrte weitere Fragen über meine Beziehung zu »Sam« ab und bemühte mich, nicht alles auszuplaudern. Schließlich verzehrten wir unser Frühstück und besprachen unsere Pläne für unseren letzten ganzen Tag auf See. Nur zwei Dinge schienen auf der Tagesordnung zu stehen: Jackie hatte nachmittags einen Termin bei Dr. Johansson, und Pat wollte Lucy telefonisch alles Gute zum zehnten Geburtstag wünschen.

»Ich wäre dafür, daß wir drei den Tag gemeinsam verbringen«, sagte ich. »Wir können Souvenirs kaufen, uns im Saunabad verwöhnen lassen, Vorträge besuchen und alles nutzen, was unser Luxusdampfer zu bieten hat. Wir haben in diesem Urlaub noch nicht genug angenehme Stunden miteinander verbracht, wir drei blonden Mäuse ganz unter uns.« Der Killer würde es nicht wagen, zuzuschlagen, wenn wir zusammen waren. Die Gruppe bot eine gewisse Sicherheit.

»Abgemacht«, sagte Jackie und schlug ihre erhobene Handfläche gegen meine.

»Dann laßt uns doch mal zusammen in meine Kabine gehen und die Kinder anrufen«, schlug Pat vor. »Sie warten wahrscheinlich schon am Telefon. Lucy auf jeden Fall. Meine Güte. Ich kann es gar nicht fassen, daß sie heute zehn Jahre alt wird.«

»Auf geht's«, sagte ich, und der Gedanke an Familien, Kinder und Geburtstage erinnerte mich an eine wesentlich einfachere, sicherere Zeit.

Seit der Scheidung lebte Bill Kovecky in einer (für einen Schicki-Micki-Arzt) recht bescheidenen Vierzimmerwohnung in Murray Hill in Manhattan.

Pat war ganz aufgeregt, weil sie zum ersten Mal vom Schiff aus anrufen würde, und die Vorfreude darauf, mit Bill zu sprechen, machte sie noch aufgeregter.

Jackie und ich setzten uns aufs Bett, während Pat der Vermittlung die Nummer von Bills Wohnung nannte.

»Hallo? Hallo?« hörten wir sie sagen, als am anderen Ende abgenommen wurde. »Bist du's, Bill? Ach, du bist es, Dennis, Schätzchen. Du bist langsam schon so erwachsen, daß du genau wie dein Vater klingst. Ja, Liebes. Ich rufe vom Schiff aus an. Ja, es ist genauso wie im Fernsehen. Amüsierst du dich gut in New York? Er ist mit euch zu einem Hockey-Match gegangen? Und ins Museum? Und ins Planet Hollywood? Mensch, das muß ja Spaß gemacht haben. Herzchen, diese Anrufe sind sehr teuer, und ich möchte auch noch mit den anderen sprechen. Ja, wir sehen uns am Sonntag. Ihr fehlt mir ganz schrecklich.«

Pat machte Kußgeräusche in die Sprechmuschel und sprach anschließend mit ihren drei anderen Söhnen, bei denen sie auch jeweils Kußgeräusche machte. Endlich kam Lucy an den Apparat. Sie bekam eine rührende Fassung von »Happy Birthday« *und* die Kußgeräusche zu hören.

»Zehn Jahre bist du jetzt«, sagte Pat nachdenklich zu ihrer Tochter. »Das stimmt, jetzt bist du schon fast ein Teenager. Ja, Tante Jackie und Tante Elaine sind neben mir, und sie lassen dir liebe Grüße ausrichten. Mach' ich. Aber jetzt sag mal, Schätzchen. Was hat denn dein Vater heute für deinen Ehrentag geplant? Lucy? Was ist denn, Schätzchen? Warum weinst du denn?«

Stille.

»Was soll das heißen, er ist nicht da?« fuhr Pat fort und sah empört drein. »Wo ist er denn hingeflogen? Und wer ist bei euch? Mrs. Wer?«

»Oh-oh. Klingt so, als sei Dr. Bill mal wieder in medizinischer Mission unterwegs«, flüsterte ich Jackie zu. »Man sollte doch meinen, daß er damit bis nach Lucys Geburtstag hätte warten können.«

»Warum sollte dieser Tag anders sein als die anderen?« meinte sie. »Pat zufolge hat sich genau das während ihrer Ehe andauernd abgespielt.«

»Er hat also weder eine Telefonnummer hinterlassen noch gesagt, wohin er fährt?« fragte Pat Lucy. »Ich bin sicher, das hat er nur vergessen, Liebes. Und wenn er zurückkommt, dann feiert ihr richtig schön Geburtstag, ja?« Sie machte auf heiter, aber sie war am Boden zerstört, das sahen wir ihr an. Sie war der festen Überzeugung gewesen, daß Bill sich gewandelt hätte, daß er seine Karriere nicht mehr über seine Kinder stellte und daß er seine Familie zurückhaben wollte. Und jetzt war er davongefahren und hatte die Kinder in der Obhut einer Haushälterin gelassen, vermutlich damit er an irgendeiner Konferenz über den Reizmagen teilnehmen konnte.

Ich fragte Pat, ob ich mit Lucy sprechen könne, nur eine Minute. Sie reichte mir den Hörer.

»Hallo, Süße«, sagte ich. »Hier ist Tante Elaine. Alles Gute zum Geburtstag.«

Ich erzählte Lucy von dem Geschenk, das ich ihr in der Altstadt von San Juan gekauft hatte, was sie aufzuheitern schien, und sie erzählte mir, daß sie nächstes Mal, wenn sie nach New York käme, bei mir wohnen wolle. Ich erklärte, daß sie selbstverständlich bei mir wohnen könne, solange sie ihre Brüder mit ihren verrückt spielenden Hormonen nicht mitbrächte. Sie verstand meine Bemerkung zwar nicht, fand sie aber witzig, und als ich den Telefonhörer an Pat zurückgab, lachte sie.

Während Lucy und ihre Mutter sich voneinander verabschiedeten, begann ich über Bill Kovecky nachzudenken und darüber, was ihn wohl dazu veranlaßt hatte, so überstürzt die Stadt zu verlassen. Ich hatte ihn nie kennengelernt, und so konnte ich ihn nicht gut einschätzen, aber ich mußte mich doch fragen: Was ist das für ein Mann, der am Geburtstag seiner einzigen Tochter aus beruflichen Gründen verreist? Was ist das für ein Mann, der sich bereit erklärt, sich um seine fünf Kinder zu kümmern, während ihre Mutter in Urlaub ist, und dann selbst wegfährt?

Ich sage Ihnen, was für ein Mann das ist: einer von der Sorte, der nicht zu trauen ist. Ich wußte nicht, wer dieses Kinderlied umgedichtet hatte, das unter Jackies Tür durchgeschoben worden war, und ich wußte auch nicht, warum derjenige das getan hatte. Das einzige, was ich in diesem Moment wußte, war, daß Bill Kovecky New York verlassen hatte, um möglicherweise auf die Bahamas zu jetten, wo er sich mit dem Verfasser des Briefchens treffen könnte… und den Mord an Pat persönlich zu überwachen.

21

Sowie ich wieder in meiner Kabine war, rief ich Simon an.

»Was hast du herausgefunden?« fragte ich, als er abnahm.

»Nicht besonders viel«, meinte er. »Lenny hat auf Long Island eine Werkstatt namens Lubin's Lube Jobs. Skip ist Art Director bei V, Y & D. Henry verkauft Autos für Peterson Chevrolet in Altoona. Und Albert steht sowohl im Telefonbuch von Manhattan als auch in dem von Ridgefield, Connecticut.

»Verdammt.«

»Das einzig leicht Merkwürdige, das ich in Erfahrung gebracht habe, war, daß sich bei Albert unter beiden Nummern Bandansagen gemeldet haben, die mitteilten, daß der Anschluß abgemeldet sei und keine weiteren Informationen zur Verfügung stünden.«

»Wer meldet denn sein Telefon ab, wenn er nur für eine Woche wegfährt?«

»Das habe ich mich auch schon gefragt. Vielleicht hat Albert ja gar nicht vor, zurückzukommen. Vielleicht schnappt er sich, nachdem er den Mord begangen hat, sein Geld und zieht nach Mexiko oder so.«

»Aber warum sollte jemand wie Albert Mullins für Geld Leute umbringen müssen?« fragte ich. »Er hat bereits zwei Häuser und genug Geld, um auf der Suche nach Seidenreihern um die ganze Welt zu reisen.«

»Vielleicht sind Alberts zwei Häuser das Ergebnis vergangener Auftragsmorde«, überlegte Simon. »Es gibt aber auch noch eine andere Möglichkeit: Er ist nicht der Killer.«

»Und eine dritte. Er ist der Killer, aber er macht es nicht des Geldes wegen.«

»Du meinst, er bringt die Exfrauen anderer Männer nur zum Spaß um? Weil er eine Abneigung gegen Frauen hat?«

»Wer weiß. Es laufen genug Frauenhasser herum. Ich habe mir überlegt, ob der Mord, den der Killer auf diesem Schiff begehen soll, womöglich sein *erster* ist; daß er eine Art Neuling im Mordgeschäft ist, der den Job nur macht, weil er dazu gezwungen wurde.«

»Wann bist du denn darauf gekommen?«

»Als ich noch mal über das Telefongespräch zwischen den beiden Männern nachgedacht habe. Wenn mich mein Gedächtnis nicht im Stich läßt, wirkte es ganz so, als ob der Exmann den Mann auf dem Schiff unter Druck setzte. Ich hatte das Gefühl, daß der Killer es sich anders überlegt und seinen Auftraggeber nur angerufen hatte, um einen Rückzieher zu machen. Es war fast so, als ob Bill oder Peter oder Eric – welcher von den dreien auch immer dahintersteckt – irgend etwas gegen den Kerl in der Hand hätte, weshalb er die Sache durchziehen muß.«

»Davon hast du mir bisher aber noch nichts erzählt.«

»Nicht?«

»Nein, Slim. Hast du nicht.«

»Tut mir leid. Ist diese Information denn wichtig?«

»Könnte sein.«

Ich berichtete Simon von meinem Morgen mit Pat und Jackie, insbesondere von Bills reichlich überstürzter Abreise aus New York. »Ich wette, daß Bill und Albert unter einer Decke stecken«, sagte ich. »Albert meldet das Telefon ab, als würde er nicht mehr zurückkehren. Dann reist Bill ab, ohne irgend jemandem zu sagen, wohin. Und zu allem Überfluß wird Albert von dem Augenblick an, in dem wir dieses Schiff betreten haben, zu Pats ergebenem Diener. Ist seine Aufmerksamkeit ihr gegenüber echt, oder hängt er nur deswegen an ihr wie ein billiger Anzug, weil er einfach Anweisungen befolgt? Von *Bill*?«

Simon seufzte. »Ich weiß es nicht. Woher auch?«

»Du gibst doch nicht etwa auf, Simon?«

»Natürlich nicht. Ich habe sogar mit Captain Solberg über dieses ganze Schlamassel gesprochen.«

»Du hast was?«

»Ich weiß, daß du bereits mit ihm gesprochen hast, aber das war, bevor du das Kinderlied bekommen hast.«

»Und was hat er gesagt?«

»Er war so ablehnend, und ich war so frustriert, daß ich ihm schließlich gesagt habe, wer ich wirklich bin und warum ich mit seinem Schiff reise. Ich dachte, wenn ich dem Knaben erzählte, daß ich eine Geschichte für *Away from It All* schreibe, könnte ich ihn zu einer Reaktion veranlassen.«

»Ist es dir gelungen?«

»Nicht so, wie ich es mir erhofft hatte.«

»Warum? Was hat er getan?«

»Er hat mich gefragt, ob ich auch einen Fotografen dabeihätte und ob dieser ihn bitte von der linken, seiner Schokoladenseite, aufnehmen könnte.«

»Toll. Eine zweite Barbra Streisand. War das alles, was er gesagt ha?«

»Nein. Er hat mir dasselbe erzählt wie dir: Er ist nur dann bereit, einem Mordfall nachzugehen, wenn tatsächlich ein Mord begangen worden ist.«

»Blödmann.«

»Oha, vielen Dank.«

»Nicht du. Captain Solberg.«

»Ach so.«

»Hör mal, Simon. Ich habe Pat und Jackie vorgeschlagen, den Tag gemeinsam zu verbringen – nur wir drei. Ich glaube, es ist angesichts der Situation wichtig, daß wir zusammenbleiben.«

»Das verstehe ich. Aber du wirst mir heute fehlen.«

»Du mir auch.« Ich machte Kußgeräusche ins Telefon, genau wie Pat es getan hatte.

»Aber wir sehen uns beim Abendessen«, sagte Simon.

»Und nach dem Essen, wenn Jackie und Pat wieder hinter verschlossenen Türen in ihren Kabinen sitzen, können wir uns vielleicht in meine Kabine zurückziehen und noch einmal versuchen, dieses Rätsel zu lösen.«

»Die Idee hatte ich auch schon.«

»Simon, ich bin dir wirklich sehr dankbar«, sagte ich zu ihm. »Es ist so tröstlich, jemanden zu haben, mit dem ich das alles teilen kann.«

»Ich habe dir überhaupt nicht geholfen«, wandte er ein. »Jedenfalls bis jetzt nicht.«

»O doch, das hast du«, versicherte ich ihm. »Du hast mir geglaubt. Das ist eine ganze Menge.«

»Das freut mich. Und jetzt möchte *ich* einen Vorschlag machen, Slim.«

»Klar. Schieß los.«

»Ich finde, ich sollte die Nacht heute mit dir verbringen. In deiner Kabine. Als Vorsichtsmaßnahme.«

Ich antwortete nicht.

»Bist du noch dran?« fragte er.

»Ja. Ich verarbeite nur gerade, was du gesagt hast.«

»Ich will dich beschützen, Elaine. Ich werde kein Auge zutun, wenn ich weiß, daß du allein in deiner Kabine sitzt, während ein Mörder frei herumläuft.«

»Das ist unheimlich lieb von dir, Simon. Nur ist es dummerweise letztes Mal, als wir vorhatten, die Nacht gemeinsam in *deiner* Kabine zu verbringen, nicht besonders gut gelaufen. Ich muß immer wieder daran denken.«

Er lachte. »Paß auf, ich schlafe auf dem Stuhl oder so. Wir werden einander nicht einmal berühren, wenn du nicht willst. Aber mir wäre wirklich wohler, wenn ich auf dich aufpassen könnte, weiter nichts.«

Sein dringender Wunsch, auf mich aufzupassen, rührte mich ungemein. Der einzige Mensch, der bisher auf mich aufgepaßt hatte, war ich selbst gewesen.

Ich sah Simon am Telefon in seiner Kabine vor mir, so ernst, so besonnen. Daß ich nun in Gefahr war, zwang ihn wahrscheinlich dazu, den ganzen Jillian-Alptraum noch einmal zu durchleben.

»Natürlich kannst du bei mir schlafen«, sagte ich, womit ich nicht unbedingt das Opfer des Jahrhunderts brachte. »Du schnarchst doch nicht, oder?«

»Nur wenn ich in ganz tiefen Schlaf falle«, antwortete er. »Aber keine Sorge: Das habe ich nicht vor.«

Pat war immer noch aufgebracht, weil Bill die Kinder mit einer Haushälterin allein gelassen hatte, aber sie willigte trotzdem ein, den Tag mit Jackie und mir zu verbringen. Unsere erste Anlauf-stelle war Her Majesty's New Age, das nur für Damen bestimmte Kurbad auf dem Schiff. Jackie wollte sich die abgestorbenen Zellen vom Gesicht schälen lassen. Pat entschied sich für ein Bad in gefriergetrocknetem Meerwasser mit Seetang. Und ich buchte eine vierzigminütige Fußreflexzonenmassage, bei der Druck in verschiedenen Abstufungen an verschiedenen Stellen der Füße ausgeübt wird, um Unausgewogenheiten, Schwächen oder Blockaden im Körper entgegenzuwirken. Ich glaubte zwar nicht mehr daran, als ich ans Baden in Seetang glaubte, aber ich nahm an, daß es nicht schaden könne.

Ich hatte mich geirrt. Die Masseurin, eine ernste Slawin namens Nadia, begann mit meinem linken Fuß.

»Autsch!« rief ich, nachdem sie ihren Finger mitten in meinen großen Zeh gebohrt hatte.

»Für Zirbeldrüse«, informierte sie mich. »Ist notwendig, damit Kopf und Nebenhöhlen frei werden.«

»Mein Kopf und meine Nebenhöhlen sind vollkommen frei«, protestierte ich. »Wie wär's, wenn Sie ein bißchen zartfühlender mit mir umgingen, ja?«

Diesmal drückte sie tief in meine linke Ferse. Erneut schrie ich vor Schmerz auf.

»Für Ischiasnerv«, erklärte sie. »Auch gut bei Hämorrhoiden.«

»Das ist ja sehr interessant, Nadia, aber ich habe Gott sei Dank keine Hämorrhoiden.«

Sie ignorierte mich und begann, die Mitte meiner linken Fußsohle zu massieren. Diesmal fühlte ich mich zwar nicht gequält, aber dafür kitzelte es wie verrückt.

»He«, kicherte ich und entriß ihr meinen Fuß. »Welchen Körperteil wollten Sie denn damit von Blockaden befreien?«

»Den Herz«, sagte sie und schnappte sich den Fuß erneut, entschlossen, weiterzumachen. »Ich kann spüren, daß da ist kleine Blockade, aber ich kann heilen – wenn Sie ruhig halten und mich machen lassen.«

Ich ließ sie machen.

Meine Sitzung bei Nadia war genau in dem Moment zu Ende, als auch Jackie und Pat ihre Abenteuer im Kurbad zum Abschluß gebracht hatten.

»Und jetzt?« fragte ich. »Ein bißchen Tontaubenschießen?«

»Mir tut immer noch der Knöchel weh«, sagte Pat, die mit Hilfe ihres Stocks tapfer herumgehumpelt war. »Mir wäre es lieber, wenn wir uns etwas Ruhigeres suchten.«

»Mir auch«, sagte Jackie. Ich vergaß immer wieder, daß dies ihr erster Tag außerhalb der Krankenstation war. Ich wollte sie in Sicherheit vor dem Killer wissen, aber ich wollte sie nicht überanstrengen.

»Etwas Ruhigeres«, sagte ich nachdenklich und überflog den Plan mit dem Unterhaltungsangebot des Tages. »Wie wär's mit dem Parfümseminar?«

Diese Idee gefiel ihnen. Und so zogen wir los zur Boutique Perky Princess, wo im Halbkreis aufgestellte Klappstühle vorübergehend an die Stelle der Kleiderständer getreten waren. Wir setzten uns. Nach wenigen Minuten gesellte sich eine stark geschminkte Frau namens Veronica zu unserer Gruppe, stellte sich als Parfümexpertin vor und begann, Fläschchen mit verschiedenen Düften unter den Anwesenden zu verteilen. Sie redete, wir schnüffelten. Das war zwar nicht wahnsinnig unterhaltsam, aber ganz angenehm – vor allem als Veronica zu dem Fläschchen mit Vanille kam. Sie erklärte, daß Vanille zwar an sich kein Parfüm sei, aber bei den Französinnen als *der* Duft galt. Auf jeden Fall roch es besser als diese ärgerlichen Anzeigen, die Parfümhersteller heutzutage in besseren Illustrierten plazieren.

Die Vanillegerüche machten uns alle drei hungrig, und so war unsere nächste Anlaufstelle die Wein- und Käseprobe. Hier testeten wir Weine und Käse aus aller Welt – zumindest die Sorten, die wir ergattern konnten. Das Ereignis hatte so viele Passagiere angezogen, daß wir nur mit Mühe in die Nähe des Tisches gelangten, wo es die Speisen und Getränke gab.

Im Laufe des Tages wohnten wir außerdem einer Kunstauktion bei (eines von Ginger Smith Baldwins Ölgemälden stand zum Verkauf, und Kenneth und Gayle Cone, die sich inzwischen einen Ruf als massive Verschwender gemacht hatten, gaben das höchste Gebot ab); einer Vorführung in Eisbildhauerei (man zeigte uns, wie man das Eis in die verschiedensten Haustierformen brachte); und der Schiffsversion einer der beliebtesten Fernseh-Serien: »Herzblatt« (die Teilnehmerinnen, in erster Linie ältere Damen, wurden gefragt, was ihnen an einem Mann am besten gefiele. Sie antworteten: »Ein Patiententestament«).

Während wir von einer Unternehmung zur nächsten zogen und Pat ein Souvenir nach dem anderen sammelte, wunderte ich mich darüber, daß wir kein einziges Mal Albert, Lenny, Henry oder Skip begegneten, obwohl das Schiff den ganzen Tag auf See war und sie nichts anderes tun konnten, als sich dem Unterhaltungsangebot zu widmen, genau wie wir es taten. Natürlich hätte Albert im Schiffskino sein können, wo Alfred Hitchcocks Thriller *Die Vögel* gezeigt wurde. Lenny hing womöglich in einer der neun Cocktailbars des Schiffs herum. Henry konnte sich mit Ingrid in seiner oder ihrer Kabine verkrochen haben. Und Skip hatte sich vielleicht mit einem weiteren Wälzer von Deepak Chopra in der Bücherei verschanzt.

Um halb fünf hatte Jackie ihren Termin bei Dr. Johansson, und so begleiteten Pat und ich sie zur Krankenstation. Als sie sich bei Schwester Wimple anmeldete, wurde sie erstaunlicherweise nicht aufgefordert, mit den ungefähr fünfzig anderen Patienten zu warten, sondern auf der Stelle in einen der Untersuchungsräume geführt.

»Ich glaube, Dr. Johannsson mag Jackie wirklich«, sagte ich zu Pat, als wir zusammen im Wartezimmer saßen. »Er scheint sie auf jeden Fall bevorzugt zu behandeln.«

Pat war in ein Rezept in *Redbook* vertieft – irgend etwas mit Semmelbröseln und Champignoncremesuppe aus der Dose – und reagierte nicht. Aber, so dachte ich mir auf einmal, wenn Dr. Johansson eine Patientin hat, die er mag und anderen vorzieht, dann hat Dr. Kovecky vielleicht auch eine. Vielleicht hat Billy-Boy eine Freundin. Vielleicht hat er deswegen einen Killer angeheuert, der Pat umbringen soll.

Als Jackie aus dem Untersuchungszimmer kam, wirkte sie erhitzt und aufgeregt.

»Per sagt, mir fehlt nichts«, erklärte sie. »Er möchte zwar nicht, daß ich heute abend allzulang aufbleibe, aber er will mich auf jeden Fall morgen in Nassau zum Mittagessen einladen und mir die Stadt zeigen.«

»Dann bist *du* wenigstens in Sicherheit«, sagte ich unüberlegt.

»In Sicherheit?« fragte sie.

»Ich meine, falls du einen Rückfall bekommst.«

Im großen Speisesaal war englischer Abend, und Ismet empfahl die Steak-Nieren-Pastete.

»Hören Sie, Ishmael, Sie können die Nieren auf meinem Teller weglassen und mir einfach nur das Steak bringen, okay?« sagte Rick. »Und braten Sie es medium, ja?«

Wir anderen bestellten Rinderfilet Wellington.

»Elaine! Hast du denn keine Angst, du könntest Rinderwahnsinn bekommen?« zog Jackie mich auf.

»Der Rinderwahnsinn ist zur Zeit das geringste meiner Probleme«, sagte ich.

Sie sah mich irritiert an, wandte sich dann aber Kenneth Cone zu, der sich gerade neben ihr niedergelassen hatte.

Simon und ich saßen auch nebeneinander. Es war immer noch jedesmal ungemein aufregend, wenn ich ihn sah. Trotz des heiklen Problems, das bedrohlich über uns schwebte, war ich unglaublich froh, ihn nun in meinem Leben zu haben – wie lange dieses Leben auch dauern mochte.

»Wie gefällt Ihnen die Kreuzfahrt?« fragte ich Dorothy, die auf Simons anderer Seite saß.

»Es ist herrlich.« Sie lächelte und blinzelte dabei. »Wie zweite Flitterwochen.«

»WAS HAT SIE GESAGT, DOROTHY?« wollte Lloyd wissen.

»Sie wollte wissen, ob uns die Kreuzfahrt gefällt«, sagte Dorothy.

»UND WAS HAST DU GESAGT?«

»Ich habe gesagt, daß wir gevögelt haben wie Frischverheiratete.«

Jedes Gespräch am Tisch kam vorübergehend zum Erliegen.

»Habe ich etwas Unpassendes gesagt?« fragte Dorothy und machte auf unschuldig. Sie war eine Teufelin, diese Dorothy.

»Ihre Ausdrucksweise ist ein bißchen gepfefferter, als es Kenneth und ich gewohnt sind«, sagte Gayle pikiert.

»WAS HAT SIE GESAGT, DOROTHY?«, fragte Lloyd.

»Sie hat gesagt, daß sie und ihr Mann nicht vögeln«, lautete Dorothys Antwort.

»Gütiger Gott. Diese alte Hexe hat nichts als Sex im Kopf«, murmelte Gayle. »Falls in ihrem Alter der Kopf überhaupt noch funktioniert.« Offensichtlich hatte Dorothy einen wunden Punkt getroffen.

»Tut mir leid, daß ich Ihnen das eröffnen muß, meine Liebe«, sagte Dorothy zu Gayle, »aber auch *Sie* werden eines Tages sechsundachtzig sein, so Gott will. Und das ganze Geld, mit dem Sie um sich werfen, wird daran nichts ändern.«

»Jetzt ist wohl Schluß mit der vornehmen Zurückhaltung«, flüsterte ich Simon zu. Jackie bemühte sich, nicht loszuprusten. Pat bemühte sich, nicht in Ohnmacht zu fallen. Und Rick und Brianna hörten interessiert zu.

»Oh, Sie sind also auf mein Geld neidisch, Mrs. Thayer«, sagte Gayle eisig, wobei ihre winzigen, chirurgisch verschönerten Nasenflügel bebten. »Ich dachte, es wären meine Manieren, die Sie gern hätten.«

»Ich bin sicher, Mrs. Thayer hat es nicht böse gemeint«, suchte Kenneth seine Frau zu beruhigen. In der Hoffnung, daß sich die Aufregung wieder legen würde, wandte er sich erneut Jackie zu, mit der er über den morgigen Tag in Nassau gesprochen hatte. Er fragte sie, was wir drei in den paar Stunden vorhatten, die das Schiff dort anlegen würde. Sie erzählte ihm, daß sie nicht wüßte, was Pat und ich vorhätten, aber *sie* würde den Tag mit Per Johansson verbringen.

»Mit wem?« fragte Kenneth.

»Mit dem Arzt, der sich um mich gekümmert hat, als ich auf

der Krankenstation lag«, erklärte sie. »Er stammt eigentlich aus Finnland, aber er arbeitet schon so lange bei Sea Swan, daß er sich in den Anlegehäfen bestens auskennt. Ich könnte mir keinen besseren Fremdenführer wünschen.«

Kenneth zog eine Augenbraue hoch, als überraschte oder amüsierte es ihn, daß Jackie sich mit Dr. Johansson angefreundet hatte.

»Was wollen Sie und Gayle in Nassau tun?« fragte Jackie.

»Das gleiche, was wir auch zu Hause tun«, sagte er resigniert. »Wir gehen einkaufen.«

Nach dem Abendessen saßen Jackie, Pat, Simon und ich im Atrium und plauderten etwa ein Stündchen, bis Jackie verkündete, daß sie sich jetzt zurückzöge. Auch Pat sagte, daß sie müde sei. Wir fuhren gemeinsam mit dem Aufzug auf Deck 8, wobei alle stillschweigend davon ausgingen, daß Simon und ich uns in der Ungestörtheit meiner Kabine gute Nacht sagen würden.

»Tut mir einen Gefallen, ihr beiden«, sagte ich zu Jackie und Pat. »Schließt eure Kabinentüren zweimal ab, ja?«

»Elaine«, seufzte Jackie.

»Ein Stück weiter hinten im Flur ist eingebrochen worden«, log ich. »Ich wollte eigentlich nichts sagen, da ich mir schon dachte, daß mir keine von euch glauben würde.«

»Das tun wir auch nicht, aber wir schließen trotzdem zweimal ab«, willigte Jackie ein.

Pat nickte. »Ich möchte nicht, daß ein Dieb meine ganzen Souvenirs einsteckt.«

»So ist's recht«, sagte ich.

Ich gab jeder meiner Freundinnen einen Gutenachtkuß und wünschte, daß der Killer kalte Füße bekommen und uns am Leben lassen würde, damit wir mindestens so alt wie Dorothy Thayer werden konnten.

22

»Erzähl mir etwas über Eric«, forderte Simon mich auf, nachdem wir es uns in meiner Kabine gemütlich gemacht hatten, er auf dem Stuhl, ich auf dem Bett.

»Ich fange bei seinen Eltern an«, sagte ich. »Die Mutter kam aus reichem Haus und führte das Regiment. Doch der Vater war derjenige mit dem Geschäftssinn. Es waren seine Ideen und ihre Kohle, die das Beerdigungsinstitut Zucker zu dem gemacht haben, was es heute ist. Eric hat sich lediglich ins gemachte Nest gesetzt.«

»Du hast kürzlich erwähnt, daß er dich mehrmals angerufen und beschimpft hat, seit du damals die Werbekampagne für seinen Konkurrenten gemacht hast.«

»Ja. Eric ist kein Mensch, der Ärger in sich hineinfrißt. Er brüllt und schreit. Er ist zwanghaft ordentlich und korrekt, wie ich schon gesagt habe, aber wenn er wütend ist, verliert er vollkommen die Kontrolle. Der klassische Kandidat für eine Herzattacke. Er tobt und wütet und verstummt, und dann fängt er noch mal von vorne an zu toben und zu wüten. Sein Vater ist genauso. Die Herzinfarkte sind abzusehen.«

Simon schürzte die Lippen. »Es klingt nicht danach, als wäre Eric unser Mann«, meinte er. »Warum soll er dich wegen einer Werbekampagne umbringen lassen, die du vor sechs Jahren gemacht hast? Wenn er so ein Hitzkopf ist, hätte er dich damals um die Ecke bringen lassen. Oder hast du in jüngerer Zeit irgend etwas getan, was ihn gekränkt hat, Slim? Denk nach.«

Ich überlegte eine Weile und schüttelte den Kopf.

»In Ordnung. Erzähl mir von seinen Freunden, den Typen, mit denen er sich auf dem Golfplatz oder sonstwo trifft.«

»Er hat keine Freunde. Und er spielt auch nicht Golf.«

»Er muß doch irgend etwas tun, wenn er nicht arbeitet.«

»Ja. Er wäscht seinen Schrank aus. Ausnahmslos jedes Wochenende. Es ist ein Spleen von ihm.«

»Kein Wunder, daß du ihn geheiratet hast. Okay, kommen wir

zu Jackies Mann«, sagte Simon. »Was gibt's über ihn zu berichten?«

»Peter und Jackie haben sich auf dem College kennengelernt.«

»Du hast gesagt, Jackie sei aus Pittsburgh. Stammt Peter auch aus Pennsylvania?«

»Ja, aber seine Familie ist nach New York gezogen, als er noch klein war. Warum?«

»Henry Prichard kommt aus Altoona. Ich klammere mich an den kleinsten Anhaltspunkt.«

»Ich weiß. Ich auch. Nachdem Peter und Jackie ihren Collegeabschluß gemacht hatten, heirateten sie, zogen nach Vermont und kauften sich dort eine Farm. Das war in den sechziger Jahren, und damals war es ungeheim in, sich eine Farm in Vermont zu kaufen, weißt du noch?«

Er nickte.

»Das Problem war nur, daß sie mit der Farm keinen Cent verdienten. Sie hatten zwar Butter in Hülle und Fülle, aber sie konnten ihre Hypotheken nicht bezahlen. Dann kamen Peters Eltern bei einem Flugzeugabsturz ums Leben, und Peter, der einzige Nachkomme, erbte ihre Eigentumswohnung in Manhattan. Dadurch konnten Peter und Jackie ihre Schulden in Vermont zahlen, sie verkauften die Farm und zogen in die Wohnung. Peter gab einen Kurs an der New School, und Jackie arbeitete in einem Blumengeschäft.«

»Wie sind sie zu dem Gartencenter in Bedford gekommen?«

»Im Gegensatz zu Eric ist Peter ein sehr geselliger Typ. Ein richtiges Kontaktgenie. Jemand, den er kannte, kannte jemanden, der wiederum einen anderen kannte, der mit einem zweiten Teilhaber ein Gartencenter in Westchester aufmachen wollte. Peter und Jackie hatten noch etwas Geld aus Peters Erbschaft übrig, und so gründeten sie mit diesem Mann ein Geschäft.«

»Den Namen dieses Mannes wissen wir nicht?«

»Nein, aber der spielt auch keine Rolle. Er wurde von einer Biene gestochen, als er Rosenbüsche beschnitt, und war sofort tot. Ich persönlich gehe ja ohne mein Allergie-Selbsthilfeset nirgendwohin.«

»Hat dieser bedauernswerte Mensch seinen Anteil an der Firma Peter und Jackie hinterlassen?« wollte Simon wissen.

»Ja, und sie sind ungemein erfolgreich damit geworden. Jackie war das Arbeitstier. Peter war der Schmeichler. Diese Kombination war phantastisch fürs Geschäft, aber Gift für ihre Ehe. Er war andauernd unterwegs und warb um Kundschaft, während sie ständig am Harken war – oder was auch immer sie tut. Und während er auf Kundenfang war, lernte er Trish kennen, seine jetzige Frau.«

»Wie hat er sie kennengelernt?«

»Genauso wie er den Geschäftspartner kennengelernt hat, der ums Leben gekommen ist: durch den Freund von einem Freund von einem Freund – einem reichen Freund. Ich kann dir eines sagen: Für einen Mann, der früher als Hippie auf einer Farm gelebt hat, hat Peter wirklich eine saubere Verwandlung zum Kapitalisten hingelegt. Jackie sagt, mittlerweile trägt er sogar Anzüge. Und Hosenträger.«

»Das gibt allerdings Anlaß zur Beunruhigung.«

»Was Anlaß zur Beunruhigung gibt, ist Peters Ehrgeiz. Er will die Entscheidungen für das Gartencenter treffen, und Jackie steht ihm dabei im Weg – solange sie lebt.«

»Okay. Nehmen wir mal an, daß Peter der Exmann ist, nach dem wir suchen. Wer ist dann der Killer? Das ist die Frage, die wir dann beantworten müssen.«

»Es könnte einer seiner Arbeiter sein«, überlegte ich laut. »Vielleicht ist der Kerl illegal eingereist, und Peter hat gedroht, ihn zurückzuschicken, wenn er sich weigert, Jackie umzubringen.«

»Kann sein.« Simon rieb sich die Augen. Er wirkte erschöpft und niedergeschlagen. Er wußte ebensogut wie ich, daß wir lediglich ein Fragespiel spielten und unsere Zeit verschwendeten. Keiner von uns war Detektiv oder auch nur Amateurschnüffler, und das einzige, woran wir uns halten konnten, waren ein verworrenes Telefongespräch und ein Kinderlied.

»Lohnt es sich, noch über Bill Kovecky zu sprechen?« fragte ich. »Ich habe dir ja seine Geschichte schon mehr oder weniger erzählt, vor allem, daß er überraschend aus New York abgereist ist und seine Kinder hat sitzenlassen. Ich glaube, daß er sehr wohl unser Bösewicht und Albert sein Handlanger sein könnte. Das einzige, was gegen diese Theorie spricht, ist, daß Pat Bill immer noch liebt. Er *muß* irgendwelche Qualitäten haben.«

»Hör mal, Slim, ich muß jetzt ein bißchen entspannen«, sagte Simon. »Könnten wir vielleicht den Fernseher anmachen oder so? Einfach, um die Spinnweben ein bißchen zu vertreiben?«

»Klar.« Ich sprang vom Bett auf und schaltete das Gerät ein. Larry King beendete soeben ein Interview mit Demi Moore. Sie sprach darüber, wie belastend es sei, über Geld, Ruhm und einen umwerfenden Körper zu verfügen.

Ich lehnte mich auf dem Bett zurück. Simon blieb auf dem Stuhl sitzen. Ich brauchte ein paar Sekunden, bevor mir aufging, wie dämlich das war. Warum sollte er es unbequem haben, während ich mich räkelte wie ein Königin? Noch dazu, wo er doch nur in meiner Kabine war, um auf mich aufzupassen und meinen Leibwächter zu spielen.

»Simon? Warum legst du dich nicht neben mich?« Ich klopfte aufs Bett. »Es ist mir recht. Ehrlich.«

»Bist du sicher?«

»Wir sind viel zu sehr mit dieser Killergeschichte beschäftigt, um an Sex auch nur zu denken. Oder?«

»Auf jeden Fall«, sagte er, erhob sich von seinem Stuhl und ließ sich nur wenige Zentimeter neben mir aufs Bett fallen. Wir waren beide vollständig angezogen, doch er lag so nahe bei mir, daß ich ihn plötzlich mehr denn je begehrte, trotz allem, was ich gerade gesagt hatte.

Ich lag da, mit klopfendem Herzen, brennenden Lippen und einem Ziehen im Unterleib, und hätte Simon am liebsten gestanden, daß ich es mir anders überlegt hätte. Schließlich wußten wir ja nicht, was morgen sein würde, oder? Womöglich war doch *ich* die Exfrau, die ermordet wurde, und dann wäre es zu spät.

Ja, beschloß ich. Wir sollten die Zeit nutzen, die wir miteinander allein waren. Es könnte unsere letzte Gelegenheit sein, uns körperlich näherzukommen.

Ohne ein Wort zu sagen oder Simon auch nur anzusehen, stand ich auf, zog mich aus und hängte meine Kleider in den Schrank (ich konnte nicht anders). Dann drehte ich mich in meiner nackten Lust frontal zu ihm um.

»Simon«, sagte ich heiser.

Er regte sich nicht und sagte kein Wort.

»Simon?« sagte ich ein bißchen weniger heiser.

Keine Antwort.

Er hatte die Augen geschlossen und lag ganz ruhig da. Sein Mund stand in einem merkwürdigen Winkel offen, und auf dem Kopfkissen bildete sich eine kleine Speichelpfütze. Kurz darauf fing er zu schnarchen an.

Ein toller Leibwächter, dachte ich und schlüpfte in mein Nachthemd.

Ich schaltete Fernseher und Lampen aus, stieg so leise wie möglich ins Bett und schlang meinen Körper vorsichtig um seinen. Simon bewegte sich, aber nur kurz. Lang genug, daß ich flüstern konnte: »Ich liebe dich.« Lang genug, daß er flüstern konnte: »Ich dich auch.«

SIEBTER TAG:
Samstag, 16. Februar

23. Kapitel

Simon weckte uns beide gegen sieben Uhr, als er sich im Bett umdrehte und merkte, daß seine Gliedmaßen sich in meinen verheddert hatten.

»Oh! Tut mir leid!« rief er erschrocken, zog seine Arme und Beine aus dem Gewirr und betastete sein Hemd und seine Hose. Ich vermochte nicht zu sagen, ob er erleichtert oder enttäuscht war, als er merkte, daß er noch vollständig angezogen war.

»Was tut dir leid?« fragte ich, während ich mir den Schlaf aus den Augen rieb und hoffte, daß Simon sich von meinem morgendlichen Mundgeruch nicht abgestoßen fühlte. Mich störte seiner jedenfalls nicht. Im Gegenteil: Mein Verlangen nach ihm war über Nacht keinen Deut geringer geworden. Ich fand es unglaublich aufregend, neben ihm aufzuwachen – vor allem deshalb, da ich sonst immer neben meiner Aktentasche aufwachte.

»Es tut mir leid, daß ich einfach so weggenickt bin«, sagte Simon. »Ich hätte eigentlich wach bleiben und auf dich aufpassen sollen.«

»So was passiert eben. Ich bin immer noch heil, wie du siehst.«

Er musterte mich in meinem Nachthemd. »Allerdings.« Er lächelte auf eine anzügliche Art, die mir ungemein gefiel. »Bin ich eigentlich mitten im Satz eingeschlafen? Ich erinnere mich wirklich an gar nichts.«

»An gar nichts?« fragte ich, wobei ich an unseren Austausch von Liebeserklärungen dachte.

»Null«, bekräftigte er.

Ich stand auf, tappte ans Telefon und wählte erst Jackies und dann Pats Nummer – um mich zu vergewissern, daß sie beide ebenfalls noch heil waren. Glücklicherweise ging es beiden gut, und sie wollten sich gerade zusammen auf den Weg zum Frühstück machen. Pat fragte, ob Simon und ich einen angenehmen Abend verbracht hätten.

»Sehr angenehm«, antwortete ich.

»Oh, das ist ja herrlich«, zwitscherte sie, nahm sich dann wieder zusammen und ging zur Tagesordnung über. »Wegen Nassau«, begann sie. »Wir kommen um halb zwölf an. Jackie hat vor, sich um Viertel vor zwölf mit Dr. Johansson zu treffen, und dann wollen die beiden sich absetzen. Albert hat mich eingeladen, mit ihm…«

»Du und Albert könntet doch den Tag mit Simon und mir verbringen«, unterbrach ich, da ich Angst davor hatte, Pat so kurz vor dem Ende der Kreuzfahrt mit Albert allein zu lassen. »Das wird sicher amüsant – zwei Pärchen.«

»Zuerst wolltest du nicht, daß ich mich mit Albert treffe. Jetzt doch. Ich hatte den Eindruck, daß du ihn nicht magst.«

Das tue ich auch nicht, wollte ich sagen. Ich mag *dich*. »Sei doch nicht albern. Er ist in Ordnung.«

»Tja, wenn du meinst. Dann sind wir eben zu viert. Wo sollen wir uns treffen und wann?«

Ich legte meine Hand über die Sprechmuschel und fragte Simon, den Reisefachmann, wo wir vier uns verabreden könnten.

»Sag ihr, wir treffen uns am Parliament Square, an der Statue von Königin Victoria«, sagte er. »Wenn sie vom Schiff kommen, sollen sie über den Rawson Square in die Bay Street gehen. Von dort aus sehen sie dann schon den Parliament Square, ein Gewirr aus historischen gelben Gebäuden mit grünen Fensterläden.«

Ich leitete alles an Pat weiter und schlug vor, daß wir uns um die Mittagszeit treffen sollten. Nachdem ich aufgelegt hatte, setzte ich mich wieder neben Simon aufs Bett.

»Es ist erst halb acht«, sagte ich. »Wir könnten joggen gehen, wenn du Lust hast. Du könntest in deine Kabine gehen und dich umziehen, und dann treffen wir uns auf dem Promenadendeck.«

Simon schüttelte den Kopf.

»Okay. Joggen wir eben nicht«, sagte ich und nahm an, daß er von dieser ganzen Mördergeschichte immer noch erschöpft war.

»Ich kann mein ganzes Leben noch joggen«, sagte er.

»Ja, sicher«, sagte ich, ohne zu begreifen. »Ich dachte nur…«

Er brachte mich zum Schweigen, indem er meine Hand nahm und seine Finger eng um meine schloß. Dann sah er mir tief in die Augen und sagte: »Der Killer wird heute zuschlagen – oder morgen in aller Frühe. Womöglich bin ich nicht in der Lage, dich zu retten, Slim. Kapierst du das nicht?«

»Simon«, sagte ich und beugte mich vor, um ihn zu küssen. »Das hatten wir doch schon: Du bist *nicht* für mein Leben verantwortlich. Wenn sich herausstellt, daß *ich* diejenige bin, auf die es der Killer abgesehen hat, werde ich ihm die Lektion seines Lebens verpassen, sowie er auch nur auf einen halben Meter in meine Nähe kommt. Du hast wahrscheinlich gedacht, ich sei schüchtern und zurückhaltend, aber das ist nur eine Maske, hinter der ich mich verstecke.« Ich schlug sittsam die Augen nieder.

Er lachte. »Tja, wenn ich dich schon nicht retten kann«, meinte er, »dann ist das mindeste, was ich tun kann, dich zu lieben.« Er rückte näher. »Hier. Jetzt. Bevor irgend jemand versucht, irgend jemand anders umzubringen.«

Das war ja mal eine Idee. »Einverstanden«, sagte ich, hocherfreut darüber, daß er die Sache mit meinen Augen sah. »Hier. Jetzt.«

Er zog sich aus, ohne auch nur eine Sekunde den Blick von mir zu wenden, selbst dann nicht, als er in seine Hosentasche griff, um ein Kondom herauszuholen. Schließlich zog er mir das Nachthemd über den Kopf und ließ es auf seine eigenen Sachen auf den Boden fallen, so daß sich unsere Kleidungsstücke ebenso vermischten, wie unsere Körper es gleich tun sollten.

Ich kann gar nicht glauben, daß das endlich passiert, dachte ich, als Simon und ich uns aneinander klammerten – zwei hochgewachsene, nackte Menschen, deren Beine über das Ende des Betts hinaushingen, aber deren andere Körperteile genau dort waren, wo sie hingehörten.

Ja, endlich passiert es, Elaine Zimmerman. Vielleicht bringt dich bald jemand um, aber du wirst mit einem großen, breiten Lächeln im Gesicht abtreten.

Hinterher, als wir uns aneinanderkuschelten und mein Körper von der aufreibenden Betätigung bebte, die er schon jahrelang nicht mehr erlebt hatte, fuhr ich mit meinem Zeigefinger die Umrisse von Simons Gesicht nach. Was für ein Gesicht, staunte ich. Was für ein Mann. Und was für ein Liebhaber! Ich hatte buchstäblich vor Lust geschrien – und die Leute in der Kabine unter uns hatten buchstäblich an die Decke gehämmert, um mich zum Schweigen zu bringen.

Auch Simon schien es Spaß gemacht zu haben, da er am Schluß, als es vorüber war, sagte: »Du bist wirklich was Besonderes, Slim.« Ich meine, es ist doch ein Kompliment, wenn ein Mann das zu einem sagt, oder?

Wir hatten nicht von Liebe gesprochen, während wir uns in den Armen lagen – zumindest Simon nicht. *Ich* hatte durchaus in Momenten äußerster Leidenschaft ein paarmal »Ich liebe dich« gerufen, aber er hatte nur hin und wieder »O Gott« hervorgestoßen.

Dann wartest du eben, sagte ich mir selbst. Der Moment kommt schon noch, in dem er diese drei kleinen Worte ausspricht. Er muß einfach kommen.

Ich grübelte gerade über die Frage nach, warum vor allem Frauen so erpicht auf dieses Ich-liebe-dich sind, als Simon sagte, daß er hungrig sei. Ich wollte schon aufstehen, da ich dachte, er sprach vom Frühstücken, aber er zog mich wieder aufs Bett zurück.

»Ich habe nicht von Essen gesprochen«, sagte er und warf mir sein aufreizendes angedeutetes Lächeln zu. »Ich habe das hier gemeint.«

Was als nächstes kam, war befriedigender als jeder Vollkorntoast mit koffeinfreiem Kaffee, das kann ich Ihnen sagen.

Die *Princess Charming* legte um elf Uhr fünfundvierzig im Hafen von Nassau an, nur wenige Minuten später als vorgesehen. Der Himmel war leicht bedeckt, und es wehte ein sanfter Wind, aber die Luft war warm und weich, als Simon und ich das Schiff verließen und zum Rawson Square gingen. Unser Schiff war nur eines von mehreren, die an diesem Tag in Nassau festgemacht hatten, und so waren die Straßen voller Touristen. Ich war ganz besorgt, daß wir Pat und Albert in dieser Menschenmenge nie finden würden, aber Simon nahm mich am Ellbogen und führte mich über die Bay Street zum Parliament Square, wo wir direkt neben der Statue der jungen Königin Victoria auf meine Freundin und ihren Begleiter trafen.

»Elaine! Sam!« begrüßte uns Albert freudig. (Simon und ich hatten uns darauf geeinigt, daß er bis zum Ende unserer Kreuzfahrt »Sam« bleiben würde.)

»Hallo Albert«, sagte ich mißtrauisch, umarmte Pat und fragte sie, wie es ihrem Knöchel ginge.

»Besser«, sagte sie, obwohl sie immer noch ihren Stock dabeihatte, »aber zu irgendwelchen Marathonläufen bin ich nicht aufgelegt.« Pat machte auch keine Marathonläufe, wenn ihr Knöchel völlig in Ordnung war.

»Also: Habt ihr schon überlegt, was ihr heute unternehmen möchtet?« fragte ich sie und Albert.

Albert nickte. »Wenn wir auf der Bay Street Richtung Westen gehen, kommen wir zur Chippingham Road.«

»Und was ist so toll an der Chippingham Road?« wollte ich wissen.

»Die Ardastra-Gärten natürlich«, sagte er, als wäre ich hoffnungslos uninformiert. »Wo die Tropenvögel sind.« Er sah auf seine Uhr. »Die Vorführung um elf Uhr haben wir verpaßt, aber die um vierzehn Uhr könnten wir problemlos schaffen.«

»Was für eine Vorführung, Albert?« fragte Pat.

»Die rosa Flamingos«, antwortete er. »Diese hinreißenden Wesen mit den spindeldürren Beinen marschieren zusammen in einer Reihe. Sie treten dreimal täglich auf.«

»Wie Bauchtänzerinnen in Vegas«, murmelte ich.

»Der Flamingo ist sogar der Wappenvogel der Bahamas«, erklärte uns Simon.

»Ganz genau«, sagte Albert. »Und es sind so wundervolle Vögel. Wenn wir sie uns um vierzehn Uhr ansehen, müssen wir bis dahin allerdings noch ein paar Stunden totschlagen.«

Ich fragte mich, ob Alberts Verwendung des Wortes »totschlagen« tiefere Bedeutung hatte.

»Die Kunstsafari-Gruppe von Ginger Smith Baldwin verbringt den Nachmittag auf Paradise Island«, meinte Pat. »Wir könnten uns zu ihnen gesellen.«

»Ich glaube nicht«, wandte Simon ein. »Paradise Island liegt zu weit weg, um es zu der Vorführung um vierzehn Uhr in den Ardastra-Gärten zu schaffen. Am besten bleiben wir in diesem Viertel. Wie wär's, wenn wir uns die Geschäfte in der Bay Street ansähen? Sie haben unglaublich günstige Uhren.«

»Tatsächlich«, sagte Pat nachdenklich. »Ich hätte nichts dagegen, den Kindern neue Armbanduhren als Mitbringsel zu kaufen, vor allem wenn der Preis stimmt.«

»Und dann könnten wir ins Shoal Restaurant in der Nassau Street gehen und dort die Spezialität des Hauses essen: gekochten Fisch und Maiskuchen«, sagte Simon.

»Meine Güte, Sie reden, als wären Sie schon einmal hier gewesen, Sam«, bemerkte Pat. »Waren Sie?«

»Nein. Ich verschlinge nur alle Reisezeitschriften«, sagte Simon und zwinkerte mir zu.

»Vor allem *Away from It All*«, spöttelte ich und schob meinen Arm unter seinen, immer noch strahlend von unserer morgendlichen Intimität. »Okay, Pat. Was machen wir? Einen kurzen Einkaufsbummel, Fisch und Maiskuchen zum Mittagessen und dann zu den tanzenden Flamingos?«

Sie antwortete nicht sofort, und ich bedrängte sie nicht. Ich wandte mich an Albert. »Und Sie?« fragte ich ihn. »Was meinen Sie?«

»Alles, wofür Pat sich entscheidet, ist mir auch recht«, sagte er und kämmte sich mit den Fingern den Schnurrbart.

»Gut. Zurück zu dir, Pat«, sagte ich und versuchte, mir meine Ungeduld nicht anmerken zu lassen. Ich meine, es war ja nicht so, daß wir uns überlegt hätten, ob wir mit der Harpune auf Walfang gehen sollten. »Pat?« sagte ich noch einmal, als sie nicht reagierte.

Ich sah sie genau an und merkte, daß sie mich vermutlich nicht gehört hatte. Sie starrte wie in Trance auf die andere Straßenseite hinüber, in Richtung Kai und *Princess Charming*. Ihre Unterlippe bebte, und ihr Gesicht war hochrot angelaufen.

»Pat«, sagte ich und schwenkte meine Hand vor ihren Augen. »Bist du noch da? Was in aller Welt ist denn los?«

»Es ist … es ist Bill«, stieß sie abgehackt hervor und preßte sich die rechte Hand aufs Herz.

»Was ist mit Bill?« fragte ich besorgt.

»Da drüben. Ich habe ihn gesehen. In der Menge.« Sie zeigte auf den Kai.

»Du hast ihn gesehen? Hier in Nassau?« sagte ich. Pat hatte keine Sehschwächen, so wie ich, *sie* konnte die Zeitung lesen, ohne sie sich einen Meter vors Gesicht zu halten.

»Ihr Exmann ist hier in Nassau?« wiederholte Albert und schaute schmerzlich berührt.

»Ja … ich schwöre, daß ich ihn auf der anderen Straßenseite gesehen habe, wie er da stand … unter den ganzen Menschen.« Sie wies erneut hinüber.

Ich blinzelte in das milchige Sonnenlicht, um zu sehen, ob ich Bill Kovecky entdecken konnte. Ich war ihm nie begegnet, hatte aber Pats Fotoalben so ausgiebig durchgeblättert und ihn in genügend morgendlichen Talk-Shows dozieren hören, um ihn bei einer Gegenüberstellung identifizieren zu können.

»Vielleicht hast du nur jemanden gesehen, der Bill ähnlich sieht«, meinte ich, unsicher, was ich tun sollte. »Es heißt doch, daß wir alle irgendwo einen Doppelgänger haben. Und das war seiner.«

»Ich habe ihn gesehen«, sagte Pat resolut.

Ich glaubte ihr, obwohl ich es nicht wollte. Selbst nach all meinen Verdächtigungen fiel es mir schwer, mich der Tatsache zu stellen, daß der Vater der fünf Kinder meiner Freundin hier in der Menschenmenge lauerte; daß er tatsächlich zum letzten Anlegehafen unserer Kreuzfahrt geflogen war, um seinen unzuverlässigen Killer zu kontrollieren und die Sache selbst zu überwachen; daß er und Albert sich allen Ernstes verschworen hatten, Pat umzubringen.

»Ich weiß, daß es Bill war«, fuhr sie fort. »Er hatte seinen Alpakapullover an. Seinen taubenblauben Alpakapullover.«

»Hat er denn mehr als einen?« fragte ich. Alpakapullover waren mit Perry Como aus der Mode gekommen.

Pat nickte. »Den blauen habe ich ihm zu unserem zweiten Hochzeitstag geschenkt. Er hat ihn all die Jahre behalten.«

»Mal von deinen Erinnerungen abgesehen – was sollte Bill denn hier wollen?« fragte ich und kannte die Antwort bereits. Mein Gott, womöglich hatte er seine Freundin sogar mitgebracht.

»Ich habe nicht die geringste Ahnung«, sagte Pat. »Vielleicht findet in Nassau eine Konferenz statt.«

»Das wäre aber wirklich ein Zufall«, sagte Simon und warf mir einen besorgten Blick zu. »Vor allem, da er ja Ihre Reiseroute kennt und den Kindern nicht gesagt hat, daß er auf dieselbe Insel fährt wie Sie. Am gleichen Tag.«

Pat runzelte die Stirn, als wäre ihr soeben ein entsetzlicher Gedanke gekommen. »Glaubt ihr, er ist wegen irgendwelcher Schwierigkeiten mit den Kindern gekommen?« fragte sie uns besorgt.

»Ich habe keine Ahnung«, sagte Albert verschnupft, als ginge ihm das ganze Gerede über Bill schon auf die Nerven. »Ehrlich gesagt, meine Liebe, ist Ihr Exmann der letzte, dem ich heute begegnen möchte.«

»Ach ja? Warum denn, Albert?« hakte ich nach, in der Hoffnung, den kleinen Mistkerl so einzuschüchtern, daß er ein Geständnis ablegte. Wenn Bill der Kopf hinter diesem Mordkomplott war, so bestand für mich kein Zweifel daran, daß Albert der Killer sein mußte. Wer sonst war denn während der gesamten Kreuzfahrt um Pat herumgeschwänzelt?

»Weil … weil …« Er lief feuerrot an. »Weil ich mir, wenn Sie es unbedingt wissen wollen, gewünscht habe, den Tag mit Pat zu verbringen – ohne Erinnerungen an ihren früheren Mann, einen Mann, den sie ganz offensichtlich verehrt. Verstehen Sie, ich bin daran interessiert, meine Freundschaft zu ihr fortzusetzen, wenn wir wieder zu Hause sind – und zwar ohne daß der gute Doktor dazwischenfunkt!«

»Albert«, sagte Pat, ganz verblüfft von seiner Eröffnung. »Aber natürlich setzen wir unsere Freundschaft…«

»Hör nicht auf ihn, Pat«, unterbrach ich sie. »Er will eure Freundschaft gar nicht zu Hause fortsetzen. Er *fährt* nach der Kreuzfahrt ja nicht einmal nach Hause. Er hat seine beiden Telefonanschlüsse abgemeldet.«

Mein Ausbruch ließ Alberts Unterkiefer herabfallen.

»Elaine«, seufzte Pat. »Du traust auch überhaupt niemandem.« Sie sah Simon um Bestätigung heischend an, doch er stand auf *meiner* Seite. »Vielleicht habe ich Bill ja doch nicht gesehen«, sagte sie, während ihr die Enttäuschung ins Gesicht geschrieben stand. Sie zog ein Taschentuch heraus, tupfte sich die Augen damit ab und stopfte es dann in ihren Blusenärmel. »Vielleicht war es nur deshalb, weil wir immer von einer Reise nach Nassau gesprochen haben und sie doch nie gemacht haben. Ich bin eine hoffnungslose Närrin.«

»Ich will kein Wort mehr über Bill hören!« verlangte Albert und griff nach ihrer Hand. Ich nahm die andere. Weder Albert noch ich wollten loslassen, und so wurde die arme Pat zum Opfer unseres Tauziehens.

»Halten Sie sich von ihr fern, Albert!« schrie ich ihn an. »Wir sind Ihnen auf der Spur. Dem ganzen krankhaften Plan.«

»Elaine! Albert! Laßt mich los!« rief Pat weinend, als wir um sie kämpften, während Simon Albert zu durchsuchen begann, der das nicht witzig fand.

»Was machen Sie denn da, wenn ich fragen darf?« Indigniert versuchte er, Simon mit kleinen Fußtritten zu vertreiben.

»Ich suche nach einer Waffe, Freundchen«, erklärte Simon. »Und jetzt halten Sie mal still.«

»Waffe?« sagte Albert und schien allein von der Vorstellung schon angeekelt zu sein. »Ich bin ein glühender Verfechter schärferer Waffengesetze!«

Simon trat einen Schritt von Albert weg, nachdem er etwas in dessen Hosentasche gefunden hatte. »Er ist sauber, abgesehen von dem Schweizer Offiziersmesser«, sagte er wie ein Fernsehpolizist zu mir.

Apropos Polizist: Genau in diesem Moment kam einer vorbei, obwohl ich das im ersten Moment nicht erkannte. Die Polizisten in Nassau sind ganz anders gekleidet als die in den Staaten. Als Erinnerung an das britische Erbe der Insel tragen sie weiße Jacketts, marineblaue Hosen mit roten Streifen an den Außennähten und Tropenhelme. Kolonialstil eben.

Simon winkte ihn herüber.

»Gibt es ein Problem?« fragte der Polizist und tippte sich gegen den Tropenhelm. Nassauer Polizisten benehmen sich auch anders als Polizisten in den Staaten.

»Das kann man wohl sagen«, erklärte ich, wobei ich, genau wie Albert, immer noch an Pat hing. »Dieser Mann«, ich nickte zu Albert hinüber, »ist engagiert worden, im Auftrag von…« Ich hielt erneut inne, diesmal, weil Pat rief: »Elaine, sieh doch! Es *ist* Bill!«

Wir folgten alle Pats Blick über den Platz.

Und tatsächlich löste sich Dr. William Kovecky aus der Menge und kam langsam auf uns zu.

24

Bill Kovecky war kleiner, als er im Fernsehen wirkte. Wenn er neben Pat stand, alle beide so pummelig und klein, sahen sie wie zwei Teile einer Garnitur aus. Simon und ich überragten sie weit, und selbst der schwächliche kleine Albert wirkte in ihrer Gegenwart noch wie ein Wolkenkratzer.

Außerdem hatte Bill so helles Haar und einen so hellen Teint, daß er geradezu etwas Durchscheinendes, Jenseitiges an sich hatte. Aber vielleicht brauchte der Retter des Reizmagens auch nur ein bißchen Sonne.

Das dritte, was mir an ihm auffiel, war, daß er tatsächlich einen taubenblauen Alpakapullover trug.

»Bill! Was machst du denn hier?« fragte Pat und kämpfte sich von Albert und mir frei.

»Alles, was er sagt, ist gelogen«, warnte ich und schob mich zwischen Pat und ihren Exmann.

»Ah, dann muß das wohl Elaine sein«, bemerkte Bill trocken. »Die, für die jeder Mann der Antichrist ist.«

»Jetzt hören Sie mal gut zu, Freundchen«, sagte Simon und drängte sich zwischen Bill und mich. »Sie sind derjenige, der hier ein paar Dinge zu klären hat.«

»Ja, allerdings«, mischte sich Albert ein. »Ich befand mich gerade mitten in einer Diskussion mit Pats Freunden, und da tauchen Sie völlig überraschend auf und sprengen unseren Nachmittag. Wenn Sie mich fragen, ist das rüpelhaftes Benehmen.«

»Ich habe Sie aber nicht gefragt«, sagte Bill. »Ich kenne Sie ja nicht einmal.«

Ich sah zu Simon hinüber. Entweder Bill und Albert kannten sich wirklich nicht, oder sie waren brillante Blender.

»Wenn Sie mich jetzt bitte alle entschuldigen würden«, fuhr Bill fort und versuchte, sich um Simon herumzuschleichen. »Ich bin gekommen, um Patricia zu sehen.«

»Ja, allerdings sind Sie hierhergekommen, um sie zu sehen«, fauchte ich und baute mich vor ihm auf. »Um zuzusehen, wie sie ins Gras beißt.«

»Wovon redet diese Frau?« fragte Bill Pat, die völlig verwirrt dastand.

»Sie wissen ganz genau, wovon sie redet«, fuhr ihn Simon an und wandte sich an den Polizisten, der uns kommentarlos beobachtet hatte. Irgendwie hatte ich den Verdacht, daß ihm der Begriff »häßlicher Amerikaner« in den Sinn gekommen war. »Dieser Mann«, Simon wies auf Bill, »hat sich mit diesem Mann verschworen«, nun wies er auf Albert, »diese Frau umzubringen«, damit wies er auf Pat.

»*Was?*« riefen Pat, Albert und Bill gleichzeitig.

»Mir kommt sie ziemlich lebendig vor«, sagte der Polizist mit einem Blick auf Pat. »Gehören Sie zu einem der Kreuzfahrtschiffe?« Als ob das etwas erklären würde.

»Alle bis auf einen«, sagte ich. »Wir sind heute morgen mit der *Princess Charming* hier angekommen und hätten uns nie träumen lassen, daß Dr. Kovecky auch noch selbst am Schauplatz des Verbrechens erscheinen würde!«

»Und was für ein Verbrechen soll das sein?« fragte der Polizist und nahm den Tropenhelm ab, um sich am Kopf zu kratzen.

»Mord«, sagte Simon. »Das habe ich Ihnen doch gerade gesagt.«

Der Polizist lächelte. »Ich glaube, jetzt verstehe ich die Situation«, sagte er und nickte uns zu. »Viele von den Kreuzfahrtschiffen bieten Mörderspiel-Landausflüge an. Ich habe gehört, sie sollen recht amüsant sein. Einige sind Schauspieler, einige sind Passagiere, und alle tun so, als sei ein Mord begangen worden. Derjenige, der das Rätsel löst, gewinnt einen Preis, so funktioniert es doch, oder?«

Simon und ich schüttelten die Köpfe und seufzten.

Der Polizist kicherte. »Dann überlasse ich Sie mal Ihrem Vergnügen«, sagte er und ging davon.

Damit waren wir wieder da, wo wir angefangen hatten.

»Würde es Ihnen etwas ausmachen, mir zu erklären, warum Sie beide diesem Polizisten erzählt haben, daß ich vorhätte, Patricia umzubringen?« wollte Bill von Simon und mir wissen. »Und wenn wir schon beim Thema sind, könnten Sie beide vielleicht ein oder zwei Sätze über meine angebliche Verbindung zu diesem Mann fallenlassen.« Er meinte Albert.

»Sie reden zuerst«, verlangte ich. »Erzählen Sie uns, was Sie in Nassau machen.«

Bill hätte uns am liebsten gesagt, wir sollten verschwinden, als sich Pat zu Wort meldete. »Ja, Bill. Was *machst* du eigentlich in Nassau? Du hast deine Tochter an ihrem Geburtstag allein gelassen. Sie war in Tränen aufgelöst, als ich mit ihr gesprochen habe.«

Bill sah plötzlich nachdenklich und verlegen drein. »Ich mag es nicht, wenn Lucy traurig ist«, sagte er. »Das ist einer der Gründe dafür, warum ich hier bin.«

»Wir können Ihrer Logik nicht folgen«, sagte ich ungeduldig.

»Patricia«, sagte er und funkelte dabei mich an. »Müssen wir vor all diesen Leuten reden?«

»Ja«, sagte sie. »Je früher, desto besser.«

Bill atmete tief ein. »In Ordnung. Wenn du es so willst.«

»Genau das will sie«, unterstützte Albert Pats Bitte. Seine Ergebenheit war rührend.

»Der einzige Flug, den ich noch bekommen konnte, ging gestern, an Lucys Geburtstag«, erklärte Bill. »Wenn ich heute morgen hätte fliegen können, hätte ich es getan, aber der Flug war ausgebucht. Und wenn ich eine Maschine später genommen hätte, wäre dein Schiff schon wieder weg gewesen. Ich habe Lucy das alles erklärt, und sie hat gesagt, sie verstünde es. Sie hat mich ermuntert, herzukommen.«

»Lucy weiß, daß du hier bist?« fragte Pat. »Sie hat gesagt, du hättest niemandem verraten, wohin du fliegen wolltest. Die Jungen haben das gleiche behauptet.«

»Das war, weil es ein Geheimnis sein sollte«, sagte Bill. »Eine Überraschung. Aber die Kinder sind eingeweiht.«

»Die *Kinder* sind eingeweiht?« sagte ich, entsetzt, daß ein Mann seine eigenen Kinder zu Mitwissern am Mord an ihrer Mutter machte.

»Sicher. Ich habe ihnen alles erklärt«, sagte Bill.

»Gut. Und jetzt erklären Sie es *uns*«, verlangte Simon. »Was machen Sie in Nassau?«

»Nun«, sagte Bill, »da ich offensichtlich nicht eine Minute allein mit Patricia sprechen darf...«

»Genau. Dürfen Sie nicht«, bestätigte ich.

»Ich bin hierhergekommen, um mit meiner Exfrau über unsere Ehe zu sprechen«, sagte er, »darüber, welche Fehler ich gemacht habe, darüber, daß ich eine neue Chance bekommen möchte, und darüber, wie sehr mir... meine Patsy fehlt.«

Patsy. Und ich hatte schon »Patricia« ein bißchen affig gefunden.

»Ist das wahr, Bill?« fragte Pat und fächerte sich mit der Hand Luft zu, als wäre es plötzlich sehr viel wärmer geworden.

»Jedes Wort«, sagte er. »Ich liebe meine Arbeit. Aber ich liebe auch meine Familie. Ich habe leider erst in den letzten Monaten erkannt, wie sehr. Nenn es aufwachen. Nenn es zur Vernunft kommen. Nenn es, wie du willst. Der springende Punkt ist der, daß ich ein Gleichgewicht in meinem Leben haben will. Ich will *dich* in meinem Leben haben, Patsy.«

Pat war ganz still. Ich glaube, sie hatte einen Schock.

»Sie ist morgen abend wieder zu Hause«, sagte Albert verärgert. »Konnten Sie nicht bis dahin warten, um Ihr Anliegen vorzubringen?«

»Nicht, daß es Sie irgend etwas anginge, Mr....«

»Mullins. Albert Mullins. Ich habe Ihre *frühere* Frau am ersten Tag der Kreuzfahrt kennengelernt.«

»Nicht, daß es Sie irgend etwas anginge, Mr. Mullins, aber ich wußte, daß Nassau der letzte Anlegehafen dieser Kreuzfahrt war. Ich bin wohl nicht der beste Ehemann der Welt gewesen, als wir noch zusammen waren. Deshalb wollte ich Patsy zeigen, daß ich nicht der egoistische Arzt bin, von dem sie sich hat scheiden lassen. Die Frage ist nur: *Wie* sollte ich es ihr zeigen? Womit konnte ich ihr nicht nur meine Aufmerksamkeit beweisen, sondern auch die Seite von mir zeigen, die sie seit Jahren nicht mehr gesehen hat – die aufmerksame, romantische Seite.«

Pat entfuhr ein Seufzer, aber das war auch schon alles.

Er sah sie liebevoll an. »Wir haben doch immer davon gesprochen, nach Nassau zu fahren, weißt du noch, Patsy?«

Sie nickte.

Er fuhr fort. »Ich habe mir überlegt, dich hier auf der Insel zu überraschen. Was, wenn ich dich entführen und davon überzeugen könnte, es noch einmal mit mir zu versuchen?«

»Sie entführen?« sagte ich, immer noch um Pat besorgt.

Er ignorierte mich und hatte nur Augen für sie. »Ich habe ein Zimmer im Graycliff für uns reserviert, Patsy. Für die nächsten vier Tage. Du kannst auf dem Schiff sagen, daß du von hier aus zurückfliegst. Es wird idyllisch werden, nur wir beide, du und ich.«

Pat seufzte erneut und fuhr sich mit einem Papiertaschentuch über ihre schweißbedeckte Stirn.

»Was ist das Graycliff?« flüsterte ich Simon zu.

»Ein Hotel mit Restaurant aus dem achtzehnten Jahrhundert,

nicht weit von hier«, flüsterte er zurück. »Es ist berühmt für seine antik möblierten Zimmer und seinen 175 000-Flaschen-Weinkeller.«

»Es ist wirklich praktisch, einen Reisejournalisten dabeizuhaben«, sagte ich. »Das Graycliff ist dann wohl der ideale Ort für eine Versöhnung.«

Er nickte. »Falls Bill die Wahrheit sagt, hat er alles andere als einen Mord im Sinn.«

»Dr. Kovecky, Sie haben immer noch nicht erklärt, warum Sie auf einmal Ihre Meinung über Ihre Exfrau geändert haben«, schaltete Albert sich ein.

»Ich finde, ich habe mich klar genug ausgedrückt«, sagte Bill und richtete seine Antwort an Pat, nicht an Albert. »Ich habe mich geirrt. Ich war ein Idiot. Ich würde alles dafür geben, wenn du mir verzeihen würdest.«

Mein Gott, sogar *ich* wäre bereit gewesen, mit Bill durchzubrennen. Waren das nicht die Worte, die jede Frau, die je von einem Mann verletzt worden ist, hören möchte? Auf jeden Fall waren es die Worte, die Pat hören wollte, und trotzdem warf sie sich nicht in Bills Arme und sagte, daß alles verziehen sei. Vielmehr zögerte sie, legte den Kopf schief, musterte ihren früheren Ehemann und dachte über alles nach, was er gesagt hatte.

»Willst du nicht mit mir kommen, Patsy?« sagte er und streckte ihr eine Hand hin. »Komm mit mir ins Graycliff. Gib uns Zeit, um zu reden, um alles zu klären. Vier gemeinsame Tage. Überleg es dir.«

»Das brauche ich nicht«, sagte sie schließlich und rang mit den Tränen. »Ich habe die ganzen vergangenen sechs Jahre daran gedacht, wieder mit dir zusammenzusein.«

Jetzt war es an Bill, die Tränen zurückzudrängen. »Wirklich?« fragte er mit ausgebreiteten Armen.

Pat antwortete, indem sie in seine ausgebreiteten Arme fiel. Sie küßten sich hemmungslos, ohne sich von unseren neugierigen Blicken stören zu lassen. Und dann legte Bill seinen Kopf auf Pats weichen Busen.

Sie streichelte sein fahlblondes Haar oder vielmehr das, was noch davon übrig war, während ihr mittlerweile die Tränen über die Wangen rannen. »Natürlich habe ich daran gedacht, daß wir uns wieder versöhnen«, sagte sie. »Aber ich habe auch darüber nachgedacht, was ich in unserer Ehe hätte anders machen können. Ich habe vieles, was zwischen uns passiert ist, mitverschuldet, Bill.«

Er nickte, glücklich, sie in seinen Armen halten zu dürfen.

»Ich liebe dich, ich habe dich immer geliebt«, fuhr sie fort, »aber wir müssen vieles klären. Ich glaube nicht, daß einer von uns wirklich alles wieder so haben will, wie es war. Es müssen von beiden Seiten Änderungen kommen.«

»Ich weiß«, murmelte er und heulte plötzlich wie ein Baby. Mein Gott, heutzutage fingen die Männer in Null Komma nichts zu weinen an. »Aber wir können doch einen neuen Anfang machen, oder?«

»Wir machen einen neuen Anfang. Auf jeden Fall«, beschloß Pat. »Wir verbringen den Nachmittag zusammen. Im Graycliff. Aber wenn das Schiff um halb sechs ablegt, werde ich an Bord sein, Bill.«

Er machte sich von ihr los. »Du willst nicht vier Tage mit mir hierbleiben?« fragte er.

Sie schüttelte den Kopf. »Immer langsam voran«, meinte sie. »Ich will es so haben.«

Beinahe hätte ich Beifall geklatscht. Pat hatte tatsächlich die Worte »ich will« ausgesprochen. Sie hatte sich wirklich verändert. Sie war für sich selbst eingetreten, für ihre Bedürfnisse. Und sie hatte dabei ihren Mann wiederbekommen.

»Ich liebe dich, Patsy«, sagte Bill.

»Ich weiß«, sagte sie, ein Bild reinster Glückseligkeit.

Als sie Hand in Hand davongingen, hörte ich, wie er sie nach dem Stock und dem Humpeln und den verschorfenden Wunden am Kinn und Arm fragte.

»Wir sehen uns auf dem Schiff«, rief sie und winkte in unsere Richtung. »Laßt die *Princess Charming* bloß nicht ohne mich auslaufen.«

»Auf keinen Fall«, rief ich zurück und mußte mir selbst die

Tränen wegwischen. Ich war ganz überwältigt von Gefühlen. Zwei Gefühlen, genauer gesagt. Einerseits freute ich mich wahnsinnig für Pat. Andererseits hatte ich schreckliche Angst um Jackie und mich selbst. Wenn Pats Exmann sie nicht umbringen wollte, dann mußte es einer der unseren sein, der eine von uns umbringen wollte. Das war wirklich mal ein guter Witz über eine gute und eine schlechte Nachricht.

»Dann werde ich mich wohl mit den tanzenden Flamingos trösten«, sagte Albert schmollend.

»Es tut mir leid, daß es mit Ihnen und Pat nichts geworden ist«, sagte ich bedauernd.

»Jetzt wissen Sie, warum ich so viel Gefühl in Vögel investiere«, sagte er. »Die laufen nicht mit Männern davon, mit denen sie früher einmal verheiratet waren.«

»Ich kann Sie verstehen«, sagte ich. »Glauben Sie mir.«

»Darf ich Ihnen das hier wiedergeben?« fragte Simon und reichte Albert sein Schweizermesser.

Albert nickte.

»Nur noch eine Frage, bevor Sie gehen«, sagte Simon zu ihm. »Warum haben sie Ihre Telefone in New York und in Connecticut abgemeldet, obwohl Sie doch nur für eine Woche verreist sind?«

»Damit niemand bei mir einbricht«, erklärte Albert. »Andauernd wird bei Leuten eingebrochen, die in Urlaub sind. Aber nicht bei mir. Wenn ein Dieb eine meiner Nummern anruft, um in Erfahrung zu bringen, ob ich zu Hause bin oder nicht, hört er eine Bandansage, die ihm mitteilt, daß der Anschluß abgemeldet wurde. Infolgedessen nimmt er an, daß das Haus nicht bewohnt ist. Also gibt es auch weder Schmuck noch Fernsehgeräte zu stehlen.«

»Das ist brillant, Albert«, sagte ich. »Sehr einfallsreich. Danke für den Tip.«

»Keine Ursache«, sagte er und ließ Simon und mich allein zurück.

Wir aßen gemütlich im Shoal zu Mittag, bummelten durch die Läden und spazierten zur Queen's Staircase hinüber, Simon zufolge eine berühmte Nassauer Sehenswürdigkeit. Von Sklaven im achtzehnten Jahrhundert aus einem Muschelkalkfelsen herausgeschlagen, sollten die sechsundzwanzig Stufen eine Verbindung zwischen Nassaus Stadtzentrum und Fort Fincastle bilden, einer richtigen Festung, die wie der Bug eines Schiffes geformt war.

»Wenn wir die sechsundsechzig Stufen zum Fort hinaufsteigen und dann noch zweihundert oder so zum Wasserturm, haben wir einen phantastischen Blick auf New Providence Island«, meinte Simon.

»Du machst wohl Witze«, sagte ich, da mich schon allein die Vorstellung erschöpfte.

»Wir können aber auch den Aufzug nehmen«, sagte er. »Der Blick ist genauso phantastisch.«

Wir nahmen den Aufzug, der uns auf über sechzig Meter übers Meer und damit zum höchsten Punkt der Insel brachte.

»Wow. Das ist ja umwerfend«, sagte ich, als wir händchenhaltend nebeneinander dort oben standen und über das spektakulärste Tableau aus Blau-, Grün- und Violettönen blickten, das ich je gesehen hatte. »Ich habe das Gefühl, als stünde ich im wahrsten Sinne des Wortes über allem.«

Simon hob meine Hand an seine Lippen und küßte sie. »Ich auch«, sagte er. »Ich auch.«

Als wir auf dem Rückweg zum Schiff waren, trafen wir Jackie und Dr. Johansson auf dem Kai.

»Na so was, da sind ja Elaine und Sam«, sagte Jackie fröhlich. »Habt ihr euch gut amüsiert?«

»Zumindest war es interessant«, sagte ich. »Wir waren mit Pat und Albert unterwegs, und du kommst nie drauf, wer plötzlich aufgetaucht ist.«

»Alberts Mutter«, witzelte sie.

»Völlig daneben«, sagte ich.

»Wie wär's mit Alberts Exfrau?« versuchte sie es erneut.

»Schon viel besser«, meinte ich. »Pats Exmann.«

»Bill? Hier?« rief Jackie erstaunt.

»Mhm. Er ist hierhergekommen, um Pat zu überraschen«, erklärte ich. »Er möchte sich mit ihr versöhnen.«

»Sagenhaft. Sie hat ja immer gesagt, daß er zurückkommen würde«, sagte Jackie. »Sie muß im siebten Himmel sein.«

»Glücklicherweise ist sie dort nicht«, sagte ich.

»Was soll denn das heißen?« fragte Jackie.

»Vergiß es«, sagte ich. »Wichtig ist doch nur, daß Bill und Pat jetzt zusammen sind, in einem romantischen Hotel ganz in der Nähe. Er wollte eigentlich ein paar Tage dort mit ihr verbringen, aber sie hat ihm erklärt, sie wolle es langsam angehen lassen. Sie fährt mit uns auf dem Schiff nach Hause.« Ich sah auf die Uhr. Es war kurz vor fünf. Schon fast Zeit zum Ablegen. »Vielleicht ist sie sogar schon wieder in ihrer Kabine.«

Jackie schüttelte den Kopf. »Nicht zu fassen, daß Bill tatsächlich hierhergereist ist«, sagte sie nachdenklich. »Es geschehen doch noch Wunder.«

Ich warf Simon einen schwärmerischen Blick zu. »Allerdings«, bestätigte ich.

»Ich störe ja nur ungern, aber ich glaube, wir sollten dich in ein paar warme Kleider packen«, sagte Dr. Johansson und nickte Jackie zu, die in Shorts und T-Shirt dastand. »Schließlich bist du erst vor zwei Tagen aus der Klinik gekommen. Wir wollen doch unser Glück nicht überstrapazieren, ja?«

»Du bist der Boß, Doc«, meinte sie.

»Haben Sie den Strand unsicher gemacht?« fragte Simon. Sowohl Per als auch Jackie hatten Sand an den Beinen.

»Wir waren an dem Strand am Western Esplanade, gleich beim British Colonial Hotel«, sagte Per. »Ich hatte einen Picknickkorb dabei. Wir haben gegessen, sind spazierengegangen und hatten einen herrlichen Nachmittag.«

In diesem Moment ertönte die Schiffssirene der *Princess Charming*; in einer halben Stunde würden wir Nassau verlassen.

»Wieder eine Kreuzfahrt, die sich ihrem Ende zuneigt. Stimmt's, Per?« sagte Jackie und versuchte, unbekümmert zu klingen. Ich wußte es besser. Ihr Gesichtsausdruck sagte mir, daß sie nicht wollte, daß die Kreuzfahrt zu Ende ging; daß sie, nachdem sie den größten Teil ihres Urlaubs krank gewesen war, nun endlich anfing, sich zu amüsieren; und daß die Vorstellung, wieder mit Peter zusammenzuarbeiten, nicht besonders verlockend war.

»Ja, wieder eine Kreuzfahrt, die sich ihrem Ende zuneigt«, bestätigte Per. »Wenn wir aus diesem Hafen auslaufen, beginnt der letzte Teil unserer Reise. Morgen früh legen wir in Miami an, und dann fahren alle Passagiere wieder nach Hause.«

Vielleicht nicht *alle*, dachte ich grimmig.

25

Beim Abschiedsessen auf dem Schiff war elegante Kleidung vorgeschrieben. Jackie, Pat und ich trafen uns in Jackies Kabine, um uns gegenseitig in unserem Putz zu bewundern, bevor wir mit dem Aufzug zum Palace Dining Room hinunterfuhren. Pat sah absolut strahlend aus, da ihr Nachmittag mit Bill ein nachhaltiger Erfolg gewesen war. Sie erzählte uns zwar keine Einzelheiten, deutete aber an, daß sie einen Teil der Zeit damit verbracht hatten, ihre gemeinsame Zukunft zu besprechen.

»Und was war mit dem anderen Teil?« fragte Jackie und zwinkerte mir zu.

Pat wurde rot. »Da haben wir ... gekuschelt.«

»Gekuschelt.« Jackie nickte skeptisch. »Und habt ihr ›Safer Kuscheln‹ praktiziert?«

Pat erklärte Jackie, sie solle sich um ihre eigenen Angelegenheiten kümmern.

»Und was ist mit dir, Jackie?« fragte ich sie. »Wie war dein Tag mit Dr. Johansson?«

»Toll«, antwortete sie. »Es ist nur jammerschade, daß er so schnell vorbeigegangen ist. Pers ›Dienstzeit‹ oder wie immer das auch heißt, wenn man auf einem Schiff arbeitet, endet im Mai, und dann will er nach New York kommen. Er hat gesagt, er würde mich anrufen, aber bei Männern weiß man ja nie. Ihr ›Ich rufe dich an‹ ist ungefähr so zuverlässig wie ihr ›Ich zieh' ihn vorher raus‹.«

Ich lachte, da mir Jackies Derbheit ebenso gefiel wie die Tatsache, daß sie sich so viel besser fühlte, während ich hoffte, daß Peter nicht *ihre* Ermordung eingefädelt hatte. Es war sonderbar, nun, da es sich auf uns beide konzentriert hatte. Ich wollte nicht, daß sie starb, und ich wollte nicht, daß ich starb.

»Wißt ihr, was ich vor dem Essen gern tun würde?« sagte ich. »Ich würde uns gern vom Schiffsfotografen aufnehmen lassen – ein elegantes Porträt in unseren eleganten Kleidern.«

»O ja!« rief Pat begeistert. »Ich könnte mir meinen Abzug rahmen lassen. Das wäre ein herrliches Souvenir.«

Auch Jackie war mit dem Fotovorhaben einverstanden, und so machten wir uns auf den Weg nach unten ins Atrium. Als wir zum Aufzug kamen, wartete dort ausgerechnet Skip Jamison. Er trug einen dieser Smokings, in denen die Männer eher wie Pfarrer als wie Oberkellner aussehen.

»He, da ist ja Elaine«, sagte er, »und ihre zwei Busenfreundinnen.«

»Hi, Skip«, sagte ich. Er schüttelte mir heftig die Hand und, nachdem er Pat und Jackie vorgestellt worden war, auch ihnen. »Ich glaube, ich habe Sie seit San Juan nicht mehr gesehen. Wie ist es denn mit den Leuten von Crubanno Rum gelaufen?«

»Cool«, antwortete er. »Wir haben eine richtige Beziehung aufgebaut. Die Chemie hat voll gestimmt.«

»Das freut mich«, sagte ich. Dann kam der Aufzug. Eigentlich war er schon voll, aber wir quetschten uns trotzdem hinein.

»Ich kann gar nicht glauben, daß wir morgen früh aus dem Schiff raus sind«, sagte Skip kopfschüttelnd. »Es ist doch, als hätten wir Miami gerade erst verlassen, finden Sie nicht?«

»Nein«, sagte ich. »Es ist, als hätten wir Miami schon vor einem ganzen Leben verlassen.«

»Ja? Vor welchem Leben?«

Ich lachte. »Diesem hier«, sagte ich. »Ich glaube nicht an Reinkarnation.«

»Ich schon«, entgegnete Skip. »In einem vergangenen Leben war ich Croupier in einem Spielcasino.«

»Wie interessant«, sagte ich.

Skip verließ den Aufzug auf Deck 5, wo das Casino lag.

»Falls wir uns nicht mehr sehen, wünsche ich Ihnen ein cooles Leben«, sagte er und winkte.

»Gleichfalls«, sagte ich, winkte zurück und versuchte nachzuvollziehen, wie ich Skip je verdächtigt haben konnte, der Killer zu sein. Er war wirklich ein lässiger Typ. Viel zu lässig für Mord.

Auf der Atriumebene angekommen, stellten wir drei uns in die Schlange für den Fotografen.

»Wir waren wohl nicht die einzigen, die auf diese Idee gekommen sind«, sagte Jackie und betrachtete das halbe Dutzend Leute vor uns – alles Pärchen. »Schaut doch mal, wer jetzt gerade ›Cheese‹ sagt.«

Pat und ich schauten nach vorne, wo Henry und Ingrid engumschlungen für den Fotografen posierten.

»Es würde mich interessieren, ob sie sich wiedersehen, wenn die Kreuzfahrt vorüber ist«, sagte ich. »Sie kommt aus Schweden, er aus Altoona. Ganz schön weit zum Pendeln.«

»Und das viele Geld, das sie die Briefmarken für die Luftpostbriefe kosten werden«, fügte Pat hinzu.

»Heutzutage schreibt kein Mensch mehr Briefe, Pat«, sagte Jackie. »Man führt Ferngespräche. Ich wette, Henry hat Ingrid bereits für diesen Freunde- und Verwandtenrabatt eintragen lassen.«

Ich nickte und dachte dabei, wie dumm es von mir gewesen war, Henry Prichard zu verdächtigen. Er war in keiner Weise bedrohlicher als Skip. Er war nichts weiter als ein Chevyverkäufer aus Pennsylvania, der vermutlich, seit er Ingrid kennengelernt hatte, davon träumte, nach Schweden auszuwandern und Volvos zu verkaufen.

Als wir an der Reihe waren, erklommen wir die kleine Plattform, stellten uns nebeneinander, legten uns gegenseitig die Arme um die Taille und machten uns auf das Blitzlicht gefaßt.

»Moment mal«, sagte der Fotograf und ließ die Kamera sinken. Es war nicht der Australier, der uns am ersten Tag fotografiert hatte, sondern ein Amerikaner. »Ich muß es senkrecht machen. Die Große ruiniert sonst das Bild.« Er kam herüber und ordnete uns anders an, so daß ich nun zwischen meinen beiden Freun-dinnen in der Mitte stand. »So ist's gut«, meinte er, zufrieden mit unserer Gruppierung. »Lächeln, Mädels.«

Wir lächelten. Er machte die Aufnahme. Ich war froh. Egal, wen der Killer letztlich killen würde, nun gab es auf jeden Fall eine Erinnerung an die drei blonden Mäuse auf der *Princess Charming*, und zwar lebendig, gesund und aufgedonnert bis zum Gehtnichtmehr.

»Sie können Ihre Bilder morgen früh ab halb acht abholen«, erklärte der Fotograf.

»Vielen Dank«, sagte ich und gab ihm einen Dollar Trinkgeld.

Simon kam wie üblich zu spät zum Essen, aber ich reservierte ihm einen Platz an meiner rechten Seite. Pat setzte sich auf den Stuhl links von mir, und Jackie nahm links von Pat Platz, neben Kenneth.

»Wie geht es Ihnen«, fragte er und saugte dabei an seiner zum Lutscher umfunktionierten Zigarre, während Gayle ihr Sauerteigbrötchen mit Butter bestrich. Er sah auch heute wieder blendend aus in seinem Armani-Anzug, aber Gayle stahl sogar ihm noch die Schau. Ihr Kleid – ein weißseidener Sarong – war umwerfend; dazu trug sie einen Diamantanhänger vom Format eines kleinen Landes.

»Körperlich geht's mir gut«, sagte Jackie, »aber emotional fühle ich mich betrogen. Jetzt wäre ich endlich bereit, einen draufzumachen, aber nun sind wir schon fast wieder zu Hause.«

»Fast, aber nicht ganz«, entgegnete Kenneth. »Sie können den ganzen Abend noch einen draufmachen.« Er winkte Manfred, den Getränkekellner, herbei und sagte ihm etwas ins Ohr.

»Natürlich, Sir.« Manfred machte eine Verbeugung und verschwand.

Genau in diesem Moment tauchte Simon auf, der in seinem Smoking sehr lässig-elegant aussah. Ich fragte mich, ob mein

Herz wohl immer einen Satz machen würde, wenn er einen Raum betrat, oder ob die freudige Erregung, ihn zu sehen, sich mit der Zeit abnutzen würde, so wie es bei Paul McCartney der Fall gewesen war.

Er begrüßte alle und setzte sich.

»Alles okay?« flüsterte er und drückte mir unter dem Tisch die Hand.

»Bis jetzt schon«, flüsterte ich zurück.

Manfred kehrte mit einer Flasche Dom Perignon und einem Sektkelch zurück. Er plazierte das Glas vor Jackie, füllte es und stellte die Flasche in einen Eiskübel.

»Was soll das?« fragte sie Manfred. »Ich habe keinen Champagner bestellt.«

»Mit besten Empfehlungen von Mr. Cone«, erwiderte Manfred und verbeugte sich noch einmal.

»Sie haben doch gesagt, Sie wollten einen draufmachen«, sagte Kenneth erklärend zu Jackie. »Ich dachte, ich könnte Ihnen dabei unter die Arme greifen.«

Jackie schien von Kenneths großzügiger Geste völlig perplex zu sein. Wir alle waren perplex.

»Ich glaube, die Reichen sind wirklich anders«, flüsterte ich Simon zu. »Sie werfen mit Geld um sich, als wäre es nichts.«

»Es *ist* ja auch nichts. Eine Flasche Dom Perignon ist für Leute wie die Cones doch Kleinkram«, meinte Simon.

»Ich weiß gar nicht, wie ich Ihnen danken soll«, sagte Jackie zu Kenneth.

»Nicht nötig. Trinken Sie ihn einfach aus«, kicherte er. »D.P. ist zu teuer zum Wegschütten.«

»Sie meinen, diese ganze Flasche ist nur für mich?« sagte sie.

»So war es eigentlich gedacht«, antwortete er.

Jackie sah sich am Tisch um. »Möchte jemand mittrinken?« fragte sie. Keiner bejahte. Alle waren der Meinung, daß Jackie so ausgelassen wie möglich feiern sollte, nachdem sie so viel durchgemacht hatte. Sie zuckte mit den Achseln und hob ihr Glas. »Tja, dann auf euer Wohl, Leute.« Sie trank ihren ersten Schluck Champagner und grinste, während sie sich den Geschmack der perlenden Flüssigkeit auf der Zunge zergehen ließ. Dann nahm sie noch einen Schluck. Und noch einen. Kenneth füllte ihr Glas wieder auf, während sie begann, angeregt von ihrem Tag mit Per Johansson in Nassau zu plaudern.

Ich wandte mich an Dorothy, die rechts von Simon saß. »Wie geht es Ihnen heute abend, Dorothy?« fragte ich. Sie und Lloyd trugen Partyhüte aus Papier. Sie sahen schwer nach Silvester aus.

»Ein bißchen traurig«, vertraute sie mir an. »Lloyd und ich haben die Kreuzfahrt wirklich genossen. In unserem Alter könnte es die letzte Reise gewesen sein.«

Das konnte ich nachvollziehen. »Was war denn für Sie der Höhepunkt der Reise?« fragte ich Dorothy. »Die Isle de Swan? Puerto Rico? Einer der Vorträge?«

Sie schüttelte den Kopf. »Der Höhepunkt war einfach, sieben Tage lang mit Lloyd allein zu sein«, sagte sie. »Zu Hause gibt es andauernd Ablenkungen. Die Kinder. Die Enkel. Die Arzttermine. Das Einkaufen. Aber als wir das Schiff betreten hatten, versank das alles im Hintergrund. Eine ganze Woche lang gab es nichts als Sex, Sex und noch mal Sex.«

»Was hast du gesagt, Dorothy?« fragte Lloyd.

»Ich habe gesagt, daß diese Kreuzfahrt noch besser ist als *Love Boat*«, erklärte sie ihrem Gatten.

Er tätschelte ihre Hand. Sie beugte sich über Simon hinweg und sagte ausgesprochen anzüglich zu mir: »Wenn es stimmt, dann stimmt es eben.«

Ich lächelte, da ich annahm, daß sie von ihrem Liebesleben sprach.

»Sie haben mich nicht verstanden, Elaine.« Sie nickte zu den beiden anderen Ehefrauen am Tisch hinüber. Brianna wechselte kaum ein Wort mit Rick, und Gayle langweilte sich dermaßen, daß sie Fusseln vom Tischtuch zupfte. »Ich spreche von Ihnen«, sagte sie. »Von Ihren Gefühlen für Sam. Wenn es stimmt, dann stimmt es eben.« Sie zwinkerte mir zu. »Ich habe doch gesehen, wie es um Sie beide steht, das ständige Händchenhalten unterm Tisch. Ich bin zwar alt, aber nicht verblödet.«

»Was hast du gesagt, Dorothy?« fragte Lloyd.

»Das erzähle ich dir später, Schatz«, sagte sie, da gerade Ismet an den Tisch kam, um sich nach unseren Wünschen zu erkundigen.

»Heute ist internationaler Abend im Palace Dining Room«, sagte Ismet. »Ich empfehle Ihnen das Wiener Schnitzel.«

»Ausgeschlossen«, protestierte Rick. »Ich habe mich doch nicht germaßen in Schale geworfen, um Hot Dogs zu essen.«

»Wiener Schnitzel ist paniertes Kalbfleisch, Rick«, schäumte Brianna.

»Warum hat das Ishmael dann nicht gesagt, hä?« fauchte ihr erst vor einer Woche angetrauter Ehemann.

»Rick?« sagte Brianna.

»Ja?« sagte er.

»Halt die Klappe«, sagte sie und bat Ismet, ihr das Schnitzel zu bringen.

Während Rick schmollte, gaben wir anderen unsere Bestellungen auf. Als Ismet gegangen war, ließ Pat ein »Erinnerungsbuch« herumgehen, das sie im Geschenkeladen des Schiffs gekauft hatte. Es war ein kleines, steif gebundenes Buch mit dem Logo der *Princess Charming* und dem Datum unserer Kreuzfahrt auf dem Einband.

»Ich fände es sehr nett, wenn Sie alle Ihre Adresse und Telefonnummer in mein kleines Erinnerungsbuch schreiben würden«, sagte sie. »Ich fände es reizend, wenn wir uns in den nächsten Jahren gegenseitig Weihnachtskarten schicken würden.«

»He, Pat. Hoffentlich fällt mir der Trick mit dem Erinnerungsbuch ein, wenn ich das nächste Mal Adresse und Telefonnummer von einem Mann haben will«, sagte Jackie leicht nuschelnd, ihr Gesicht vom Champagner bereits gerötet.

Sie wird bald betrunken sein, dachte ich, als ich mir die Flasche Dom Perignon ansah. Sie war halb leer, und wir hatten noch nicht einmal unsere Vorspeisen bekommen. Offenbar hatte Kenneth ihr regelmäßig nachgeschenkt.

»Kenneth, wären Sie oder Gayle so nett, Ihre Adresse und Telefonnummer in mein Buch einzutragen und es dann weiterzugeben?« fragte Pat und reichte ihm das Buch.

Er beugte sich zu Gayle. »Liebling? Möchtest du die Honneurs machen?«

»Nein, Kenneth. Mach du es«, sagte sie und bemühte sich nicht einmal, ein Gähnen zu unterdrücken. »Du hast die schönere Handschrift.«

Kenneth nahm sich ein paar Minuten Zeit, um etwas in Pats Buch zu kritzeln, reichte es an Brianna weiter, die auch etwas hineinkritzelte und es an Dorothy weiterreichte, die ihrerseits etwas hineinkritzelte und es an Simon weiterreichte, der eine erfundene Adresse und Telefonnummer in Albany hineinkritzelte.

Ismet brachte unser Essen, Jackie trank noch ein paar Gläser Champagner, und Simon und ich sahen immer wieder auf die Uhr und fragten uns, wann – und bei wem – der Killer zuschlagen würde. Mittlerweile waren wir zappelig, übernervös. Wir rührten unsere Wiener Schnitzel kaum an.

Irgendwann kam es zu einer lautstarken Auseinandersetzung an einem der Nachbartische, und wir reckten die Hälse, um zu sehen, was los war.

»Schau mal. Es ist Lenny Lubin«, sagte ich und stieß Simon dabei an. »Er ist dermaßen betrunken, daß er wahrscheinlich nicht einmal weiß, daß er versucht hat, der Frau neben ihm den Reißverschluß aufzuziehen.«

»Und vermutlich spürt er auch die Ohrfeige nicht, die sie ihm gerade verpaßt hat«, meinte Simon.

Der Oberkellner war bereits an ihrem Tisch, um Lenny zur Rede zu stellen. Es folgte ein erhitzter Wortwechsel, der damit endete, daß der Oberkellner Lenny aufforderte, in seine Kabine zu gehen und seinen Rausch auszuschlafen. »Wenn Sie später noch Hunger haben, gibt es ja das Mitternachtsbüffet«, tröstete er ihn. Lenny stand schwankend vom Tisch auf, stolperte an uns vorbei und verließ den Raum.

Und *ihn* habe ich verdächtigt, der Killer zu sein, dachte ich und wunderte mich, wie weit ich danebengetippt hatte. Mr. Lube Job war viel zu sehr damit beschäftigt, Frauen anzubaggern, um eine von ihnen umzubringen.

Nach Lennys Abgang normalisierte sich die Stimmung wieder. Ich sagte zu Simon: »Bevor Ismet mit dem Dessertwagen kommt, gehe ich mal kurz zur Toilette.«

»Ich begleite dich«, sagte er und erhob sich unverzüglich.

»Normalerweise sind aber auf der Damentoilette keine Männer erlaubt«, wandte ich ein.

»Ich warte draußen«, beharrte er. »Du gehst nirgends mehr allein hin.«

»Ich brauche nur eine Minute«, versicherte ich ihm, bevor ich die Tür zur Damentoilette aufmachte und feststellte, daß dort die übliche Schlange war. Ich überlegte, ob ich wieder gehen und es später noch einmal versuchen sollte, aber der Ruf der Natur war stärker, und so blieb ich stehen, bis eine Kabine frei wurde. Simon hatte an die zehn Minuten warten müssen, bis ich endlich wieder herauskam.

»Woran liegt es nur, daß Männer in Null Komma nichts in öffentlichen Toiletten verschwinden und wieder herauskommen können, während Frauen immer Stunden dazu brauchen?« fragte ich.

»Das ist eine der großen ungeklärten Fragen des Lebens«, befand Simon und küßte mich auf den Mund, überraschend leidenschaftlich.

»Mmmm«, sagte ich. »Könntest du das vielleicht noch einmal machen? Dann bin ich besser drauf vorbereitet.«

Er kam meinem Wunsch nach.

»Ich möchte, daß du etwas weißt«, sagte er, als wir uns voneinander lösten. »Für den Fall, daß irgend etwas passiert, meine ich.«

»Ja?« sagte ich eifrig, da ich hoffte, daß Simon die drei magischen Worte aussprechen würde.

»Ich möchte, daß du weißt, daß ich... daß ich dir dankbar bin, Slim.«

»Dankbar?«

Er nickte. »Es klingt so abgedroschen, aber du hast mich ins Leben zurückgeholt. Mir war alles gleichgültig, bevor ich dich kennengelernt habe. Jetzt ist jeder Tag ein Abenteuer.«

»Simon, es freut mich, wenn ich dir geholfen habe. Ganz ehrlich«, sagte ich. »Aber der Versuch, auf einem Kreuzfahrtschiff einen Mord zu verhindern, *ist* ein Abenteuer. Es ist durchaus möglich, daß nicht *ich* dich ins Leben zurückgeholt habe, sondern die Dramatik der Situation.«

Er schüttelte den Kopf. »Du unterschätzt, wie außergewöhnlich du bist«, sagte er. »*Du* machst aus jedem Tag ein Abenteuer. Ich liebe es, mit dir zusammenzusein.«

»Wirklich?«

»Ja.«

Mann, Liebe war Liebe. Simon hatte zwar nicht direkt gesagt, daß er *mich* liebte, aber ich wollte ja nicht haarspalterisch sein.

»Wir gehen lieber wieder zurück zu den anderen«, schlug ich vor. »Falls heute mein letzter Abend auf dieser Welt ist, möchte ich nicht den Nachtisch verpassen.«

Wir kehrten in den Speisesaal zurück und setzten uns wieder an Tisch 186. Sofort fielen mir zwei Dinge auf: daß Ismet noch nicht mit dem Dessertwagen dagewesen war und Jackie und Kenneth nicht auf ihren Plätzen saßen.

»Wo ist Jackie?« fragte ich Pat.

»Sie hat gesagt, sie sei ein bißchen beschwipst und müsse etwas frische Luft schnappen«, erklärte Pat. »Sie ist aufs Promenadendeck gegangen.«

»Ganz allein?« fragte ich, wobei ich merkte, daß mein Herz raste und mein Mund trocken wurde.

»Elaine.« Pat lächelte nachsichtig. »Mit Jackie ist alles in Ordnung. So beschwipst war sie nun auch wieder nicht. Und außerdem ist sie *nicht* allein dort oben. Kenneth ist mitgegangen.«

»Ach so«, sagte ich und entspannte mich etwas. Kenneth war zwar kein Kleiderschrank wie Rick oder ein langer Lulatsch wie Simon, aber er konnte notfalls einen Killer abwehren. Mit ihm wäre Jackie doch sicher, oder nicht?

»Mein armer, entrechteter Ehemann wollte unbedingt an Deck gehen und diese Zigarre rauchen, an der er andauernd kaut«, sagte Gayle und rollte mit den Augen, während sie an ihrem Anhänger herumspielte. »Er hat allerdings gesagt, er würde nicht lange bleiben. Er hat mich gebeten, ihm ein Obsttörtchen zu bestellen, wenn oder *falls* Ismet jemals mit seinem Dessertwagen auftaucht.« Sie runzelte die Stirn. »Das Personal läßt wirklich einiges zu wünschen übrig.«

Gayles Bemerkung führte zu einer lebhaften Debatte über die Qualität von Ismets Diensten sowie darüber, wieviel Trinkgeld ihm jeder geben sollte. Ich hörte zu, saß aber stocksteif auf meinem Stuhl und hielt Simons Hand umklammert, während ich nervös auf Jackies Rückkehr wartete.

»Elaine? Sam?« sagte Pat in einer Gesprächspause. »Wollt ihr euch nicht mein Erinnerungsbuch ansehen, solange wir warten, daß Ismet die Desserts bringt? Alle am Tisch haben sich eingetragen.«

»Vielen Dank, Pat, wir sehen es uns lieber später an«, lehnte ich ab.

Sie ließ sich nicht beirren. »Schau dir wenigstens mal die Seite an, wo Kenneth ihre Adresse eingetragen hat«, beharrte sie. »Was für ein Könner! Er hat einen ganz normalen Kugelschreiber genommen und ein Kunstwerk geschaffen! Einfach dadurch, wie er die Buchstaben geformt hat. Er ist genauso begabt wie diese Choreographen, die Hochzeitseinladungen gestalten.«

»Kalligraphen«, korrigierte ich sie.

Sie kicherte. »Kalligraphen.«

Kalligraphen. Das Wort hing unheilschwanger im Raum, wie ein auf einer Orgel gespielter Mollakkord. Ich hegte keinerlei Zweifel daran, daß es eine besondere Bedeutung hatte – eine düstere Bedeutung. Ich wußte, daß ich das Wort kürzlich verwendet hatte. Und zwar in Zusammenhang mit dem Killer. Wenn ich mich nur erinnern könnte, wo oder wann.

Doch dann dämmerte es mir. Und Simon auch.

»Lassen Sie mal sehen«, sagte er gepreßt.

Er legte das Buch zwischen uns auf den Tisch und schlug die erste Seite auf. Kenneths Seite.

Gayle und Kennth Cone
Seven Thistleberry Drive
Short Hills, New Jersey 07078

Simon und ich sahen uns entsetzt an. Man brauchte kein Graphologe zu sein, um zu erkennen, daß die großen S in Seven und Short, die in unverwechselbaren kleinen Schnörkeln ausliefen, haargenau so aussahen wie die verschnörkelten S, die uns schon in dem Kinderlied aufgefallen waren – dem Kinderlied, das unter *Jackies* Kabinentür durchgeschoben worden war.

»Mein Gott. Hoffentlich kommen wir nicht zu spät«, sagte Simon, schoß von seinem Stuhl auf und raste aus dem Speisesaal.

»Warte auf mich!« brüllte ich und rannte ihm hinterher.

»Wo gehen Sie denn jetzt hin?« rief Gayle uns nach. »Ismet war doch noch nicht mit dem Dessertwagen da!«

26

»Zur Treppe«, sagte Simon, als er sah, daß eine Reihe Leute auf den Aufzug wartete.

Ich nickte, obwohl der Aufstieg über vier Etagen zum Promenadendeck in meinen Ferragamo-Sandalen ein größeres Unterfangen werden würde. Ich zog sie aus.

»Was glaubst du, was er Jackie antun wird?« fragte ich, während wir durch die Flure rannten.

Simon gab keine Antwort.

»Warum wird jemand wie Kenneth Cone zum Killer?« fragte ich.

Immer noch keine Antwort.

»Glaubst du, daß Gayle mit ihm unter einer Decke steckt?« versuchte ich es noch einmal.

»Slim, laß uns das verdammte Treppenhaus finden und uns dann den Kopf über alles Weitere zerbrechen, okay?«

»Klar.«

Wir rannten und rannten und rannten und suchten dabei verzweifelt nach einer Tür mit der Aufschrift AUSGANG, während wir uns bemühten, nicht all die alten Leute in ihren Gehapparaten umzustoßen.

Endlich fanden wir die Treppe und rasten hinauf, wobei wir jeweils mehrere Stufen auf einmal nahmen.

Deck 2. Deck 3. Deck 4. Deck 5. Vergessen Sie den ganzen Blödsinn mit dem StairMaster. Versuchen Sie, vier Stockwerke im Galopp zu erklimmen, wenn Sie ein richtiges Fitneßtraining wollen.

Als wir auf Deck 6 anlangten, schwitzten Simon und ich aus allen Poren.

»Glaubst du, sie sind noch hier oben?« fragte ich, als wir durch die Doppeltür aufs Promenadendeck rasten.

»Ich weiß es nicht«, keuchte Simon außer Atem, »aber das werden wir gleich erfahren.«

Es war kaum jemand auf dem Promenadendeck, da die Halb-Sieben-Uhr-Schicht noch im Speisesaal saß und die Halb-Neun-Uhr-Schicht darauf wartete, daß sie hineinkonnte.

»Wo können sie wohl sein?« sagte ich, nachdem wir den Bug des Schiffes umrundet und keine Spur von Kenneth oder Jackie entdeckt hatten.

»Es ist ein großes Schiff«, meinte Simon. »Sie könnten auch ganz hinten sein, am Heck.«

Am Heck, genau. Ein eisiger Schauer durchlief mich, als ich an diesen engen, schmalen Winkel auf dem Schiff dachte, in dem Simon und ich uns zum ersten Mal geküßt hatten. Die Stelle war schwach beleuchtet und lag direkt über dem brodelnden, schäumenden Kielwasser, das die Schreie einer Frau überdecken würde.

Wir rannten weiter, immer weiter, auf der Suche nach meiner Freundin und ihrem Mörder. Die Strecke schien endlos, unser Vorhaben vergeblich – bis wir endlich am Heck anlangten und die beiden sahen.

Jackie lag in Kenneths Armen und sollte gerade über die Mahagonireling geworfen werden. Ihre Silhouette hätte an die einer Braut erinnert, die über die Schwelle getragen wird, wenn sie sich nicht so verzweifelt gewehrt hätte.

»Finger weg von ihr, Kenneth!« schrie Simon.

Kenneth wirbelte herum, um zu sehen, wer ihm auf die Schliche gekommen war. Er wirkte verblüfft, durcheinander und unsicher.

»Lassen Sie sie los, Kenneth!« flehte ich ihn an. »Sie müssen Sie nicht umbringen. Egal, wieviel Peter Ihnen zahlt, wir verdoppeln die Summe!« Was für ein perverses Spiel.

»Peter zahlt ihm überhaupt nichts«, rief Jackie uns zu. »Peter hat ihn dazu *erpreßt*, mich umzubringen.«

Ich hatte also mit meiner Vermutung recht gehabt, daß der Killer gezwungen worden war, den Auftrag anzunehmen.

»Keinen Schritt weiter!« warnte uns Kenneth und hielt Jackie näher an die Reling, offenkundig bereit, sie über Bord zu werfen, wenn wir das Falsche taten oder sagten. »Ich bringe sie um. Ich schwöre, ich bringe sie um.«

Nun begriff ich, warum er beim Abendessen die Flasche Champagner für sie bestellt hatte, warum er versucht hatte, sie betrunken zu machen: damit sie weniger Widerstand leistete.

Doch sie *leistete* heftigen Widerstand, trotz des Dom Perignon und ihrer erst vor kurzem überwundenen Krankheit.

»Wir müssen etwas tun!« sagte ich zu Simon. »Wir müssen sie da rausholen!«

»Ich habe einen Plan«, sagte er mit gedämpfter Stimme. »Du hältst Kenneth am Reden, lenkst ihn ab. Ich übernehme alles Weitere.« Mit diesen Worten bewegte er sich rückwärts von mir weg, langsam und verstohlen. Als ich ihn fragen wollte, was er vorhabe, legte er einen Finger auf seine Lippen.

»Kenneth«, begann ich und versuchte, eine zwanglose Unterhaltung mit dem Mann anzufangen, der das Leben meiner Freundin im wahrsten Sinne des Wortes in seinen Händen hielt. »Vielleicht gibt es ja eine Möglichkeit, Peter loszuwerden, *ohne* daß Sie Jackie umbringen. Sie könnten ihn zum Beispiel anrufen und ihm sagen, daß der Auftrag erledigt sei. Wenn das Schiff dann in Miami anlegt, könnte Jackie verschwinden und sich in Neufundland oder einem ähnlich abgelegenen Ort niederlassen. Peter würde nie davon erfahren.«

Kenneth schüttelte den Kopf. »Vergessen Sie's. Ich werde Peter nicht anrufen.«

»Okay. Dann könnte Simon ihn anrufen und sich als Sie ausgeben«, schlug ich vor.

»Wer ist Simon?« fragte Jackie und unterbrach für einen Moment ihre Attacken gegen Kenneth.

»Das ist eine lange Geschichte«, antwortete ich. »Ich erzähle sie dir in unserem nächsten Urlaub.«

»Halten Sie die Klappe. Alle beide«, verlangte Kenneth und besann sich wieder auf sein eigentliches Vorhaben.

»Kenneth«, sagte ich in meinem beruhigendsten Tonfall. »Sie sind Börsenmakler, haben eine Frau, drei Shih-Tzus und ein 550-Quadratmeter-Haus, das gerade renoviert wird. Sie müssen sich doch nicht mit so einem Scheiß befassen. Wirklich nicht.«

»Sie wissen nichts über mich«, hielt er mir entgegen.

»Nur das, was Sie mir erzählt haben«, sagte ich. »Gibt es noch mehr?«

Er lächelte wehmütig. »Das ist nicht wichtig«, sagte er. »Es gibt einen Moment, in dem es nicht mehr wichtig ist.«

»Aber *Sie* sind wichtig«, schmeichelte ich ihm. »Wer nicht wichtig ist, ist Peter Gault. Offenbar hat er etwas gegen Sie in der Hand, aber wenn Sie sich selbst stellen, wird Ihnen die Polizei bestimmt Immunität gewähren oder wie auch immer das heißt, was sie einem gewähren, und Peter wird derjenige sein, der hinter Schloß und Riegel kommt. Dieser Drecksack.«

»Da hast du allerdings recht«, stimmte Jackie mir zu, »nur daß ich nie wußte, was für ein *Riesen*drecksack er ist.«

»Sagen Sie, Kenneth«, säuselte ich weiter, in der Hoffnung, ihn zu einem Geständnis zu bewegen. »Wo haben Sie Peter eigentlich kennengelernt, und wie hat er Sie dazu gebracht, einen Mord zu begehen?«

Kenneth biß nicht an, aber Jackie meldete sich zu Wort.

»Das kann ich dir sagen«, sagte sie. »Kenneth hat mir die ganze Geschichte erzählt, bevor er verkündet hat, daß er mich umbringen will.«

»Schieß los«, sagte ich rasch, da ich unbedingt alles hören wollte, bevor Kenneth die Nerven verlor und Jackie über Bord warf.

»Sie wurden von einem Freund von Trish miteinander bekannt gemacht – wer hätte das gedacht«, sagte sie, »nachdem Peter zu dem Schluß gekommen war, daß er einen ›Finanzberater‹ bräuchte.« Ihr Tonfall war spöttisch.

»Ich war Peter ein hervorragender Finanzberater«, sagte Kenneth rechtfertigend. »Ich habe ihn mit erstklassigen Wertpapieren, Schatzwechseln und einer hübschen Mischung aus Aktien versorgt. Ich habe ihm eine Menge Geld eingebracht, aber das war ihm nicht genug. Diesem Knaben ist nichts genug.«

»Wie wahr«, sagte Jackie, die aus Erfahrung sprach. »Um auf den Mordauftrag zu kommen, Elaine: Peter hat eines Tages mit der Post einen Auszug von Kenneths Firma bekommen – einen Auszug mit einem anderen Namen und einer anderen Kontonummer. Die meisten Leute hätten das als Irrtum der Buchhaltung abgetan, aber nicht Peter. Und warum? Weil der Mann, dessen Auszug er versehentlich bekommen hatte, mehr Gewinn machte als Peter. Wesentlich mehr. Peter war stocksauer, und deswegen hat er Nachforschungen angestellt. Und rate mal, was er in Erfahrung gebracht hat: Den Mann gab es gar nicht.«

»Gab es nicht?« wiederholte ich.

»Es war ein Konto, das auf einen erfundenen Namen lief«, erklärte Jackie. »Es war zur Tarnung eröffnet worden – um Geld aus Kenneths *anderen* Geschäften zu waschen.«

»Was für andere Geschäfte?« fragte ich und überlegte angesichts von Gayles Kollektion, ob Kenneth vielleicht nebenbei im Juwelengeschäft tätig war.

»Kenneth ist der Kopf und Geldgeber von New Yorks lukrativsten Prostitutionsringen«, sagte Jackie.

»Hostessenagenturen«, verbesserte Kenneth.

Prostitutionsringe? Hostessenagenturen? Kenneth Cone? Ich war sprachlos.

»Bordelle«, sagte Jackie für den Fall, daß ich noch eine andere Bezeichnung brauchte.

»Ich verstehe«, sagte ich erstaunt. Ich hatte natürlich schon von solchen Dingen gelesen – scheinbar ehrenwerte, anständige Leute, die in illegale und ziemlich anrüchige Geschäfte verwickelt waren. Kongreßabgeordnete etwa. Oder Typen aus dem Showbusineß. Und nicht zu vergessen die Mayflower Madam. Solche Geschäfte scheinen in der Natur des Menschen zu liegen. Trotzdem irritierte es mich jedesmal wieder. Ich meine, Kenneth Cone hatte doch alles – Geld, eine erfolgreiche Tätigkeit als Anlageberater, eine attraktive, wenn auch hoffnungslos oberflächliche Frau –, und trotzdem mußte er das alles aufs Spiel setzen, um sich nebenbei als Zuhälter zu betätigen. Er mußte einfach. Als ob das Leben nicht schon genug Risiken bärge.

»Peter hat also gesagt, er würde Sie verpfeifen, wenn Sie nicht tun, was er verlangt?« fragte ich Kenneth, bemüht, das Gespräch weiterzuführen.

»Was würden *Sie* denn tun?« sagte Kenneth. »Peter hatte mich in der Hand. Er hat damit gedroht, es Gayle *und* der Polizei zu verraten, wenn ich Jackie nicht umbringe.«

Ich fragte mich, was Kenneth wohl mehr fürchtete: daß Gayle von seinen skandalösen Aktivitäten erfuhr und sich von ihm scheiden ließ oder daß die Polizei ihn hinter Schloß und Riegel bringen und den Schlüssel wegwerfen würde.

»Er will das Gartencenter für sich allein haben«, sagte Jackie nachdenklich. »Was für ein Psychopath.« Sie streckte Kenneth die Zunge heraus. »Was für Psychopathen.«

Ich überlegte mir gerade, was ich als nächstes sagen sollte, als ich ein lautes Rauschen hinter mir hörte, und im nächsten Moment hatte mir ein reißender Sturzbach auch schon die Füße weggezogen. Simon hatte ein Ventil aufgedreht, das eigentlich für den Fall eines Feuers an einen dicken Schlauch angeschlossen hätte sein sollen. Es war ein wunderbarer Einfall, da der wäßrige Anschlag nicht nur mich umwarf, sondern auch Kenneth, der dabei Jackie fallen ließ. Nun lagen wir alle vier auf dem Boden, und um uns herum rauschte das Wasser, während wir versuchten, wieder aufzustehen.

»Glauben Sie bloß nicht, Sie kommen ungeschoren davon!« rief Simon Kenneth zu, der sich kurz aufrappelte, dann wieder lag und erneut aufstand. »Sie sitzen auf diesem Schiff fest, Freundchen. Es gibt keinen Ort, an dem Sie sich verstecken könnten.«

Kenneth war nicht davon überzeugt. Er schlurfte spritzend auf die Tür zu, die ins Innere der *Princess Charming* führte.

»Ich gehe ihm nach!« schrie Simon. Er stand eindeutig unter einer Überdosis Testosteron.

»Nein, jedenfalls nicht ohne mich!« rief ich und kämpfte mich aus dem Wasser hoch, Haare und Kleider eine triefende Masse. Ich sah zu Jackie hinüber, die immer noch auf dem Rücken im Wasser lag.

»Sam hat mir das Leben gerettet!« rief sie, als ihr endlich das Ausmaß des Geschehenen klar wurde. »Das hat er wirklich!«

Ich watete zu ihr hinüber. »Gott sei Dank fehlt dir nichts«, sagte ich. »Wir wußten nicht, ob wir dich noch rechtzeitig finden würden.«

Sie sah mich mit schiefgelegtem Kopf an. »Ihr beiden habt *gewußt*, daß Kenneth versuchen würde, mich umzubringen?«

»Hör mal Jackie«, sagte ich. »Dir geht's doch gut, oder?«

»Klar.«

»Ich muß also nicht bei dir bleiben?«

»Nein.«

»Gut. Ich erzähle dir alles später. Jetzt muß ich erstmal Simon helfen.«

»Wer ist denn dieser Simon, von dem du die ganze Zeit redest?«

»Später.«

Kenneth und Simon hatten einen ganz ordentlichen Vorsprung, doch ich sah sie gerade noch, als sie auf die Türen zuspurteten, und rannte so schnell ich konnte, um sie wenigstens nicht aus den Augen zu verlieren. Meine Oberschenkelmuskeln schmerzten bereits von den vielen Stufen, die ich erklommen hatte, und an meinem rechten großen Zeh prangte eine riesige, schmerzhafte Blase, aber es ist erstaunlich, was man alles hinnimmt, um den Mann zu retten, den man liebt.

Rasch wurde mir klar, daß Kenneth versuchte, uns durch einen Zickzackkurs abzuschütteln – einen anstrengenden Marathon, der immer anstrengender wurde, weil es mittlerweile halb neun war und die Leute von der Halb-Sieben-Uhr-Schicht aus dem Speisesaal strömten, auf dem Schiff herumspazierten und die Flure zu Hindernisbahnen machten.

Zuerst raste Kenneth in die Bar, wo gerade das Jackpot-Bingo begann. Hunderte von Passagieren saßen auf roten Samtsesseln, gespannt darauf, ob *ihre* Nummer aufgerufen werden würde – die Nummer, die sie zum Gewinner von zehntausend Mäusen machen würde.

»Haltet diesen Mann auf!« rief Simon, während er Kenneth über die Bühne verfolgte.

Kein Mensch rührte sich, um Kenneth aufzuhalten oder Simon zu helfen, aber mehrere Leute beschwerten sich lautstark über die Störung.

Kenneth' nächster irrwitziger Haken führte durch eine der anderen Bars, diesmal jene, in der Ginger Smith Baldwins letzte Zeichenstunde stattfand. Um einen Tisch mit einer großen Schale voller Obst herum versammelt, versuchte ein halbes Dutzend Eleven ein »Stilleben« zu malen, unter ihnen Gayle Cone.

»Kenneth! Was ist denn mit dir passiert?« fragte sie, als ihr Ehemann in seinen nassen Kleidern durch den Raum preschte.

Schon hatte er den Raum wieder verlassen und steuerte als nächstes den Versammlungsraum an, wo der Reiseleiter der Kreuzfahrt gerade einen Vortrag über die Prozedur des Ausschiffens halten wollte.

»Wie Sie alle wissen, werden Sie morgen früh in Miami das Schiff verlassen«, sagte der Reiseleiter. »Deshalb geht es in meinem Vortrag um den Umgang mit dem Gepäck, Zollvorschriften, Flüge und Umsteigemöglichkeiten und natürlich die Trinkgelder für unsere Mitarbeiter.«

»Halten Sie diesen Mann auf!« rief Simon, als wir drei durch den Raum trampelten.

»Weshalb?« fragte der Reiseleiter.

»Damit er keinen mehr umbringen kann«, sagte ich und schnappte keuchend nach Luft.

Der Reiseleiter lachte. »Das ist wirklich ein guter Gag«, sagte er, »aber Sie sind im falschen Raum. Der Komikerabend findet den Flur hinunter und dann links statt.«

Komiker, meine Fresse. Mir war eher zum Heulen.

Kenneth war bereits durch die nächstgelegene Tür mit der Aufschrift AUSGANG gestürmt. Ich seufzte und ließ mir ein paar Sekunden Zeit, um mir die steifen Stellen an Beinen und Füßen zu massieren, bevor ich ihnen die Treppe hinauffolgte.

Deck 6. Deck 7. Deck 8.

Herrgott noch mal, sagte ich mir im stillen, Kenneth steigt bis ganz nach oben.

Deck 9. Deck 10. Deck 11.

Das Deck lag dunkel und verlassen vor uns, von dem Liegestuhl mal abgesehen, auf dem ein Mann und eine Frau es miteinander trieben. Als sie uns kommen hörten, versteckten sie sich unter den Handtüchern.

»Du liebe Güte! Mit Ihnen hätte ich hier oben nie gerechnet!« sagte die Frau und spähte unter ihrem Handtuch hevor.

»WAS HAST DU GESAGT, DOROTHY?« fragte ihr Begleiter.

Es ist nicht zu fassen, dachte ich.

Simon ignorierte die Thayers. »Sie können nirgends hin, Kenneth!« brüllte er keuchend. »Endstation!«

Kenneth wandte sich um, um die Lage einzuschätzen, und stolperte dabei ein bißchen. Diese kurze Verzögerung war alles, was Simon brauchte, um ihn endlich einzuholen. Er ging direkt neben einem der Schwimmbecken auf Kenneth los. Sie fingen an, aufeinander einzuschlagen wie zwei Betrunkene bei einer Kneipenschlägerei, und ich konnte nichs anderes tun als entsetzt zusehen. Ich fühlte mich ebenso schwach und hilflos, wie Simon sich an dem Tag gefühlt haben mußte, als Jillian während des Sturms über Bord ging. Ich mußte etwas tun, mußte eingreifen.

»Dorothy! Suchen Sie ein Telefon und rufen Sie den Wachdienst!« brüllte ich so laut, daß sogar Lloyd mich verstehen konnte. Mit etwas Glück würde eine Handvoll bewaffneter kräftig gebauter Männer auf der Bildfläche erscheinen, bevor es zu spät war.

»Natürlich, meine Liebe«, sagte Dorothy, nestelte etwas an ihren Kleidern herum, packte den verblüfften Lloyd beim Arm und hastete davon.

Kenneth und Simon rangen immer noch miteinander, schnaubten und fluchten und drohten einander irreparable Beschädigungen ihrer Männlichkeit an.

Plötzlich fielen sie mit lautem Platschen ins Wasser!

»O nein!« schrie ich, diesmal noch lauter, und ging um den Pool herum, um besser zu sehen, wer wem was antat. Sie waren noch unter Wasser, und ich konnte nichts erkennen außer einem großen schwarzen Fleck. Als sie endlich auftauchten, war es Kenneth, der die Oberhand hatte – genauer gesagt drückte er mit beiden Händen Simons Kopf unter Wasser.

Genau in diesem Moment ertönte Captain Solbergs Stimme über die Lautsprecheranlage.

»Hier spricht Ihr Captain«, sagte er, »mit dem Neun-Uhr-Wetterbericht. Dem letzten unserer Kreuzfahrt.«

Sag bloß, Junge, dachte ich und hörte weg, während er über die Temperatur, die Windgeschwindigkeit, unsere voraussichtliche Ankunftszeit in Miami und andere Dinge schwafelte, die mir im Moment herzlich gleichgültig waren.

Ich stand am Swimmingpoolrand und beschwor Kenneth, Simon loszulassen: Ich versprach ihm, keiner Menschenseele von seinem Callgirl-Ring zu erzählen, ja sogar als Callgirl bei ihm zu arbeiten, wenn er mich haben wollte.

Er beachtete mich gar nicht. Er war viel zu sehr damit beschäftigt, Simons Kopf unter Wasser zu halten und zu versuchen, meinen tapferen, mutigen Geliebten umzubringen.

Nun, das würde ich nicht zulassen. In diesem Moment fiel mein Blick auf einen Kescher, der ein paar Meter entfernt bei mehreren anderen Gerätschaften lag. Ich war zwar keine Expertin für Schwimmbeckenwartung, doch selbst ich wußte, daß ein Kescher dazu gedacht ist, Schwimmbecken von Unrat zu befreien.

Kenneth Cone war Unrat, und so packte ich den Kescher und zog das Netz über die Wasseroberfläche, bis es mir gelang, seinen Kopf in dem Gewebe einzufangen.

»Jaaa!« rief ich, als ich ihn in der Falle hatte.

Er tobte, als er merkte, daß er in dem Netz gefangen war. »Was zum Teufel ist das?« fauchte er. Er zog und zerrte mit der einen Hand an dem Kescher, während er mit der anderen Simon unter Wasser zu halten versuchte.

»Sie sollten allmählich aufgeben«, sagte ich, als Kenneth sich erfolglos freizukämpfen versuchte.

Ich zählte die Sekunden und wartete, bis er sich ergab. Als ich endlich Simons Kopf aus dem Wasser auftauchen sah, stieß ich einen tiefen Seufzer der Erleichterung aus.

»Simon!« rief ich, als er nach Luft schnappte und das ganze Wasser heraushustete, das sich in seiner Lunge angesammelt hatte. »Simon! Sag doch was! Ich will wissen, daß dir nichts fehlt!«

Er konnte nicht sprechen, winkte mir aber erschöpft zu.

Es dauerte noch ein paar Minuten, bis er in der Lage war, sich wieder auf die Ereignisse zu konzentrieren – insbesondere auf die Tatsache, daß mir Kenneth sozusagen ins Netz gegangen war.

»Ganz schön clever, Slim«, sagte er heiser, als er sah, wie sich Kenneth in den Maschen des Keschers wand. »Du bist wirklich was Besonderes.«

Ich lächelte und dachte daran, daß er dasselbe gesagt hatte, nachdem wir zum ersten Mal miteinander geschlafen hatten. Leider konnte ich das Kompliment diesmal nicht auskosten, da ich mich auf Kenneth konzentrieren mußte.

»Danke, aber jetzt kann ich bald nicht mehr«, sagte ich, als mein Griff um den Kescher immer schwächer wurde und meine Arme nachgeben wollten. »Tu mir einen Gefallen, ja, Simon?«

»Was du willst«, sagte er matt.

»Schlag den Kerl k.o., damit ich diesen verdammten Kescher fallen lassen kann, okay? Ich glaube, ein fester Schlag auf die Nase müßte reichen.«

»Ich wußte gar nicht, daß du so ein Gewaltmensch bist«, sagte Simon nachdenklich.

»Bin ich auch nicht«, sagte ich. »Ich bekenne mich nur zu meiner maskulinen Seite.«

Er lächelte, sein attraktives Gesicht eine breiige Masse von Blutergüssen, das linke Auge fast vollständig zugeschwollen.

Dann warf er mir einen Kuß zu, nahm alle seine Kräfte zusammen und schlug Kenneth fest auf die Nase.

Ich hörte einen Knochen brechen. Na, was soll's.

Kenneth sackte zusammen, und sein Körper war nur noch schlaffe Masse. Es war vorbei.

»Volltreffer«, lobte ich Simon.

»Gern geschehen«, sagte er und rieb sich die Fingerknöchel.

Während ich den Kescher aus dem Wasser zog, packte Simon Kenneth an seinem Smoking, zerrte ihn ans seichte Ende des Beckens, zu den Stufen und ließ ihn dort liegen.

»Er atmet doch noch, oder?« fragte ich, während ich unseren Fang des Tages beäugte. »Wir wollen ihn doch lebend haben, damit er eine ganz lange Haftstrafe absitzen kann.«

»Der wird schon wieder«, versicherte mir Simon.

»Ich liebe dich«, sagte ich, als Simon aus dem Pool kam und seine tropfnassen Arme um mich schlang.

»Ich dich auch«, sagte er.

»Meinst du das ehrlich?« fragte ich. »Ich hatte schon Angst, du bist wütend, weil *ich dir* das Leben gerettet habe.«

Er lachte, und sein Lachen sagte mir, daß er die psychische Belastung endlich losgeworden war, die er seit Jillians Tod mit sich herumgeschleppt hatte.

»Ich liebe dich«, sagte er und brachte mich mit einem langen und sehr überzeugenden Kuß zum Schweigen.

Wir waren immer noch in unseren Kuß vertieft, als vier Wachmänner in Begleitung von Captain Solberg erschienen.

»Wo ist dieser Börsenmakler, der versucht hat, die Gartenexpertin umzubringen?« fragte der Captain. Offenbar hatte Jackie sich von ihrem Erlebnis erholt und ihm alles erzählt.

Simon und ich zeigten auf den bewußtlosen Kenneth. Nachdem sie einen kurzen Blick auf ihn geworfen hatten, hielten die Wachleute eine kleine Beratung ab. Schließlich rief einer von ihnen über Funk Dr. Johansson, da man zu dem Schluß gekommen war, daß Kenneth ärztlichen Beistands bedurfte.

»Wir haben die Polizei in Miami bereits verständigt«, sagte Captain Solberg. »Sie werden Mr. Cone verhaften, wenn das Schiff morgen früh dort anlegt.«

»Und was ist mit Peter Gault?« fragte ich. »Ist die Polizei in Bedford auch verständigt worden?«

»Ja, natürlich«, antwortete der Captain. »Mrs. Gault hat nichts mehr zu befürchten.«

»Ich bin sehr erleichtert, das zu hören«, sagte ich und blickte dann Simon an, der aussah, als hätte er soeben fünfzehn Runden gegen Mike Tyson hinter sich gebracht. »Und jetzt bringen wir dich zur Krankenstation«, sagte ich zu ihm.

Er schüttelte den Kopf. »Bring mich bitte ins Bett. In deines.«

»Aber du brauchst einen Arzt, Simon«, beharrte ich. »Dein Gesicht sieht aus wie plattgewalzt.«

»Deine Liebe wird mich heilen«, sagte er durch seine geschwollenen Lippen. »Das hat sie bereits.«

Ich schob meinen Arm unter seinen. »Also dann ins Bett«, willigte ich ein, da ich selbst auch vor Erschöpfung kurz vorm Umfallen war.

Aufeinander gestützt begaben wir uns sehr langsam zu Kabine 8024. »Bist du gegen irgend etwas allergisch?« fragte ich Simon plötzlich.

»Penizillin«, antwortete er. »Und du?«

»Eine ganze Menge Sachen. Ich mache dir eine Liste, wenn wir wieder zu Hause sind.«

Er nickte.

»Welchen Teil der *Sunday Times* liest du gewöhnlich zuerst?« fragte ich als nächstes.

»Den Reiseteil«, antwortete er.

»Natürlich«, sagte ich.

»Und du?«

»Die Todesanzeigen.«

Er nickte. Wir gingen weiter. Nur noch ein paar Schritte, bis zu meiner Kabine.

»Muß man deine Mutter auch andauernd besuchen, weil sie sonst beleidigt ist?« fragte ich.

Er nickte. »Und deine?«

»Auch. Aber sie gibt mir immer massenhaft zu essen mit, wenn ich sie besuche«, sagte ich. »Sie kocht sehr gut.«

»Du nicht?« wollte Simon wissen.

»Nein«, gab ich zu. »Aber ich kann perfekt die Mikrowelle bedienen.«

Er nickte wieder.

»Tja, das ist alles, was ich im Moment über dich wissen muß«, sagte ich, als wir endlich an meiner Kabine angekommen waren. »Alles andere wird sich im Lauf der Zeit herausstellen.«

»Ich dachte, du magst keine Überraschungen«, bemerkte Simon.

»Bisher nicht«, bestätigte ich.

Er nickte.

Ich steckte den Schlüssel ins Schloß und öffnete die Kabinentür.

AUSSCHIFFUNG

Die M/S *Princess Charming* legte am Sonntag, dem siebzehnten Februar, um sieben Uhr morgens in Miami an. Wir sollten das Schiff bis halb zehn verlassen haben, und nachdem Simon meine Kabine erst um acht Uhr verlassen hatte, mußte ich mich wirklich sputen, um in der kurzen Zeit zu duschen, mich anzuziehen, meine Kleider in den Koffer zu werfen und das Zollformular auszufüllen. Als ich schließlich alles erledigt hatte, steckte ich den Kopf zur Tür hinaus, da ich hoffte, daß Kingsley meine Koffer entweder selbst abholen oder es von einem Träger erledigen lassen würde. Er stand am anderen Ende des Flurs und wünschte ein paar Passagieren eine gute Heimreise. Ich machte ihn auf mich aufmerksam und bedeutete ihm, zu meiner Kabine zu kommen.

»Hier ist mein Koffer«, sagte ich, als er kam, lächelnd und gutgelaunt. »Und hier ist eine Kleinigkeit für Sie.« Ich reichte ihm einen der Fensterumschläge der *Princess Charming*, die wir speziell für Trinkgelder bekommen hatten.

»Vielen Dank, Mrs. Zimmerman«, sagte Kingsley, womit er den Umschlag meinte, nicht den Koffer. »Es war mir ein Vergnügen, Ihnen zu Diensten zu sein, und wenn Sie Ihre nächste Kreuzfahrt planen, denken Sie an Sea Swan.« Ich würde Sea Swan nie vergessen. »Aber leider muß ich Ihnen eine unangenehme Mitteilung machen.«

»Eine unangenehme Mitteilung?« Ich lachte. Wie unangenehm ist unangenehm, wenn man den letzten Abend seiner Ferien damit zugebracht hat, einen Killer unschädlich zu machen? »Schießen Sie los, Kingsley. Was gibt's?«

»Es ist wegen Ihres Koffers, Mrs. Zimmerman«, sagte er. »Er wird es nicht mehr in Ihr Flugzeug nach New York schaffen.«

»Warum denn nicht?« wollte ich wissen.

»Die Passagiere waren aufgefordert worden, ihr Gepäck bis Mitternacht vor die Kabinen zu stellen«, erklärte er. »Bei über zweitausend Gästen brauchen wir mehrere Stunden, um das Gepäck zu sortieren und es zum richtigen Flugsteig zu expedieren. Wenn ich Ihren Koffer jetzt mitnehme, bekommen Sie ihn erst morgen wieder. Oder vielleicht auch erst übermorgen.« Er machte sich auf eine Standpauke gefaßt.

Ich zuckte mit den Achseln. Was kümmerte es mich? Ich hatte die ersten drei Tage der Kreuzfahrt ohne meinen Koffer verbracht. Ich konnte auch auf dem Festland die ersten drei Tage ohne ihn leben. Außerdem hatte ich nicht vor, jemals wieder eine der Kreationen von Perky Princess zu tragen, die ich eingepackt hatte.

»Kein Problem«, erklärte ich Kingsley, der erleichtert schien. Er dankte mir noch einmal für das Trinkgeld und brachte den Koffer weiß Gott wohin.

Ich warf einen letzten nostalgischen Blick auf Kabine 8024 – ihr jämmerliches Bullauge, ihr verstaubtes Dekor, ihr schlechtes Bett – und seufzte. In dieser Kabine war es gewesen, daß ich mit Simon geschlafen hatte, in dieser Kabine hatte ich einen Teil von mir entdeckt, von dessen Existenz ich nicht einmal zu träumen gewagt hatte.

»Danke für die Erinnerungen«, sagte ich laut, nahm Hand- und Umhängetasche und ging den Flur hinunter.

Ich war mit Pat und Jackie auf Deck 2, neben dem Schalter des Zahlmeisters, verabredet. Simon war nicht auf unseren Flug nach New York gebucht, aber er wollte vorbeikommen, um sich zu verabschieden – sobald er bei Dr. Johansson fertig war.

»So, so. Da ist ja Elaine«, sagte Jackie, als ich zu meinen Freundinnen hinübereilte. »Unsere Heldin.«

Ihre Stimme hatte einen scharfen Unterton. Ich fragte sie, ob irgend etwas wäre – abgesehen davon, daß ihr Exmann und Geschäftspartner versucht hatte, sie ermorden zu lassen.

»Sie hat sich darüber geärgert, daß du uns nicht gleich von dem Mordkomplott erzählt hast, als du davon erfahren hast«, sagte Pat. »Offen gestanden bin ich auch ein bißchen indiziert.«

»Indigniert, Pat«, verbesserte ich sie.

»Ja«, sagte sie.

»Jetzt hört mal zu, ihr zwei«, sagte ich. »Ich werde euch eine Frage stellen, und darauf möchte ich eine ehrliche Antwort. Wenn ich euch erzählt hätte, daß ich zwei Männer am Telefon belauscht habe, die die Ermordung der Exfrau des einen besprochen hatten – und daß ich denke, diese Exfrau könnte eine von *uns* sein –, hättet ihr mir dann geglaubt? Oder hättet ihr mit den Augen gerollt und gesagt: ›Elaine und ihre Paranoia‹?«

»Ich glaube, ich wäre ein wenig skeptisch gewesen«, gestand Pat ein.

»Jackie?« fragte ich.

»Sonnenklar. Ich hätte mit den Augen gerollt und gesagt: ›Elaine und ihre Paranoia‹«, räumte sie ein.

»Damit schließe ich mein Plädoyer ab«, sagte ich.

»Es tut mir leid«, sagte Jackie. »Ich versuche nur damit fertig zu werden. Vermutlich habe ich eine verzögerte Reaktion.«

Ich umarmte sie. »Du hast ein Recht darauf, einen kleinen Schock zu haben. Du auch, Pat.« Ich umarmte sie ebenfalls. »Wir haben alle eine Menge durchgemacht.«

»Das kannst du laut sagen«, meinte Jackie nickend. »Der arme Sam. *Simon*, meine ich. Schaut ihn euch nur an.«

Wir drehten uns um und sahen Simon auf uns zuhumpeln. Sein Gesicht war von Heftpflastern übersät.

»Heute beim Rasieren danebengelangt?« witzelte Jackie.

»Ich komme gerade von Ihrem Freund, Dr. Johansson«, berichtete er Jackie. »Er meinte, ich würde mit den Pflastern meine Mitmenschen weniger schrecken, aber ich bin mir da nicht so sicher.« Er lachte. »Ach, und außerdem hat er gesagt, ich soll Sie daran erinnern, daß Sie im Frühling mit einem Besuch von ihm rechnen können.«

Jackie lächelte. »Danke«, sagte sie. »Jetzt habe ich wenigstens *etwas*, auf das ich mich freuen kann, wenn ich nach Hause komme.«

»Fürchtest du, daß diese Geschichte dem Gartencenter schadet?« fragte ich, da ich wußte, wie sehr die Medien einen saftigen Skandal lieben – und wie wankelmütig »treue« Kunden sein können.

»Sicher fürchte ich das«, antwortete Jackie. »Aber andererseits hat die Geschichte auch einen Vorteil: Ich kann im Geschäft jetzt alles so machen, wie ich es will, ohne daß er – oder Trish – mir ständig dazwischenfunkt.«

Simon tätschelte ihr sachte die Schulter. Er mochte sie, das konnte man sehen. Er mochte meine Freundinnen alle beide. »Und wie steht's mit Ihnen, Pat?« fragte er. »Irgendwelche konkreten Pläne?«

»Nun«, begann sie, und ein verschämtes Lächeln huschte über ihr Gesicht. »Bill ist gebeten worden, nächsten Monat auf einer Konferenz in Neuseeland zu sprechen, und ich fahre mit. Früher hätte ich gesagt, daß es wegen der Kinder nicht geht, aber jetzt nicht mehr. Ich weiß, daß sie es verstehen werden.«

»Natürlich verstehen sie es«, sagte ich und dachte an Lucy, die sicher glücklich war, daß ihr Vater jetzt wieder ganz zur Familie gehörte. »Worüber wird Bill auf der Konferenz sprechen?«

»Über Divertikulitis«, antwortete sie.

»Pat«, sagte ich, »etwas wollte ich dich schon immer fragen: Wie kommt es, daß du ganz gebräuchliche Wörter ständig durcheinanderbringst, medizinische Fachbegriffe aber immer richtig benutzt?«

Pat erwog die Frage und sagte dann: »Es könnte das gleiche Phänomen wie bei Stotterern sein. Sie stottern, wenn sie sprechen, aber nicht, wenn sie singen, stimmt's?«

Wir dachten über Pats Theorie nach und fanden kein Gegenargument, das sie entkräftet hätte.

»Es tut mir leid, wenn ich ungemütlich werde«, sagte Simon, »aber wir müssen unsere Zubringerbusse erwischen.«

»Ich kann es nicht fassen, daß wir mit verschiedenen Flügen nach New York fliegen«, sagte ich, schlang ihm die Arme um die Taille und drängte mich an ihn. »So eine miserable Planung.«

Jackie und Pat zwinkerten einander zu. »Lassen wir die Turteltäubchen mal in Ruhe«, meinte Jackie. »Sie möchten sich wahrscheinlich unter vier Augen voneinander verabschieden.«

Die beiden umarmten Simon kurz und sagten, sie hofften, ihn bald wiederzusehen, wobei Jackie ihn ein oder zwei Sekunden länger drückte.

»Ohne Sie läge ich jetzt auf dem Meeresgrund«, sagte sie mit vor Rührung erstickter Stimme.

»Aber Sie sind noch da«, sagte er leise. »Sie sind auf dem Weg nach Hause, und alles ist in Ordnung.«

»Vielen Dank«, flüsterte sie und ging mit Pat zur Zollabfertigung, wo ich mich in ein paar Minuten wieder zu ihnen gesellen würde.

»Ich habe gerade nachgedacht«, begann ich. »Nach sieben Abenden an Tisch 186 wird es mir ein bißchen komisch vorkommen, wieder allein in meiner Küchentheke zu essen. Wahrscheinlich werde ich darauf warten, daß Ismet vorbeikommt und mir die Spezialitäten des Tages nennt.«

»Ich könnte deiner Verwirrung abhelfen.«

»Ja? Wie denn?«

»Indem ich vorbeikomme und mit dir an deiner Küchentheke esse. Du wirst schwören, immer noch im Palace Dining Room zu sein.«

»Aber nur, wenn du zehn Minuten zu spät kommst.«

Simon lachte. »Um wieviel Uhr wirfst du denn die Mikrowelle an?«

»Um halb acht.«

»Ich werde um zehn nach halb acht da sein.«

»Abgemacht.«

MAEVE HARAN

»... ist eine wundervolle Erzählerin!«
The Sunday Times
Exklusiv im Goldmann Verlag

41398

43584

42964

43055

GOLDMANN